LISA KLEYPAS

······· Série The Travis Family - 3 ·······

A busca

Tradução A C Reis

Copyright © 2009 Lisa Kleypas
Copyright © 2018 Editora Gutenberg

Título original: *Smooth Talking Stranger*

Todos os direitos reservados pela Editora Gutenberg. Nenhuma parte desta publicação poderá ser reproduzida, seja por meios mecânicos, eletrônicos, seja via cópia xerográfica, sem a autorização prévia da Editora.

EDITORA RESPONSÁVEL
Silvia Tocci Masini

EDITORAS ASSISTENTES
Carol Christo
Nilce Xavier

ASSISTENTE EDITORIAL
Andresa Vidal Vilchenski

PREPARAÇÃO
Andresa Vidal Vilchenski

REVISÃO FINAL
Mariana Paixão

CAPA
Diogo Droschi

MIOLO
Larissa Carvalho Mazzoni

Dados Internacionais de Catalogação na Publicação (CIP)
Câmara Brasileira do Livro, SP, Brasil

Kleypas, Lisa
 A busca / Lisa Kleypas ; tradução A C Reis. -- 1. ed. -- Belo Horizonte : Gutenberg Editora, 2018. -- (Série The Travis Family , 3)

 Título original: Smooth talking stranger.
 ISBN 978-85-8235-485-8

 1. Romance norte-americano I. Título. II. Série.

17-08351   CDD-813.5

Índices para catálogo sistemático:
1. Romances : Literatura norte-americana 813.5

A **GUTENBERG** É UMA EDITORA DO **GRUPO AUTÊNTICA**

São Paulo
Av. Paulista, 2.073,
Conjunto Nacional, Horsa I
23º andar . Conj. 2310-2312
Cerqueira César . 01311-940
São Paulo . SP
Tel.: (55 11) 3034 4468

Belo Horizonte
Rua Carlos Turner, 420,
Silveira . 31140-520
Belo Horizonte . MG
Tel.: (55 31) 3465 4500

Rio de Janeiro
Rua Debret, 23, sala 401
Centro . 20030-080
Rio de Janeiro . RJ
Tel.: (55 21) 3179 1975

www.editoragutenberg.com.br

Para Greg,
porque cada dia que eu passo com
você é o dia perfeito.
Amor eterno,
L.K.

·················· Capítulo um ··················

— Não atenda — eu disse ao ouvir o toque do telefone do nosso apartamento. Pode chamar de premonição, paranoia, mas alguma coisa naquele som desfez qualquer sensação agradável que eu havia conseguido tecer ao meu redor.

— O número do prefixo é 281 — Dane, meu namorado, avisou. Ele estava salteando tofu na panela, e agora acrescentava uma lata de molho de tomate orgânico. Dane era vegano, então usávamos proteína de soja no lugar de carne moída em nosso *chili*. Isso já seria suficiente para fazer qualquer nativo do Texas chorar, mas, pelo bem de Dane, eu tentava me acostumar com aquilo. — Está no identificador de chamadas.

281. Houston. Esses três dígitos eram suficientes para me causar um ataque de ansiedade.

— Só pode ser minha mãe ou minha irmã — eu disse, desesperada. — Deixe a secretária eletrônica atender. — Eu não falava com nenhuma das duas há pelo menos dois anos.

Trr-rim.

— Você não pode fugir dos seus fantasmas para sempre — Dane disse, interrompendo o ato de misturar um punhado de vegetais picados e congelados no molho. — Não é o que você sempre diz para suas leitoras?

Eu era colunista da *Vibe*, uma revista *on-line* sobre relacionamentos, sexo e cultura urbana. A coluna, chamada "Pergunte à Srta. Independente", tinha começado como um projeto universitário, mas logo ganhei muitas seguidoras. Ao me formar, levei a Srta. Independente para a *Vibe*, onde me ofereceram um espaço semanal. Meus conselhos eram publicados abertamente, mas eu também enviava respostas personalizadas e pagas para quem solicitasse. E para complementar minha renda, também fazia trabalhos como freelancer para revistas femininas.

— Não estou fugindo dos meus fantasmas —respondi para Dane. — Estou fugindo da minha família.

Trr-rim.

— Atenda logo, Hannah. Você sempre diz para as pessoas encararem os problemas.

— É, mas os meus eu prefiro ignorar e esperar até que apodreçam. — Eu me aproximei do telefone e reconheci o número. — Oh, céus. É minha mãe.

Trr-rim.

Encarei o aparelho com um ódio temeroso.

— Em menos de trinta segundos ela pode dizer algo que vai me fazer voltar para a terapia sei lá por quanto tempo.

Trr-rim.

— Se você não descobrir o que ela quer — Dane disse —, vai ficar preocupada a noite toda.

Soltei um suspiro explosivo e agarrei o telefone.

— Alô?

— Hannah. É uma emergência!

Para minha mãe, Candy Varner, tudo era uma emergência. Ela era uma mãe do tipo tropa de choque, a definitiva rainha do drama. Mas ela disfarçava tão bem que pouca gente desconfiava do que acontecia por trás das portas. Candy tinha exigido que as filhas colaborassem para manter o mito da nossa felicidade familiar, e Tara e eu obedecemos sem questionar.

Às vezes mamãe queria interagir comigo e minha irmã mais nova, mas logo ficava impaciente e ranzinza. Nós aprendemos a perceber qualquer sinal que indicasse as flutuações de humor dela. Éramos meteorologistas à espera de tempestades, tentando manter-nos perto do tornado sem sermos engolidos por ele.

Andei até a sala de estar, afastando-me de Dane e do clangor das panelas.

— Como você está, mãe? O que está acontecendo?

— Eu acabei de dizer. Uma emergência! Tara veio me visitar hoje. Apareceu do nada. Com um bebê.

— Um bebê dela?

— O que ela estaria fazendo com o bebê de outra pessoa? É claro que é dela. Você não soube que ela estava grávida?

— Não — eu consegui dizer, me apoiando nas costas do sofá, meio sentada, meio encostada. Senti meu estômago revirar. — Eu não sabia. Não temos nos falado.

— Quando foi a última vez que você telefonou para ela? Você pensa na gente, Hannah? Sua família? Existe *algum lugar* para nós na sua lista de prioridades?

Eu fiquei muda, o coração batendo como uma secadora cheia de tênis molhados enquanto uma sensação estranhamente familiar da minha infância se instalava em mim. Mas eu não era mais criança. Procurei me lembrar de que eu era uma mulher formada, com uma carreira, um namorado estável e um círculo de bons amigos. Consegui responder calmamente:

— Eu enviei cartões.

— Não foram sinceros. Aquele último cartão de Dia das Mães não dizia nada sobre todas as coisas que eu fiz por você. Todos aqueles momentos felizes.

Eu levei a mão à testa na esperança de que isso evitasse que meu cérebro explodisse.

— Mãe, a Tara ainda está aí?

— Eu estaria ligando pra você se ela estivesse? Ela... — Minha mãe foi interrompida pelo uivo furioso de um bebê. — Você consegue escutar com o que estou tendo que lidar? Tara o deixou aqui. E sumiu! O que eu vou fazer?

— Ela disse quando iria voltar?

— *Não*.

— E ela não levou um namorado? Não disse quem era o pai do bebê?

— Eu acho que ela não sabe. Tara arruinou a própria vida, Hannah. Nenhum homem vai querer ficar com ela depois disso.

— Talvez você fique surpresa — eu disse. — Mas muitas mulheres solteiras têm filhos atualmente.

— Ainda existe preconceito. Você sabe o que eu passei para não deixar que vocês ficassem malvistas.

— Depois do seu último marido — eu comentei —, acho que preferia ter ficado malvista.

— Roger era um homem bom. — O tom dela ficou gélido. — Meu casamento com ele teria durado, se você e Tara tivessem aprendido a conviver com ele. Não é minha culpa se minhas próprias filhas o fizeram ir embora. Ele as amava e vocês nunca deram uma chance para o coitado.

Eu revirei os olhos.

— Roger nos amava um pouco demais, mãe.

— Como assim?

— Nós tínhamos que dormir com uma cadeira segurando a porta, para que ele não entrasse no nosso quarto à noite. E acho que ele não pretendia apenas ajeitar nosso cobertor.

— Isso é tudo coisa da sua cabeça. Ninguém acredita em você quando diz essas coisas, Hannah.

— Tara acredita.

— Ela não lembra de nada sobre o Roger — minha mãe declarou, triunfante. — Nadinha.

— E isso parece normal para você, mãe? Bloquear completamente grandes períodos da infância? Você não acha que ela deveria lembrar de *alguma coisa* do Roger?

— Eu acho que deve ser um sinal de que Tara esteve bebendo ou usando drogas. Essas coisas são comuns no lado do seu pai.

— Também é um sinal de trauma ou abuso na infância. Mãe, tem certeza de que Tara não foi até alguma loja e logo volta?

— Sim, eu tenho certeza. Ela deixou um bilhete de despedida.

— Você tentou ligar para o celular dela?

— É claro que eu tentei! Ela não atende. — Minha mãe estava quase engasgando de irritação. — Eu abri mão dos melhores anos da minha vida para criar vocês. Não vou passar por isso de novo. Sou nova demais para ter um neto. Não quero que ninguém saiba disso. Venha pegá-lo antes que alguém o veja, Hannah! Faça algo com este bebê antes que eu o entregue para o Conselho Tutelar.

Senti um frio na barriga quando percebi o tom de voz dela. Não era uma ameaça vazia.

— Não faça nada — eu disse. — Não dê o bebê para ninguém. Eu chego aí em algumas horas.

— Vou ter que cancelar um encontro esta noite — ela disse, revoltada.

— Sinto muito, mãe. Estou indo. Vou sair agora mesmo. Segure as pontas. *Espere* eu chegar, tudo bem?

Ela desligou. Eu fiquei ansiosa e comecei a tremer; o sopro do ar-condicionado no meu pescoço me causando arrepios.

Um bebê, eu pensei, arrasada. *Filho de Tara.*

Eu me arrastei até a cozinha.

— Até este momento — eu declarei —, pensei que a pior coisa que poderia acontecer essa noite era você cozinhar.

Dane tinha tirado a frigideira do fogo. Ele estava despejando um líquido laranja em um copo de martíni. Virando-se, ele me entregou a bebida, seus olhos verdes e amistosos demonstrando empatia.

— Experimente.

Eu tomei um gole daquela gosma adocicada e fiz uma careta.

— Obrigada. Eu estava mesmo precisando de uma boa dose de suco de cenoura. — Coloco o copo de lado. — Mas preciso ir com calma com a bebida. Tenho que dirigir esta noite.

Quando olhei para o rosto preocupado de Dane, sua expressão calma, seu equilíbrio emocional, foi como se um cobertor macio me envolvesse. Ele era bonito – loiro e magro, com o jeito despreocupado e bronzeado de quem tinha acabado de chegar da praia. A maior parte do tempo, Dane vestia jeans, camisas de cânhamo e sandálias ecológicas, como se estivesse sempre pronto para uma viagem a algum lugar equatorial. Se alguém perguntasse a Dane qual sua ideia de férias perfeitas, ele descreveria uma excursão de sobrevivência no meio de uma selva exótica, equipado apenas com uma bolsa de náilon, com água e um canivete de bolso.

Embora Dane ainda não conhecesse minha mãe e minha irmã, eu tinha falado muito delas para ele, desenterrando lembranças como se fosse artefatos arqueológicos. Não era fácil falar do meu passado; de nenhuma parte dele. Eu havia conseguido contar o básico: meus pais se divorciaram e meu pai nos abandonou quando eu tinha 5 anos. Tudo que eu soube dele depois foi que tinha arrumado uma nova esposa, novos filhos, e não havia espaço para Tara e eu em sua segunda tentativa de família.

Apesar do fracasso dele como pai, eu não conseguia culpá-lo por querer fugir. O que me incomodava, contudo, era que meu pai sabia o tipo de mãe com quem ele tinha nos deixado. Talvez ele acreditasse que, por sermos meninas, ficaríamos melhor com a mãe. Talvez ele esperasse que minha mãe melhorasse com o tempo. Ou, quem sabe, temia que uma de suas filhas, ou as duas, acabassem ficando iguaizinhas à mãe, algo com que ele não saberia lidar.

Não existiu nenhum homem importante na minha vida até eu conhecer Dane, na Universidade do Texas. Ele sempre foi delicado, sabia me entender sem exigir demais. Ele fez com que eu me sentisse segura pela primeira vez.

Mas apesar disso tudo, faltava alguma coisa entre nós, algo que me incomodava como uma pedra no sapato. O que quer que fosse, nos impedia de ter uma intimidade absoluta.

Parados na cozinha do apartamento, Dane pôs a mão quente no meu ombro, e o frio que havia tomado meu corpo começou a diminuir.

— Pelo que consegui ouvir — Dane disse —, Tara deixou um bebê-surpresa com sua mãe, que está planejando vender a criança no eBay.

— Conselho Tutelar — eu o corrigi. — Ela ainda não cogitou o eBay.

— O que ela espera que você faça?

— Ela quer que eu tire o bebê das mãos dela — respondi, me abraçando. — Acho que ela não pensou muito além disso.

— Ninguém sabe onde Tara está?

Neguei com a cabeça.

— Quer que eu vá com você? — ele perguntou, gentil.

— Não — eu disse, antes mesmo que ele conseguisse terminar a pergunta. — Você já tem muito o que fazer aqui. — Dane tinha começado uma empresa de equipamentos de monitoramento ambiental, que crescia tão rapidamente que ele quase não conseguia administrá-la. Seria difícil para ele se afastar nesse momento. — Além do mais, não sei quanto tempo vai demorar para encontrar Tara, nem como ela vai estar quando eu a localizar.

— E se você acabar ficando com essa criança? Não, eu vou reformular a pergunta. O que você vai fazer para *não* ficar com essa criança?

— E se eu a trouxer para cá, só por alguns dias? Só tempo o bastante para...

Dane negou com a cabeça, firme.

— Não a traga para cá, Hannah. Nada de bebês.

Lancei um olhar contrariado para ele.

— E se fosse um bebê de urso polar? Ou de um pinguim-das-galápagos? Aposto que você iria querer algo assim.

— Eu faria uma exceção para espécies ameaçadas — Dane concordou.

— Esse bebê está ameaçado. Ele está com minha mãe.

— Vá para Houston e resolva o problema. Vou estar esperando por você quando voltar. — Dane fez uma pausa e acrescentou, com firmeza: — Sozinha. — Virando-se para o fogão, ele pegou a frigideira com molho vegetariano e o despejou sobre uma tigela de macarrão integral, salpicando queijo de soja ralado por cima. — Coma algo antes de sair. Isto aqui vai lhe dar energia.

— Não, obrigada — eu disse. — Perdi o apetite.

Um sorriso irônico surgiu nos lábios dele.

— Perdeu nada. Assim que sair, você vai parar no *drive-thru* do primeiro Qualquer-Coisa-Burguer que aparecer.

— Você acha que eu o trairia? — perguntei com o máximo de indignação que consegui.

— Com outro homem, não. Com um cheeseburger... num piscar de olhos.

Capítulo dois

Eu sempre detestei as três horas de carro entre Austin e Houston. Mas o longo período de sossego me deu a oportunidade de reavivar minhas lembranças de infância e tentar entender o que levou Tara a ter um bebê quando não estava pronta para cuidar dele.

Eu percebi cedo na vida que nada em excesso faz bem, e isso inclui beleza. Eu tive a sorte de nascer razoavelmente bonita, com olhos azuis e cabelo loiro – e uma pele cor-de-leite que, exposta ao ardor cruel do sol texano, não demorava a ficar vermelha. ("Você não tem melanina", Dane se assombrou certa vez. "É como se você fosse feita para viver dentro de uma biblioteca.") Minha altura era média, 1,63 m, com boas medidas e um belo par de pernas.

Tara, contudo, pertencia ao reino das deusas. Era como se a natureza, após ter feito as experiências necessárias em mim, decidisse criar uma obra-prima. Tara tinha tirado a sorte grande na loteria genética, com as feições delicadas esculpidas, abundante cabelo loiro-platinado e lábios carnudos que nenhuma quantidade de colágeno conseguiria reproduzir. Com 1,78 m, usando roupas tamanho 36 e um corpo longilíneo, com frequência era tomada por uma supermodelo. O único motivo de Tara não trilhar essa carreira, que parecia seu destino, foi que o mínimo de disciplina e ambição que se exige de uma modelo era inalcançável para ela.

Por essas e outras, eu nunca invejei minha irmã. Sua beleza, a simples magnitude dela, ao mesmo tempo distanciava as pessoas e fazia com que quisessem se aproveitar dela. A beleza fazia com que pensassem que ela era burra e, verdade seja dita, os dotes físicos não tinham motivado Tara a provar sua capacidade intelectual. Não se espera que uma mulher maravilhosa seja inteligente e, quando é, a maioria das pessoas acha isso desagradável. Os outros não perdoam quando há sorte demais para a mesma pessoa. Assim, o excesso de beleza só tinha trazido problemas para minha irmã. Da última vez que vi Tara, homens demais já tinham passado por sua vida. Igualzinho à minha mãe.

Alguns dos namorados de mamãe tinham sido homens bons. Primeiro eles viam uma mulher linda e cheia de vida, uma mãe solteira e trabalhadora, dedicada às suas duas filhas. Com o tempo, porém, eles entendiam o que ela era: uma mulher que precisava desesperadamente de amor, mas que era incapaz de retribuí-lo. Uma mulher que lutava para controlar e dominar quem tentasse se aproximar dela. Mamãe afastava todos os homens, para depois atrair novos, em um ciclo constante e exaustivo de namorados.

Seu segundo marido, Steve, só aguentou quatro meses até pedir o divórcio. Ele foi uma presença bondosa e racional em nosso lar, e mesmo esse curto período de convivência com ele bastou para me mostrar que nem todos os adultos eram como a minha mãe. Quando Steve se despediu de mim e Tara, disse-nos, pesaroso, que éramos boas garotas, e que queria poder nos levar com ele. Mas, mais tarde, mamãe contou que Steve tinha ido embora por nossa causa, e que nunca teríamos uma família se não nos comportássemos melhor.

Quando eu tinha 9 anos, mamãe se casou com Roger, o último marido, sem nem mesmo contar para mim e Tara antes. Ele era bonito e carismático, e demonstrou tal interesse por suas enteadas que a princípio nós o amamos. Mas não demorou para que o homem que lia histórias de ninar para nós também começasse a nos mostrar páginas de revistas pornográficas. Ele gostava de fazer cócegas, uma brincadeira na qual se estendia demais, e que na verdade homens adultos não deveriam fazer com garotinhas.

Roger demonstrou interesse especial em Tara, levando-a para passeios de pai e filha e comprando-lhe presentes especiais. Tara começou a ter pesadelos e tiques nervosos, além de ficar remexendo a comida no prato e não comer. Ela me pediu para não deixá-la sozinha com o padrasto.

Mamãe teve um ataque de fúria quando Tara e eu tentamos contar isso para ela, e até mesmo nos castigou por, segundo ela, contarmos mentiras. Ficamos com medo de contar o que acontecia em casa para qualquer um fora da família, certas de que, se nossa própria mãe não acreditava em nós, ninguém mais acreditaria. A única opção que me restou foi proteger Tara da forma que eu pudesse. Quando estávamos em casa, eu ficava com ela o tempo todo. Ela dormia comigo à noite, e eu mantinha a cadeira travando a porta.

Uma noite, Roger bateu na porta por quase dez minutos.

— Tara, me deixe entrar, ou não vou mais comprar nenhum presente para você. Só quero conversar um pouco. Tara... — Ele empurrou a porta com mais força, e a cadeira rangeu. — Eu fui legal com você outro dia, não fui? Eu disse que te amava. Mas não vou mais ser legal se você não tirar essa cadeira do caminho. Abra logo, Tara, ou vou contar para sua mãe que você está se comportando mal. Você vai ficar de castigo.

Minha irmãzinha se enrolou junto a mim, tremendo. Ela cobriu as orelhas com as mãos.

— Não deixe ele entrar, Hannah — Tara sussurrou. — Por favor.

Eu também estava com medo. Mas envolvi Tara com as cobertas e saí da cama.

— Ela está dormindo — eu disse, alto o bastante para o monstro atrás da porta ouvir.

— Abra logo, sua vagabundinha! — As dobradiças rangeram quando ele forçou a porta. Onde estava minha mãe? Por que ela não fazia nada?

Com o brilho fraco da nossa luzinha noturna em formato de arco-íris, me ajoelhei para procurar embaixo da cama, frenética, nossa caixa de artesanato, onde guardávamos o material de arte. Meus dedos se curvaram ao redor do metal frio de uma tesoura. Nós a usávamos para cortar bonecas de papel, fotos de revistas e caixas de cereal.

Ouvi o baque surdo provocado pelo ombro de Roger contra a porta, tão forte que a cadeira começou a ceder. Entre as batidas, eu podia ouvir minha irmãzinha chorando. Fui inundada por um surto de adrenalina, que fez meu coração disparar, furioso. Ofegante, fui até a porta, segurando a tesoura com firmeza. Outra pancada, e mais outra, todas acompanhadas do som da madeira vibrando e se partindo. A luz do corredor entrou no quarto quando Roger abriu a porta o suficiente para enfiar a mão para dentro. Mas quando ele começou a empurrar a cadeira eu dei um salto para frente e ataquei a mão dele com a tesoura. Veio a sensação nauseante de algo mole sendo penetrado pelo metal. Um rugido abafado de dor e fúria, e então... nada... a não ser o som de passos em retirada.

Ainda segurando a tesoura, voltei para cama com Tara.

— Estou com medo. — Minha irmãzinha chorava, molhando o ombro da minha camisola com suas lágrimas. — Não deixe ele me pegar, Hannah.

— Não vou deixar — eu disse, tensa e trêmula. — Se ele voltar, eu furo ele como um porco. Agora tente dormir.

E ela dormiu agarrada a mim a noite toda, enquanto permaneci acordada. Meu coração disparava toda vez em que ouvia algum barulho.

Pela manhã, Roger tinha ido embora de casa.

Mamãe nunca nos perguntou sobre aquela noite – o que tinha acontecido ou como nos sentíamos com a saída repentina de Roger da nossa vida. A única coisa que ela disse foi: "Vocês nunca vão ter outro pai. Vocês não merecem".

Tiveram outros homens depois desse, alguns ruins, mas nenhum tão horrível quanto Roger.

O mais estranho disso tudo é que Tara não lembra de Roger, nem da noite em que furei a mão dele com a tesoura. Ela ficou perplexa quando lhe contei essa história, alguns anos depois.

— Tem certeza? — ela me perguntou, com o rosto franzido. — Talvez tenha sonhado.

— Eu tive que lavar a tesoura pela manhã — respondi. Fiquei assustada ao vê-la tão impassível. — Tinha sangue nela. E a cadeira estava quebrada em dois lugares. Você não lembra?

Tara negou com a cabeça, estupefata.

Depois dessa experiência e do desfile de homens que nunca ficavam, me tornei uma pessoa tímida e cautelosa, tinha medo de confiar em qualquer um. Já Tara, quando ficou mais velha, foi para o outro lado. Ela teve inúmeros parceiros e sexo abundante. Eu imaginava quanto prazer de verdade ela tirou disso – se é que tirou algum.

Nunca perdi o impulso de proteger e cuidar de Tara. Durante nossa adolescência, eu ia de carro, durante a noite, buscá-la em lugares estranhos em que algum namorado a tinha deixado... Eu dei a ela o dinheiro que ganhei como garçonete para que comprasse um vestido de formatura... Eu a levei ao médico para conseguir pílulas anticoncepcionais. Tara tinha 15 anos na época.

— Mamãe diz que eu sou uma vagabunda — Tara sussurrou na sala de espera do médico. — Ela está enlouquecida porque não sou mais virgem.

— O corpo é seu — eu sussurrei de volta, segurando a mão gelada da minha irmã. — Você pode fazer o que quiser. Mas não fique grávida. E... eu acho que você não deve deixar um garoto tocá-la se não tiver certeza de que ele a ama.

— Eles sempre dizem que me amam — Tara disse, com um sorriso amargo. — Como a gente sabe quando estão falando a verdade?

Eu meneei a cabeça, impotente.

— Você ainda é virgem, Hannah? — Tara me perguntou depois de um instante.

— Uhum.

— É por isso que o Bryan terminou com você semana passada? Por que você não queria transar com ele?

— Fui eu que terminei com ele — respondi, negando com a cabeça. Fitando os olhos azuis dela, tentei um sorriso triste, mas acho que saiu mais como uma careta. — Eu voltei da escola e encontrei Bryan com a mamãe.

— O que eles estavam fazendo?

Hesitei durante um bom tempo antes de responder:

— Estavam bebendo — foi tudo que eu consegui dizer. Pensei que tinha chorado até não restarem mais lágrimas, mas meus olhos ficaram marejados outra vez. E embora Tara fosse mais nova que eu, ela pôs a mão na minha cabeça e a puxou até seu ombro, tentando me consolar. Ficamos sentadas assim até a enfermeira aparecer e chamar pelo nome dela.

Eu não acreditava que teria sobrevivido à infância sem minha irmã, nem ela sem mim. Nós éramos, uma para a outra, o único elo com o passado... Essa era a força da nossa ligação, e também a fraqueza.

Para ser justa com Houston, eu gostaria muito mais da cidade se não a enxergasse através de um prisma de lembranças. Houston era plana, úmida e surpreendentemente verde em certas partes, localizada no fim de uma floresta que vinha do leste do Texas. Havia um desenvolvimento imobiliário furioso em todos os cantos da cidade... apartamentos e casas, prédios comerciais e corporativos. Era uma cidade intensamente viva, espetacular, exibida, suja e agitada.

Aos poucos, os pastos queimados pelo sol se transformaram em oceanos de asfalto fumegante, com ilhas de centros comerciais, shoppings e hipermercados. Aqui e ali um arranha-céu e um corredor de vegetação, que indicava o crescimento do centro de Houston.

Minha mãe morava na região sudoeste, em um bairro de classe média construído ao redor de um núcleo de lojas e restaurantes. Agora, esse núcleo tinha sido substituído por um grande comércio de bricolagem. A casa da minha mãe era em estilo colonial rancheiro, com dois quartos e colunas brancas estreitas na fachada. Fui me aproximando pela rua, temendo o momento em que estacionaria na entrada da casa.

Parando na frente da garagem, saltei do meu Prius e corri para a porta da frente. Antes de eu ter a chance de tocar a campainha, minha mãe abriu a porta. Ela conversava com alguém ao telefone, com a voz baixa e sedutora.

— ...prometo que vou recompensar você — ela arrulhou. — Da próxima vez. — Ela riu um pouco. — Oh, eu acho que você sabe como...

Eu fechei a porta do lado de dentro e esperei, sem saber o que fazer, enquanto ela continuava falando.

Mamãe continuava com a mesma aparência: magra, em forma, vestida como uma estrela pop adolescente, sem se importar que estivesse chegando perto dos 50 anos. Vestia uma regata preta justa, uma minissaia jeans presa com um cinto cravejado de strass e sandálias de salto alto. A testa dela era tão lisa quanto a pele de uma uva. O cabelo estava tingido de loiro Hilton e lhe caía nos ombros em ondas muito bem armadas. Quando ela me observou, eu soube exatamente o que pensou da minha camisa branca de algodão, uma peça de roupa prática, abotoada na frente.

Enquanto ouvia a pessoa do outro lado da linha, mamãe gesticulou na direção do corredor que levava aos quartos. Eu assenti e fui procurar o bebê. A casa cheirava a ar-condicionado, tapetes velhos e odorizador tropical. Os cômodos estavam escuros e silenciosos.

Uma pequena luminária tinha sido deixada acesa sobre a cômoda, no quarto principal. Minha respiração acelerou com a expectativa, ansiosa ao me aproximar da cama. O bebê estava bem no centro, um pacotinho do tamanho de um pão de forma. Um menino. Estava vestido de azul, com os braços abertos e a boca bem apertada, como um zíper fechado, enquanto dormia. Sentei na cama, ao lado dele, fitando aquela criatura indefesa com seu rostinho enrugado e a pele macia e rosada. As pálpebras eram tão frágeis que pareciam tingidas de azul, fechadas sobre os olhos sonolentos. A cabeça pequenina estava recoberta de cabelo preto e macio, e os dedinhos tinham unhas tão delicadas e pontudas quanto garras de passarinho.

O desamparo absoluto daquele bebê me deixou intensamente angustiada. Quando ele acordasse iria chorar. E fazer xixi. Ele precisaria de coisas misteriosas, coisas sobre as quais eu não sabia e não tinha nenhuma vontade de aprender.

Eu quase conseguia entender Tara por ter imposto aquele problema avassalador a outra pessoa. Quase. Porque o que eu queria mesmo era matá-la. Minha irmã sabia que deixá-lo com nossa mãe era uma idiotice. Ela sabia que mamãe nunca ficaria com ele. E também sabia que eu, provavelmente, seria recrutada para fazer algo a respeito. Eu sempre fui a solucionadora de problemas da família, até cair fora como um ato de autopreservação. E elas ainda não tinham me perdoado por isso.

Desde então, eu me perguntava, com frequência, como e quando seria possível me reunir com minha mãe e minha irmã; se nós teríamos mudado o suficiente para conseguirmos estabelecer algum tipo de relacionamento. Eu esperava, quem sabe, que nossa vida pudesse ser como um daqueles filmes melodramáticos: nós três sentadas na varanda, só abraços e risos.

Isso teria sido bom. Mas não aconteceria na minha família.

Enquanto o bebê dormia, eu escutava sua respiração suave de anjinho. O tamanhinho e a solidão dele fizeram com que um peso invisível caísse sobre mim, em uma mistura de tristeza e raiva. Eu não deixaria que Tara fugisse disso, jurei para mim mesma, impiedosa. Eu iria encontrá-la, e, pelo menos uma vez na vida, ela teria que lidar com as consequências de seus atos. Se isso não desse certo, eu iria encontrar o pai do bebê e insistir para que ele assumisse alguma responsabilidade.

— Não o acorde — minha mãe disse, perto da porta. — Demorei duas horas para fazê-lo dormir.

— Oi, mãe — eu disse. — Você está ótima.

— Tenho treinado com um *personal*. Ele não consegue ficar com as mãos longe de mim. Você ganhou peso, Hannah. É melhor tomar cuidado... você puxou o corpo da família do seu pai e eles têm tendência a engordar.

— Eu me exercito — retruquei, aborrecida. Eu não estava gorda. Era curvilínea e forte. Eu fazia ioga três vezes por semana. — E o Dane não reclama — acrescentei, defensiva, sem conseguir me segurar. No mesmo instante tive vontade de socar minha própria cabeça. — Mas não importa o que os outros acham do meu corpo, desde que eu esteja feliz com ele.

— Você continua com esse Dane? — Minha mãe me deu um olhar de desdém.

— Sim. E gostaria de voltar para ele assim que possível, então precisamos encontrar Tara. Você pode me contar, de novo, o que aconteceu quando ela esteve aqui?

— Venha até a cozinha.

Levantando com cuidado da cama, saí do quarto e fui atrás dela.

— Tara apareceu sem avisar — minha mãe explicou quando chegamos à cozinha — e disse: "Aqui está seu neto". Simples assim. Eu a deixei entrar, servi chá e sentamos para conversar. Tara disse que estava morando com a prima Liza e fazendo trabalhos temporários. Ela engravidou de um dos namorados e disse que ele não tem condições de ajudar. Você sabe o que isso quer dizer. Ou ele não tem onde cair morto ou já é casado. Eu falei para Tara entregar o bebê para adoção, mas ela disse que não queria fazer isso. Então eu disse: "Sua vida nunca mais será a mesma. Tudo muda com a chegada de um bebê". E Tara disse que estava começando a perceber isso. Então ela preparou a mamadeira e deu de mamar enquanto eu fui até meu quarto para tirar uma soneca. Quando acordei, Tara tinha sumido e o bebê continuava em casa. Você tem que tirá-lo daqui até amanhã. Meu namorado não pode ficar sabendo disso.

— Por que não?

— Não quero que ele me imagine como uma avó.

— Várias mulheres da sua idade têm netos — eu disse, com tom de quem diz algo óbvio.

— Eu não tenho a minha idade, Hannah. Todo mundo pensa que sou muito mais nova. — Ela pareceu se ofender com a expressão do meu rosto. — Você devia ficar feliz com isso. Por saber como vai ser seu futuro.

— Não acho que eu vá parecer com você no futuro — respondi, seca. — Porque não pareço com você agora.

— Poderia parecer, caso se esforçasse um pouco. Por que seu cabelo está tão curto? Seu rosto não combina com esse corte.

Levei a mão ao meu cabelo, que usava em estilo *bob*, na altura do queixo. Esse era o único corte sensato para meu cabelo liso e fino.

— Posso ver o bilhete que Tara deixou?

Minha mãe pôs uma pasta amarela sobre a mesa.

— Está aqui, junto com os papéis do hospital.

Abri a pasta e encontrei uma folha de caderno por cima. A visão da caligrafia da minha irmã, irregular e tensa, foi dolorosamente familiar. As palavras tinham sido escritas com caneta esferográfica e aparentavam ter sido gravadas com tanta força que quase perfuraram o papel.

> Querida mãe,
>
> Eu preciso encontrar algum lugar para entender tudo isso. Não sei quando volto. Por meio deste, eu confiro a você, ou à minha irmã Hannah, autoridade para cuidar do meu bebê e ser sua guardiã até eu estar pronta para tê-lo de volta.
>
> Com meus mais sinceros sentimentos,
>
> Tara Sue Varner

— "Por meio deste" — murmurei com um sorriso infeliz, colocando a mão na testa. Minha irmã deve ter pensado que uma expressão de aspecto jurídico tornaria aquele bilhete mais oficial. — Acho que devemos entrar em contato com o Conselho Tutelar e informar o que aconteceu. Do contrário, alguém pode afirmar que o bebê foi abandonado.

Verificando o conteúdo da pasta, encontrei a certidão de nascimento. Pai não declarado. O bebê tinha exatamente uma semana de idade, e o nome dele era Luke Varner.

— Luke? — eu disse. — Por que ela escolheu esse nome? Nós conhecemos algum Luke?

Mamãe foi até a geladeira e pegou uma lata de Alguma-Coisa-Diet.

— Seu primo, Leitão... acho que o nome verdadeiro dele é Luke. Mas Tara não o conhece.

— Eu tenho um primo chamado Leitão?

— Em segundo grau. É um dos filhos do Garotão.

Um entre uma legião de parentes com quem nunca tivemos nenhuma relação. Personalidades explosivas demais... transtornos psiquiátricos demais para ficarem na mesma sala. Nós éramos um catálogo vivo de doenças mentais.

— Ela teve o bebê no Hospital da Mulher — eu disse, voltando minha atenção à certidão de nascimento. — Você sabe quem a acompanhou? Ela disse algo sobre isso?

— Sua prima Liza estava com ela — foi a resposta amarga da minha mãe. — Você vai ter que ligar para ela para pedir os detalhes. Liza não quer me contar nada.

— Eu vou ligar. Eu... — Aturdida, meneei a cabeça — O que está acontecendo com Tara? Ela pareceu depressiva? Com medo? Doente?

Mamãe despejou o refrigerante no copo, sobre o gelo, e observou a espuma rosa subir até a borda.

— Ela estava séria. E parecia cansada. Foi tudo que reparei.

— Pode ser que seja algum tipo de problema pós-parto. Talvez ela esteja precisando de antidepressivos.

Mamãe despejou uma dose de vodca no copo de refrigerante vermelho.

— Não importa os remédios que você dê para ela. Sua irmã nunca vai querer esse bebê. — Depois de tomar um gole do líquido borbulhante, ela disse: — Tara não tem jeito para cuidar de bebês, assim como eu não tinha.

— Por que você teve filhos, mãe? — perguntei em voz baixa.

— Era o que as mulheres faziam depois que se casavam. E eu dei meu melhor. Fiz sacrifícios para dar a vocês a melhor infância possível, mas nenhuma de vocês duas parece se lembrar disso. É uma vergonha como os filhos são ingratos. Principalmente as filhas.

Eu não tinha como começar a responder aquilo. Não sabia como descrever o quanto me esforçava para recordar cada lembrança boa. Como cada momento de afeto da minha mãe – um abraço, uma história de ninar – tinha sido uma dádiva dos céus. Mas, principalmente, minha infância e a de Tara foi como um tapete puxado de baixo de nossos pés. E a completa falta de instinto maternal daquela mulher, até mesmo do impulso básico de proteger a prole, dificultava que eu e minha irmã nos relacionássemos com outras pessoas.

— Sinto muito, mãe — eu consegui dizer, a voz embargada de mágoa. Mas eu tinha certeza de que minha mãe não compreendia por que eu sentia muito.

Um grito agudo de choro veio do quarto. O som fez meu corpo congelar. Ele precisava de algo.

— Hora da mamadeira — minha mãe disse, indo até a geladeira. — Vou esquentar. Vá pegá-lo, Hannah.

Outro choro, dessa vez mais agudo. O som fez meus dentes rangerem, como se eu tivesse mordido papel-alumínio. Corri até o quarto e vi uma coisinha sobre a cama, contorcendo-se como um filhote de foca. Meu coração acelerou tanto que não consegui sentir nenhum intervalo entre as batidas.

Debruçando-me sobre a cama, estendi os braços, hesitante, sem saber como pegá-lo. Eu não era boa com crianças. Nunca tive vontade de segurar os filhos das minhas amigas — bebês nunca me encantaram. Deslizei as mãos por baixo do corpinho agitado. E da cabeça, porque sabia que devia apoiar a cabeça e o pescoço. De algum modo, eu o apoiei em mim, aquele corpinho ao mesmo tempo frágil e sólido, e ele parou de chorar, levantando o rosto para mim, com seus olhos semicerrados como o ator Clint Eastwood. Então o choro recomeçou. Ele estava tão desprotegido. Desamparado. Só me ocorria um pensamento coerente enquanto me dirigia à cozinha: que ninguém naquela família, incluindo eu, tinha capacidade de cuidar de um ser daqueles.

Sentei em uma cadeira e, desajeitada, arrumei Luke nos meus braços. Mamãe trouxe a mamadeira. Cautelosa, coloquei o bico de silicone – que não era nada parecido com o bico do seio de uma mulher – na boquinha. Ele o agarrou e ficou quieto, concentrando em se alimentar. Eu não percebi que estava segurando a respiração até soltá-la com um grande suspiro de alívio.

— Você pode ficar aqui esta noite — mamãe disse. — Mas vai ter que ir embora amanhã e levá-lo com você. Estou muito, muito ocupada para lidar com isso.

Apertei os dentes para conter uma torrente de protestos. Aquilo não era justo, não era minha culpa, eu também estava ocupada e tinha que voltar para minha própria vida. Mas o que me manteve em silêncio – além do fato de eu saber que minha mãe não ligava – foi que aquela pessoa, que estava de fato sendo injustiçada, era a única que não podia falar por si mesma. Luke era uma batata quente, destinada a ser jogada de um lado para outro até que alguém fosse obrigado a ficar com ele.

Foi então que me ocorreu... E se o pai daquele bebê fosse um drogado ou um criminoso? Com quantos homens Tara tinha transado? Eu teria que procurar todos eles e obrigá-los a fazer exames de paternidade? E se eles se recusassem? Eu teria que contratar um advogado?

Ah, isso ia ser divertido.

Mamãe me ensinou como fazer o bebê arrotar e a trocar fraldas. A competência dela me surpreendeu, porque ela nunca gostou de nenéns, e sem dúvida fazia muito tempo que ela não executava essas tarefas. Tentei imaginá-la como uma mãe jovem, pacientemente realizando as tarefas intermináveis que o cuidado de um bebê exigia. Eu não acreditava que ela tivesse gostado de algum momento desses. Minha mãe, somente com um recém-nascido como companhia – uma criatura carente, barulhenta, desarticulada... Não, era impossível de imaginar.

Tirei minhas malas do carro, vesti meu pijama e levei o bebê para o quarto de hóspedes.

— Onde ele vai dormir? — perguntei, imaginando o que se faz quando não se tem um berço à disposição.

— Ponha-o do seu lado na cama — mamãe sugeriu.

— Mas eu posso rolar para cima dele ou empurrá-lo para o chão, sem querer.

— Então arrume um lugarzinho para ele no chão.

— Mas...

— Eu vou para cama — ela me interrompeu, saindo do quarto a passos largos. — Estou esgotada. Tive que cuidar desse bebê o dia todo.

Enquanto Luke esperava no bebê-conforto, arrumei uma cama para nós dois no chão e enrolei um edredom para servir de barreira entre nós. Depois de colocar Luke de costas de um dos lados, deitei no outro e abri o celular para ligar para minha prima Liza.

— Você está com Tara? — Liza perguntou assim que eu a cumprimentei.

— Não. Tentei ligar para ela milhares de vezes, mas ela não atende.

Embora Liza fosse da minha idade e eu gostasse dela, nós nunca tivemos muito em comum. Como a maioria das mulheres da família da minha mãe, Liza era loira, longilínea e possuía um apetite perpétuo por atenção masculina. Com seu rosto comprido e a boca um pouco grande demais, ela não era tão bonita quanto minha irmã, mas tinha alguma qualidade inconfundível a que os homens não conseguem resistir. Era só entrar em um restaurante com ela que os homens, literalmente, se viravam em seus lugares para observá-la.

Ao longo dos anos, Liza conseguiu entrar em alguns círculos exclusivos. Ela namorava os ricaços de Houston e os amigos deles, tornando-se um tipo de seguidora de *playboys*. Ou, para dizer de um modo menos gentil, gostava de trepar com as celebridades locais. Eu não tive dúvida de que, se minha irmã esteve morando com Liza, tinha se tornado com gosto a destinatária das sobras da prima.

Nós conversamos durante alguns minutos e Liza disse que tinha algumas ideias de para onde Tara poderia ter ido, depois prometeu dar alguns telefonemas. Liza tinha certeza de que Tara estava bem. Minha irmã não parecia depressiva nem louca. Só em dúvida.

— Cada hora ela dizia uma coisa a respeito do bebê — Liza disse. — Ela não sabia se queria ficar com ele. Mudou de ideia tantas vezes ao longo dos últimos meses que eu desisti de tentar entender o que ela iria fazer.

— Ela fez algum tipo de terapia?

— Acho que não.

— E quanto ao pai? — eu perguntei. — Quem é?

Houve um longo momento de hesitação.

— Eu acho que Tara não tem muita certeza.

— Ela deve desconfiar de alguém.

— Bem, ela pensava que sabia, mas... você conhece a Tara... Ela não é muito organizada.

— Quanta organização é necessária para saber com quem você está transando?

— Bem, nós nos divertimos muito durante algum tempo... e não é tão fácil assim estabelecer o momento em que aconteceu, sabia? Mas eu acredito que consigo elaborar uma lista com os caras com quem ela saiu.

— Obrigada. Quem você colocaria no topo da lista? Quem Tara disse que era o pai mais provável?

Houve outra longa hesitação.

— Ela disse que pensava ser Jack Travis.

— Quem é esse?

Liza soltou uma risada incrédula.

— Esse nome não lhe diz nada, Hannah?

Eu arregalei os olhos.

— Você quer dizer *Travis* Travis?

— O filho do meio.

O chefe da conhecida família de Houston era Churchill Travis, um analista financeiro e investidor bilionário. Ele estava entre os principais contatos de jornalistas, políticos e celebridades. Eu o tinha visto várias vezes na CNN, bem como em todos os jornais e revistas do Texas. Ele e seus filhos habitavam o mundinho das pessoas poderosas e raramente enfrentavam as consequências de seus atos. A família Travis ficava acima da economia, das ameaças dos mortais ou do governo, acima da responsabilidade. Eles formavam uma espécie à parte.

Um filho de Churchill Travis só podia ser um babaca rico e mimado.

— Que ótimo — eu murmurei. — Imagino que tenha sido uma transa de uma noite?

— Você não precisa ser tão crítica, Hannah.

— Liza, eu não consigo pensar em nenhum outro modo de fazer essa pergunta sem parecer crítica.

— Sim. Foi uma transa de uma noite — minha prima admitiu.

— Então vai ser uma grande surpresa para o Travis — refleti em voz alta. — Ou não. É possível que aconteça com ele o tempo todo. Bebês-surpresa pipocando por aí.

— Jack sai com muitas mulheres — Liza concordou.

— Você já saiu com ele?

— Nós frequentamos os mesmos círculos. Sou amiga de Heidi Donovan, com quem ele sai às vezes.

— O que ele faz da vida, além de ficar esperando o papai morrer?

— Ah, Jack não é assim — Liza protestou. — Ele tem sua própria empresa... alguma coisa de administração imobiliária... fica no 1800 Main. Sabe aquele prédio de vidro no centro, com o topo engraçado?

— Sim, eu sei qual é. — Eu adorava aquele prédio envidraçado, com acabamentos *art déco* e uma pirâmide de vidro no alto. — Você consegue o número dele para mim?

— Posso tentar.

— Enquanto isso, pode fazer aquela lista?

— Acredito que sim. Mas acho que Tara não vai ficar muito feliz.

— Não acho que Tara esteja muito feliz com qualquer coisa ultimamente — eu disse. — Ajude-me a encontrá-la, Liza. Eu preciso saber se ela está bem e descobrir o que posso fazer para ajudá-la. Eu também quero descobrir quem é o pai do filho dela e fazer algo por este pobre bebê abandonado.

— Ele não foi abandonado — minha prima protestou. — Um bebê não está abandonado se você sabe onde o deixou.

Pensei em explicar as falhas no raciocínio dela, mas seria uma evidente perda de tempo.

— Por favor, faça a tal lista, Liza. Se Jack Travis não for o pai, vou ter que obrigar cada homem com quem Tara transou, no último ano, a fazer um teste de paternidade.

— Por que procurar problema, Hannah? Você não pode apenas cuidar do bebê por algum tempo, do jeito que ela pediu?

— Eu... — As palavras me faltaram por um momento. — Eu tenho uma *vida*, Liza. Eu tenho um trabalho. E um namorado que não quer saber de bebês. Não, não posso assumir, sabe-se lá por quanto tempo, a função de babá não remunerada da Tara.

— Eu só perguntei — Liza disse, na defensiva. — Muitos homens gostam de crianças, sabe. E acho que não atrapalharia seu trabalho.... O que você faz é digitar, certo?

Eu tive que segurar uma risada.

— Com certeza envolve digitação, Liza. Mas tenho que pensar um pouquinho, também.

Nós conversamos por mais alguns minutos, principalmente a respeito de Jack Travis. Pelo jeito ele era um homem de verdade, que caçava, pescava, dirigia um pouco rápido demais e vivia com muita intensidade. Mulheres faziam fila de Houston a Amarillo na esperança de ser a próxima namorada dele. E pelo que Heidi tinha contado para Liza, Jack Travis fazia de tudo – mesmo – na cama. Além de possuir uma quantidade insana de energia. Na verdade...

— Informação demais! — exclamei naquele momento.

— Tudo bem. Mas deixe eu lhe contar isso... Heidi disse que uma noite ele tirou a gravata e a usou para...

— *Informação demais*, Liza — eu insisti.

— Você não ficou curiosa?

— Não. Minha coluna na revista recebe todo tipo de carta e e-mail sobre o que as pessoas fazem na cama. Nada me choca mais. Mas eu preferia não conhecer a vida sexual de Jack Travis, já que vou ter que encarar o sujeito para pedir que ele faça um teste de paternidade.

— Se Jack for o pai — Liza disse —, ele vai ajudar. É um cara responsável.

Eu não acreditei.

— Homens responsáveis não engravidam mulheres em rapidinhas.

— Você vai gostar dele — Liza insistiu. — Todas as mulheres gostam.

— Liza, eu jamais gostei do tipo de homem que todas as mulheres gostam.

Depois de encerrar a ligação, fiquei olhando para o bebê. Os olhos dele eram dois botões azuis, e seu rosto estava franzido em uma expressão desconcertante de preocupação. Imaginei qual seria a impressão que ele tinha da vida após sua primeira semana no mundo. Muitas idas e vindas, viagens de carro, muitos rostos e vozes diferentes. Provavelmente ele queria o rosto da mãe, a voz da mãe. Com essa idade, um pouco de consistência não era pedir demais. Coloquei minha mão de leve no alto da cabeça dele, alisando o tufo preto.

— Mais uma ligação — eu disse para ele e peguei o telefone de novo.

Dane atendeu na segunda tentativa de ligação.

— Como está indo a Operação Salve o Bebê?

— Eu salvei o bebê. Agora preciso que alguém me salve.

— A Srta. Independente nunca precisa ser salva.

Senti o toque de um sorriso genuíno aparecer no meu rosto, como uma trinca no gelo de um lago.

— Oh, é mesmo. Eu me esqueci. — Então contei para ele tudo o que tinha acontecido até aquele momento, e sobre a possibilidade de Jack Travis ser o pai.

— Eu receberia essa informação com uma dose saudável de ceticismo — Dane comentou. — Se Travis fosse o doador de esperma, você não acha que Tara já o teria procurado a esta altura? Pelo que sei da sua irmã, ficar grávida do filho de um bilionário seria sua conquista mais importante.

— O sistema de lógica da minha irmã não é nada parecido com o nosso. Nem consigo imaginar por que ela está se comportando dessa forma. E quando eu a encontrar, não tenho certeza de que ela vai estar em condições de tomar conta de Luke. Quando nós éramos mais novas, ela não conseguia nem mesmo cuidar de um peixinho dourado.

— Eu tenho alguns conhecidos — Dane disse em voz baixa. — Conheço pessoas que podem colocá-lo em uma boa família.

— Não sei... — Eu olhei para o bebê, que tinha fechado os olhos. Eu não estava certa de que poderia viver com a ideia de entregá-lo para estranhos. — Eu tenho que pensar no que é melhor para ele. *Alguém* precisa pôr as necessidades desse bebê em primeiro lugar. Ele não pediu para nascer.

— Tenha uma boa noite de sono. Você vai encontrar a resposta certa, Hannah. Você sempre encontra.

Capítulo três

Era característico da falta de familiaridade de Dane com bebês que ele tivesse me desejado, sem ironia, uma boa noite de sono. Meu sobrinho era um distúrbio do sono ambulante. Essa foi, sem exagero, a pior noite que eu já passei; acordei sobressaltada com gritos de choro, tive que preparar mamadeira, dar de mamar, fazer arrotar e trocar fralda. Então, depois de cinco minutos de descanso, fazer tudo de novo. Não sei como alguém consegue sobreviver a meses seguidos disso. Depois de apenas uma noite, eu estava um lixo.

Tomei banho com a água quase escaldante, na esperança de que isso melhorasse minhas dores musculares. Desejando ter sido prevenida e levado uma roupa mais caprichada, vesti a única que tinha; calça jeans, uma camisa de algodão branca cinturada e sandálias de couro. Escovei o cabelo até ficar brilhante e no lugar, e observei meu rosto pálido e abatido no espelho. Meus olhos estavam tão secos e irritados que não me dei ao trabalho de pôr as lentes de contato. Decidi usar os óculos, um par discreto com armação metálica retangular.

Meu humor não melhorou quando, ao entrar na cozinha, levando Luke no bebê-conforto, vi minha mãe sentada à mesa. Seus dedos estavam atulhados de anéis, o cabelo cacheado e com spray fixador. Ela usava shorts, que mostravam as pernas lisas e bronzeadas, e um dos dedos que apareciam na abertura da sandália exibia a unha bem-feita e um anel de cristal.

Coloquei o bebê-conforto no chão, do outro lado da mesa, longe dela.

— O bebê tem mais roupas? — perguntei. — Esse body está sujo.

Mamãe negou com a cabeça.

— Há uma loja popular mais adiante na rua. Você pode comprar algumas coisas lá. Também vai precisar de um pacotão de fraldas. Elas acabam rapidinho nessa fase.

— Sério? — eu disse, esgotada, indo até a cafeteira.

— Você falou com a Liza noite passada?

— Uhum.
— O que ela disse?
— Ela acha que Tara está bem. Disse que vai fazer umas ligações, hoje, para tentar encontrá-la.
— E quanto ao pai do bebê?

Eu já tinha decidido não contar para minha mãe sobre o possível envolvimento de Jack Travis. Porque, se havia algo que garantiria o interesse da minha mãe e seu envolvimento indesejado, era a menção a um milionário.

— Ainda não tenho ideia — eu disse despreocupadamente.
— Aonde você vai hoje?
— Parece que vou ter que encontrar um hotel. — Não usei um tom de voz acusador. Não era necessário.

Minha mãe se retesou na cadeira.
— O homem que estou vendo não pode saber disso.
— Que você é uma avó? — Senti um prazer perverso ao vê-la se retorcendo quando eu disse a palavra "avó". — Ou que Tara teve o bebê fora do casamento?
— As duas coisas. Ele é mais novo do que eu. Mais conservador, também. Não conseguiria entender que não dá para fazer milagre com filhos rebeldes.
— Tara e eu não somos crianças há algum tempo, mãe. — Tomei um gole do café preto e o líquido amargo provocou um tremor de aversão em mim. Morando com Dane, eu me acostumei, ainda que de má vontade, a suavizar o café com leite de soja. *Tanto faz*, eu pensei, então peguei no balcão a caixa de leite integral e misturei no café.

Mamãe apertou os lábios recobertos de batom.
— Você sempre foi uma sabe-tudo. Bem, você está para descobrir o quanto ainda *não sabe*.
— Acredite em mim — eu murmurei. — Sou a primeira a admitir que não sei nada a respeito disso. Não tenho nada a ver com essa história. O bebê não é meu.
— Então entregue-o ao Conselho Tutelar. — Ela começou a ficar agitada. — O que acontecer com ele vai ser sua culpa, não minha. Livre-se dele se não aguenta a responsabilidade.
— Eu aguento — eu disse em voz baixa. — Tudo bem, mãe. Vou tomar conta do bebê. Você não precisa se preocupar com nada.

Ela se acalmou como uma criança que acabou de ganhar um pirulito.
— Você vai ter que aprender do jeito que eu aprendi — ela disse depois de um instante, abaixando-se para ajeitar o anel no dedo do pé. Ela parecia especialmente satisfeita quando acrescentou: — Do jeito mais difícil.

O dia já estava quente. Levei Luke comigo à loja, onde ele ficou berrando enquanto passávamos pelos corredores, contorcendo-se furioso no assento de bebê surrado que vinha preso ao carrinho de compras. Luke enfim se acalmou quando saímos, tranquilizado pela vibração das rodas do carrinho, que sacolejavam no asfalto grosseiro do estacionamento.

Enquanto o interior da loja estava frio devido ao ar-condicionado, o estacionamento parecia um forno. Conforme entrava e saía dos espaços da loja, suando e secando, acabei coberta por um filme invisível de sal grudento. Luke e eu estávamos cor-de-rosa, parecendo camarões no bafo.

E era assim que eu iria me encontrar com Jack Travis.

Telefonei para Liza, na esperança de que ela tivesse conseguido o número de telefone dele.

— Heidi não quis me dar — Liza disse, parecendo inconformada. — Quanta insegurança! Acho que teve medo de eu dar em cima dele. Tive que morder a língua para não falar de todas as vezes que eu podia ter ficado com Jack, mas me contive por causa da amizade com ela. Além do mais, Heidi sabe muito bem que existe bastante Jack Travis para todo mundo.

— É um espanto que o cara consiga dormir.

— Jack diz logo de cara que não consegue se comprometer com nenhuma mulher, então ninguém espera isso dele. Mas Heidi está com ele há tanto tempo que deve ter se convencido de que vai conseguir fazer Jack pôr um anel no dedo dela.

— Como num conto de fadas — eu disse, achando graça. — Bem, boa sorte para ela. Mas enquanto isso, como vou fazer para falar com ele?

— Não sei, Hannah. Não consigo pensar em nada, a não ser aparecer do nada no escritório e pedir para falar com ele.

— Felizmente, sou ótima em aparecer do nada.

— Tome cuidado — disse minha prima, cautelosa. — Jack é um cara legal, mas não é do tipo que gosta de ser pressionado.

— Eu não pensaria dessa forma — eu disse, enquanto sentia meu estômago se apertar com um espasmo nervoso.

O tráfego em Houston tinha seus próprios padrões misteriosos. Somente familiaridade e experiência imensas permitiriam que o condutor se deslocasse por suas ruas. É claro que eu e Luke fomos pegos num anda-e-para que transformou uma viagem de 15 minutos em uma de 45.

Quando chegamos à estrutura artística e resplandecente do 1800 Main, Luke uivava, enquanto um fedor horroroso tomava conta do carro, comprovando que um bebê inevitavelmente vai sujar a fralda no pior momento e no pior lugar possível.

Desci até a garagem subterrânea, cuja seção destinada a horistas estava lotada, e tive que sair de novo. Descendo mais pelo caminho, encontrei uma vaga paga na rua. Então consegui trocar a fralda de Luke no assento traseiro do Prius.

O bebê-conforto parecia pesar uma tonelada enquanto eu o carregava pela rua rumo ao edifício. Um sopro de ar gelado me atingiu quando entrei na recepção luxuosa, toda de mármore, aço escovado e madeira brilhante. Depois de examinar a lista de escritórios por andares, protegida atrás de um vidro, caminhei com confiança na direção do balcão. Eu sabia que nunca deixariam uma mulher estranha, sem horário marcado, chegar tranquilamente aos elevadores.

— Senhorita... — Um dos homens atrás do balcão fez um gesto pedindo para eu me aproximar.

— Alguém vai descer para nos receber — eu disse, confiante. Enfiando a mão na bolsa que trazia à tiracolo, puxei o saco plástico contendo a fralda suja. — Nós temos uma pequena emergência, poderia me indicar onde fica o banheiro?

Empalidecendo ao ver o saco com a fralda suja, o homem se apressou a me levar até um banheiro que ficava do outro lado do conjunto de elevadores.

Tendo passado pelo balcão da recepção, carreguei Luke até o centro das duas fileiras de elevadores. Assim que a porta se abriu, entramos com outras quatro pessoas.

— Quantos anos ela tem? — perguntou, sorrindo, uma mulher vestindo um elegante terno com saia preto.

— É ele — expliquei. — Uma semana.

— Você está muito bem, levando em conta.

Pensei em esclarecer que eu não era a mãe, mas isso poderia levar a outra pergunta, e eu não queria ficar explicando as circunstâncias em que Luke e eu nos encontrávamos. Então apenas sorri.

— Sim, obrigada — eu murmurei. — Estamos ótimos. — Pelos próximos segundos, eu refleti em silêncio sobre como Tara estaria se virando, se estava se cuidando direito depois do parto. Chegamos ao décimo-primeiro andar, saímos do elevador e adentramos o escritório da Travis Management Solutions.

Entramos em uma área serena, decorada com cores neutras e um pequeno conjunto de móveis contemporâneos. Apoiei o bebê-conforto com Luke, massageei o braço dolorido e me aproximei da recepcionista. O rosto dela era uma máscara de educação. O delineador preto nas pálpebras superiores se estendia além dos olhos, formando pequenos *checkmarks* nos cantos, como se fizessem parte de uma lista que ela conferia pela manhã. *Olho direito? ...confere. Olho esquerdo? ...confere.* Dei-lhe um sorriso que, tive esperança, transmitia a ideia de que eu era uma mulher do mundo.

— Eu sei que é meio repentino — eu disse, empurrando os óculos, que tinham escorregado pelo nariz —, mas eu preciso ver o Sr. Travis para tratar de uma questão urgente. Não tenho horário marcado. Só preciso de cinco minutos. Meu nome é Hannah Varner.

— Você é conhecida do Sr. Travis?

— Não. Fui recomendada pela amiga de uma amiga.

O rosto da secretária permanecia cuidadosamente inexpressivo. Imaginei que ela fosse colocar a mão embaixo da escrivaninha e apertar um botão para chamar a segurança. A qualquer segundo, homens de uniforme bege de poliéster irromperiam pela porta e me jogariam para fora.

— Qual o assunto que deseja discutir com o Sr. Travis? — a recepcionista perguntou.

— Acredito que ele não gostaria que eu contasse para ninguém até ele próprio saber.

— O Sr. Travis está em uma reunião.

— Eu aguardo.

— A reunião vai demorar — ela disse.

— Tudo bem. Eu falo com ele quando houver uma pausa.

— A senhora vai ter que marcar uma reunião e voltar depois.

— Qual é o próximo horário disponível?

— A agenda dele está cheia pelas próximas três semanas. Pode haver algo no fim do mês...

— Isto não pode esperar nem até o fim do *dia* — eu insisti. — Olhe, eu só preciso de cinco minutos. Estou vindo de Austin e lidando com uma questão urgente que o Sr. Travis precisa ter conhecimento... — Parei de falar quando vi o rosto inexpressivo dela.

A mulher estava achando que eu era louca. Eu mesma comecei a pensar isso.

Atrás de mim, o bebê começou a chorar.

— Você tem que mantê-lo quieto — a recepcionista disse, com certa urgência na voz.

Fui até Luke, peguei-o, e também uma mamadeira fria na lateral da bolsa de fraldas. Eu não tinha como esquentá-la, então apenas ofereci o bico para ele. Mas meu sobrinho não gostava de mamadeira fria. Afastando a boca do bico de plástico, ele começou a uivar.

— Srta. Varner... — a recepcionista disse, agitada.

— A mamadeira está fria. — Eu lhe dei um sorriso de desculpas. — Antes de nos mandar embora, você poderia esquentá-la? Basta colocar a mamadeira em uma xícara de água quente por um minuto... Por favor?

Ela soltou um suspiro curto e irritado.

— Me dê aqui... vou levar até a nossa copa.

— Obrigada. — Ofereci-lhe um sorriso de agradecimento, que ela ignorou ao sair.

Fiquei andando pela recepção, ninando Luke, cantarolando, fazendo tudo que, eu imaginava, pudesse acalmá-lo.

— Luke, eu não consigo ir com você a lugar nenhum. Você sempre faz uma cena e nunca me escuta. Acho que precisamos de um tempo um do outro.

Sentindo uma pessoa se aproximar por um dos corredores que ficavam atrás da área da recepção, eu me virei, grata. Deduzi que era a recepcionista voltando com a mamadeira. Em vez dela, vi três homens saindo, todos vestindo ternos escuros e aparentemente caros. Um deles era magro e loiro, o outro baixo e um pouco corpulento. O terceiro era o homem mais impressionante que eu já tinha visto.

Ele era alto e grande, cheio de músculos e exalando masculinidade, com olhos escuros e cabelo preto bem cortado. O modo como ele se movia – a confiança no jeito de andar, o modo relaxado dos ombros – declarava que estava acostumado ao comando. Interrompendo sua conversa, ele me deu um olhar alerta que me fez prender a respiração. Eu corei e senti o coração batendo na garganta.

Um olhar e eu soube exatamente quem e o que ele era. O clássico macho alfa, do tipo que estimulou a evolução dos homens, cinco milhões de anos atrás, traçando todas as fêmeas à vista. O tipo de homem que encantava, seduzia e se comportava como um canalha, mas ao qual as mulheres eram biologicamente incapazes de resistir.

Ainda me encarando, o homem falou com uma voz grave que fez meus braços arrepiarem:

— Pensei ter ouvido um bebê aqui fora.

— Sr. Travis? — perguntei ansiosa, balançando meu sobrinho choroso.

Ele confirmou com a cabeça.

— Eu esperava conseguir falar com você entre suas reuniões. Meu nome é Hannah. Eu sou de Austin. Hannah Varner. Preciso falar um instante com você.

A recepcionista veio por outro corredor, trazendo a mamadeira na mão.

— Oh, Deus — ela murmurou, apressando o passo. — Sr. Travis, sinto muito...

— Está tudo bem — Travis disse, gesticulando para que ela me entregasse a mamadeira.

Eu a peguei, despejei algumas gotas mornas no meu pulso e enfiei o bico entre os lábios de Luke, que gemeu de satisfação e fez silêncio, a não ser pelos ruídos de sucção.

Voltando a fitar os olhos de Travis, que estavam escuros e densos como melaço de cana, perguntei:

— Posso falar com você por uns minutos?

Travis me estudou, pensativo. Fiquei impressionada com as contradições que ele emanava. As roupas caras e a aparência impressionante, a sensação de atitude rústica. Ele era masculino de um modo que sugeria que os outros deviam ou se esforçar para ganhar a simpatia dele, ou sair do caminho.

Não pude deixar de compará-lo com Dane, cuja beleza dourada e a barba por fazer, que amenizava a dureza do maxilar, eram sempre convidativas e tranquilizadoras. Não havia nada de tranquilizador em Jack Travis, a não ser a voz grave e aveludada de barítono.

— Depende — Travis disse à vontade. — Você vai tentar me vender algo? — Ele possuía um sotaque texano forte, do tipo que come letras no fim das palavras como se fossem parte de um churrasco.

— Não. É um assunto pessoal.

Um toque de diversão surgiu nos cantos de sua boca, em um sorriso mínimo.

— Eu geralmente deixo os assuntos pessoais para depois das 17 horas.

— Não posso esperar tanto tempo. — Inspirei fundo antes de acrescentar, com ousadia: — E devo avisá-lo que, caso se livre de mim agora, vai ter que lidar comigo mais tarde. Sou muito persistente.

A sombra de um sorriso permaneceu em seus lábios quando ele se voltou para os outros homens.

— Vocês se importam em esperar por mim no bar do sétimo andar?

— Sem problema — um deles disse com um forte sotaque britânico. — Nunca é problema esperar no bar. Peço uma para você, Travis?

— Pode pedir, acho que isto não vai demorar muito. Uma *Dos Equis* com fatia de limão. Sem copo.

Depois que os homens saíram, Jack Travis voltou sua atenção para mim. Embora eu fosse uma mulher de altura mediana, ele pairava sobre mim.

— Meu escritório. — Ele gesticulou para que eu fosse na frente. — Última porta à direita.

Carregando Luke, fui até a sala de escritório do canto. Uma série de janelas enormes revelava o horizonte, onde o sol implacável refletia em um conjunto de edifícios de vidro. Contrastando com a recepção estéril, o escritório era confortavelmente bagunçado, com poltronas de couro e pilhas de livros e pastas, além de fotografias de família em porta-retratos pretos.

Após posicionar uma poltrona para que eu me sentasse, Travis meio que sentou na borda da escrivaninha de frente para mim. As feições dele eram muito bem definidas, o nariz reto e substancial, o maxilar quase cortante em seus ângulos.

— Vamos logo com isto, Hannah-de-Austin — ele disse. — Eu estou fechando um negócio e não gostaria de deixar aqueles caras esperando.

— Você vai administrar a propriedade deles?

— Uma cadeia de hotéis. — O olhar dele caiu sobre Luke. — É melhor erguer um pouco a mamadeira; ela está sugando ar.

Eu franzi a testa e ajeitei a mamadeira.

— É um menino. Por que todo mundo pensa que é menina?

— Ele está usando meias da Hello Kitty. — Havia uma nota distinta de reprovação na voz de Jack.

— Foram as únicas que encontrei no tamanho dele — eu disse.

— Você não pode pôr meias cor-de-rosa em um garoto.

— Ele só tem uma semana de vida. Será que eu já tenho que me preocupar com definição de gênero?

— Você é mesmo de Austin, não é? — ele disse, irônico. — Como eu posso te ajudar, Hannah?

A explicação era tão complicada que eu não sabia por onde começar.

— Para que você esteja preparado — eu disse, em tom profissional —, a história que vou lhe contar termina com um problema.

— Estou acostumado. Continue.

— Minha irmã é Tara Varner. Você saiu com ela no ano passado. — Vendo que ele pareceu não se lembrar do nome, acrescentei: — Conhece a Liza Purcell, certo? Minha prima... Ela apresentou Tara a você.

Travis pensou por um instante.

— Eu me lembro da Tara — ele disse, afinal. — Alta, loira, longas pernas.

— Isso mesmo. — Luke tinha terminado a mamadeira, então pus o recipiente vazio na bolsa de fraldas e ajeitei o bebê sobre meu ombro, para fazê-lo arrotar. — Este é Luke, filho da Tara. Ela deu à luz, deixou-o com minha mãe e foi embora. Estamos tentando localizá-la. Enquanto isso, estou fazendo o possível para acertar a situação do bebê.

Travis estava imóvel. A atmosfera do escritório assumiu um ar hostil. Percebi ter sido identificada como uma ameaça, ou talvez um mero incômodo. De qualquer modo, a boca dele agora expressava desprezo.

— Acho que entendi o problema a que você se referia — Jack disse. — Ele não é meu, Hannah.

Obriguei-me a sustentar aqueles olhos pretos e intimidadores.

— De acordo com Tara, é sim.

— O sobrenome Travis inspira muitas mulheres a encontrar semelhanças entre mim e seus filhos sem pai. Mas isso não é possível por duas razões. Primeiro, eu nunca faço sexo sem pôr a arma no coldre.

Apesar da seriedade da conversa, eu tive vontade de sorrir.

— Está se referindo a preservativos? Esse método de proteção pode falhar em até quinze por cento das vezes.

— Obrigado, professora. Mas, ainda assim, não sou o pai.

— Como pode ter certeza?

— Porque eu nunca fiz sexo com Tara. Na noite em que saí com sua irmã, ela bebeu demais. Eu não transo com mulheres que estão bêbadas.

— Sério? — perguntei, cética.

— Sério — respondeu, com a voz tranquila.

Luke arrotou e se ajeitou na curva do meu pescoço como um saco de feijão.

Pensei no que Liza tinha me dito sobre a vida amorosa hiperativa de Jack Travis, de seu jeito mulherengo, e não pude segurar um sorriso cínico.

— Por que você é um homem de elevados princípios? — perguntei, ácida.

— Não, senhora. Eu prefiro que a mulher participe.

Não pude evitar de imaginá-lo com uma mulher, com o tipo de participação de que ele gostava, e fiquei contrariada por sentir um calor escaldante tomando meu rosto. Piorou quando ele me olhou com uma compaixão fria, como se eu fosse uma criminosa inepta que ele tinha acabado de apanhar. Isso fez com que eu ficasse ainda mais decidida a sustentar minha hipótese.

— Você bebeu alguma coisa na noite em que saiu com Tara? — perguntei.

— É provável.

— Então seu raciocínio estava prejudicado. Talvez sua memória também. Você não pode ter absoluta certeza de que nada aconteceu. E não existe um bom motivo para eu acreditar em você.

Travis ficou em silêncio, ainda me encarando. Eu percebi que nenhum detalhe escapava à atenção dele... as olheiras escuras sob meus olhos, a baba seca no meu ombro, o jeito impensado com que curvei minha mão sobre a cabeça de Luke.

— Hannah — Travis disse em voz baixa —, eu não posso ser o único cara que você está procurando para tratar dessa história.

— Não — eu admiti. — Se por acaso você não for mesmo o pai, então vou ter que intimar os outros felizes candidatos a fazer testes de paternidade. Mas estou lhe dando a chance de resolver isso logo, sem discussão e publicidade negativa. Faça o teste e, se for como você diz, estará liberado.

Travis me olhava como se eu fosse um daqueles lagartinhos verdes que andam nas soleiras das casas texanas.

— Eu tenho advogados que poderiam fazê-la ficar correndo em círculos por meses, querida.

Eu lhe dei um olhar de deboche.

— Ora essa, Jack. Não me negue o prazer de vê-lo doando uma amostra de seu DNA. Eu até pago pelo privilégio.

— Essa oferta até poderia me interessar — ele disse —, se envolvesse algo mais excitante do que um esfregaço bucal.

— Desculpe. Eu bem que gostaria de aceitar sua palavra de não ter transado com Tara. Mas se você tivesse transado, não teria muita vontade de admitir, não é?

Ele me encarou com os olhos da cor de café. Uma sensação quente, desconhecida, desceu pela minha coluna vertebral.

Jack Travis era grande, gato e sexy, e não tive nenhuma dúvida de que minha irmã teria lhe dado tudo, qualquer coisa, que ele quisesse. E não me importava que Travis sempre guardasse a arma no coldre, usasse embalagem dupla ou amarrasse com um nó. Era provável que ele conseguisse engravidar uma mulher apenas com uma piscadela.

— Hannah, se você me permite... — Ele me surpreendeu ao esticar as mãos e tirar, delicadamente, os óculos do meu rosto. Observei-o através de um borrão perplexo e percebi que ele estava limpando as lentes sujas com um lenço de papel. — Pronto — ele murmurou, recolocando-o no meu rosto com cuidado.

— Obrigada — consegui sussurrar, vendo-o então com uma precisão de tirar o fôlego.

— Em que hotel você está hospedada? — ouvi-o perguntar, e me esforcei para organizar os pensamentos.

— Não sei ainda. Vou encontrar algo depois que sair daqui.

— Não, não vai. Estão acontecendo duas convenções em Houston. A menos que tenha algum contato, você vai ter que ir até Pearland para conseguir um quarto.

— Não tenho contatos.

— Então vai precisar de ajuda.

— Obrigada, mas eu não...

— Hannah — ele me interrompeu, o tom decidido. — Eu não tenho tempo para discutir com você. Reclame o quanto quiser depois, mas, por enquanto, fique quieta e me siga. — Levantando, ele estendeu as mãos para o bebê.

Um pouco assustada, apertei Luke, trazendo-o para mais perto.

— Está tudo bem — Travis murmurou. — Eu fico com ele.

Ele deslizou as manzorras entre mim e o bebê, segurando com habilidade o corpo inerte de Luke e transferindo-o para o bebê-conforto no chão. Fiquei surpresa com a facilidade com que Travis manuseou o bebê, e também com minha intensa consciência dele. Seu aroma, vivo como cedro e terra limpa, enviou sinais de prazer ao meu cérebro. Eu reparei na sombra da barba que nem mesmo o barbear mais rente conseguiria remover por completo e no modo como as madeixas grossas de cabelo preto tinham sido cortadas em camadas exatas.

— É óbvio que você tem experiência com bebês — eu disse, remexendo na bolsa de fraldas, certificando-me que o zíper estava bem fechado.

— Eu tenho um sobrinho. — Travis prendeu Luke com o cinto de segurança e levantou o pesado bebê-conforto com facilidade. Sem pedir permissão, ele foi andando até a frente do escritório, parando em uma das portas que davam para o corredor. — Helen — ele disse para uma mulher de cabelo ruivo sentada diante de uma mesa cheia de pastas. — Esta é a Srta. Hannah Varner. Preciso que você encontre um quarto de hotel para ela, por algumas noites. Algum lugar por perto.

— Sim, senhor. — Helen me deu um sorriso neutro e pegou o telefone.

— Eu vou pagar — eu exclamei. — Você precisa do número do meu cartão de crédito, ou...

— Vamos cuidar dos detalhes mais tarde — Travis disse. Ele me conduziu até a recepção, colocou o bebê-conforto com Luke no chão ao lado de uma cadeira e gesticulou para eu me sentar. — Espere aqui como uma garota boazinha — ele murmurou — enquanto Helen providencia tudo.

Garota boazinha? O machismo proposital me deixou de boca aberta. Tentei encará-lo, mas segurei minha resposta indignada quando vi que ele sabia exatamente como eu reagiria. Ele também sabia que eu não estava em condições de me ofender.

Pegando a carteira, Travis tirou um cartão de visita e entregou para mim.

— O número do meu celular. Vou entrar em contato mais tarde.

— Então concorda com o teste de paternidade? — perguntei.

Travis me deu um olhar enviesado, carregado de uma provocação escaldante.

— Eu não sabia que tinha escolha — ele disse, e saiu do escritório com passos largos e tranquilos.

Capítulo quatro

O quarto de hotel que Helen tinha reservado para mim era uma suíte luxuosa com antessala e uma cozinha equipada com pia e micro-ondas. Só de olhar para o hotel – um *resort* estilo europeu, localizado na região da Galleria — eu soube que meu cartão de crédito iria estourar o limite em questão de horas. Talvez minutos.

Mas a suíte era maravilhosa, com carpete grosso no chão e mármore no banheiro – que estava repleto de produtos de beleza.

— Está na hora da festa — eu disse para Luke. — Vamos atacar o frigobar. — Eu abri as latas de leite em pó que tinha trazido do carro, preparei várias mamadeiras e as guardei na geladeirazinha. Depois de cobrir a bancada com uma toalha branca, enchi a pia com água morna e dei um banho em Luke.

Depois que ele estava limpo, alimentado e sonolento, coloquei-o no meio da cama *king-size*. Quando puxei as cortinas à frente das janelas, o fulgor da tarde foi extinto por uma capa pesada de brocado. Apreciando o frescor e o silêncio do quarto, fui na direção do banheiro para tomar uma ducha. Mas parei ao olhar de novo para o bebê. Luke estava tão sozinho e era tão pequeno, piscando para o teto com uma paciência silenciosa. Não consegui deixá-lo enquanto ainda estava acordado. Não enquanto ele esperava tão pacientemente pelo que iria lhe acontecer em sua vida. Subi na cama, deitei ao lado dele e acariciei a penugem preta em sua cabeça.

Morando com Dane, eu ouvi, discuti e ponderei sobre várias injustiças no mundo. Mas parecia difícil que pudesse existir qualquer coisa pior do que uma criança rejeitada. Baixando a cabeça, encostei a bochecha na pele clara do bebê e beijei a curva frágil de sua cabeça. Vi Luke baixando os cílios e apertando a boca como um velhinho rabugento. Suas mãos descansavam sobre o peito, como pequenas estrelas-do-mar rosadas. Toquei a palma de uma delas com o dedo e ele fechou a mão ao redor, com uma força surpreendente.

Luke adormeceu segurando meu dedo. Aquilo foi de uma intimidade diferente de tudo que eu já tinha sentido antes. Uma dor desconhecida e doce se espalhou pelo meu peito, como se meu coração estivesse se abrindo.

Cochilei com ele por um tempinho. Depois tomei um banho demorado e vesti um camisetão cinza e shorts jeans. Voltando para a cama, abri meu notebook e consultei meu e-mail. Havia uma mensagem de Liza:

> cara Hannah,
>
> esta é a lista de caras com quem tenho certeza de que tara saiu. vou lhe enviar mais nomes quando me lembrar deles. sinto-me péssima fazendo isto pelas costas dela. sua irmã tem direito à privacidade, sabe...

— O cacete — murmurei. Minha irmã tinha aberto mão de seu direito à privacidade quando deixou o bebê na casa da minha mãe.

> ...acho que sei onde tara pode estar, mas vou esperar que uma pessoa me ligue de volta para ter certeza. amanhã eu entro em contato com você de novo.

— Liza — eu disse, mal-humorada. — Ninguém nunca a ensinou a apertar a tecla Shift para usar a letra maiúscula?

Abri o anexo que continha uma lista de nomes e meneei a cabeça, soltando um gemido, imaginando como o arquivo tinha passado pelas restrições de tamanho do servidor de e-mail.

Salvei o arquivo e o fechei. Antes de ver os outros e-mails, acessei o Google e pesquisei por Jack Travis, curiosa para ver o que iria aparecer.

A lista de resultados era grande, cheia de referências ao pai, Churchill Travis, e ao irmão mais velho, Gage. Mas havia alguns links interessantes a respeito de Jack, um deles para um artigo de uma revista nacional de negócios.

A ascensão de um filho

> Até recentemente, Jack Travis, filho do meio do bilionário Churchill Travis, era mais conhecido na vida noturna de Houston do que entre a comunidade empresarial. Tudo está para mudar agora que Jack Travis assumiu uma série de projetos e parcerias público-privadas que prometem transformá-lo em um dos maiores empreendedores do Texas.
>
> Embora esteja em um ramo diferente do pai, Jack Travis comprova a regra de que o fruto nunca cai muito longe da árvore. Mas, quando perguntado

sobre suas ambições, Travis se mostra um empreendedor acidental. Os fatos tendem a contradizer o comportamento descontraído dele, caracterizando o que alguns chamam de falsa modéstia.

Prova A: Travis Capital, uma subsidiária recém-criada da Travis Management Solutions (TMS), acaba de adquirir o Alligator Creek — um campo de golfe de 120 hectares no Sul da Flórida — por uma quantia não revelada, após meses de negociações. O campo será administrado por uma empresa associada de Miami.

Prova B: Atualmente, a TMS está incorporando uma área do centro de Houston equivalente a dez quarteirões de Manhattan, onde construirá edifícios de escritórios, apartamentos residenciais, centros comerciais e salas de cinema. Tudo coordenado pela nova divisão da TMS...

O artigo seguia, descrevendo outros projetos em andamento. Voltando à lista de resultados da pesquisa, vi uma fileira de miniaturas de fotografias e cliquei em algumas. Arregalei os olhos quando vi uma foto de Jack sem camisa esquiando na água, o corpo magro e forte, o abdome era um verdadeiro tanquinho. Havia também uma foto de Jack com uma famosa atriz de TV, deitados na areia de uma praia no Havaí. Outra de Jack e uma âncora de noticiário, dançando em um evento beneficente local.

— Você é um garoto ocupado, Jack — murmurei.

Antes que eu pudesse ver mais fotos, fui interrompida pelo toque do meu celular. Corri para minha bolsa, agarrando o aparelho e torcendo para que o barulho não acordasse o bebê.

— Alô?

— Como estão as coisas? — Dane perguntou.

Relaxei ao ouvir a voz familiar.

— Estou tendo um caso com um cara mais novo — eu disse. — Ele é meio baixinho para mim e tem problemas de incontinência urinária... mas estamos nos esforçando para superar tudo isso.

Dane riu.

— Você está na casa da sua mãe?

— Há! A primeira coisa que ela fez essa manhã foi me expulsar. Mas eu e Luke estamos hospedados em um hotel de luxo. O Sr. Travis mandou a secretária reservar para nós. Acho que a diária deste hotel paga uma parcela do meu carro. — Enquanto descrevia os acontecimentos do dia, me servi uma xícara de café. Não pude evitar de sorrir quando me vi acrescentando leite e lembrando-me de Dane.

— Então... Travis concordou em fazer um exame de paternidade — concluí, bebericando o café. — Liza ainda está tentando encontrar Tara. E minha coluna na revista está atrasada, então vou ter que terminá-la esta noite.

— Você acha que Travis estava mentindo quando disse que não transou com Tara?

— Talvez não deliberadamente, mas acho que existe uma chance de ele estar enganado. É óbvio que ele também acha, do contrário não teria concordado com o teste de paternidade.

— Bem, se o filho for dele, é um bilhete premiado de loteria para a Tara, não é?

— É provável que ela veja a situação dessa forma. — Senti minha testa se franzindo. — Espero que Tara não tente usar Luke para tirar dinheiro dos Travis sempre que quiser. O menino merece mais do que ser tratado como um cartão de débito. — Olhei para o corpinho adormecido sobre a cama. Luke se remexia enquanto sonhava. Imaginei que tipo de sonho se tem com apenas uma semana de idade.

Com cuidado, me debrucei e ajustei o cobertor sobre o peito do bebê.

— Dane — eu disse em voz baixa —, lembra daquela coisa que você me contou sobre o pato e a bola de tênis? Sobre como os filhotes de pato se apegam à primeira coisa que veem quando nascem?

— *Imprinting.*

— Como isso funciona, mesmo?

— Depois que o patinho sai do ovo, existe um período de tempo no qual outra criatura, ou mesmo um objeto inanimado, fica gravado no sistema nervoso dele, e o pato se apega à criatura ou ao objeto. No estudo que eu li, um patinho se afeiçoou por uma bola de tênis.

— Quanto seria esse "período de tempo"?

— Por quê? — A voz de Dane soou meio preocupada e, ao mesmo tempo, divertida. — Você está com medo de se tornar a bola de tênis?

— Não sei... É possível que Luke seja a bola de tênis.

Ouvi-o praguejar baixinho.

— Não se apegue ao bebê, Hannah.

— Não vou me apegar — me apressei a dizer. — Vou voltar para Austin assim que possível. Com certeza não vou... — Fui interrompida por uma batida na porta. — Espere um segundo — eu disse para Dane. Descalça, atravessei a suíte e abri a porta.

Jack Travis estava parado ali, o nó da gravata afrouxado e o cabelo desgrenhado caindo sobre a testa. Ele observou meu rosto limpo, as pernas nuas e os pés descalços. Lentamente, seus olhos subiram até encontrar os meus. Senti uma flechada de calor na barriga.

Meus dedos apertaram o celular.

— É o serviço de quarto — eu disse para Dane. — Mais tarde eu ligo para você.

— Claro, querida.

Desligando o telefone, recuei um passo e gesticulei para que Jack entrasse na suíte.

— Oi — eu disse. — Quando você falou que entraria em contato, eu esperava um telefonema.

— Eu vou ser rápido. Acabei de terminar a reunião com meus clientes. Eles também estão hospedados aqui. Os dois estão sofrendo de *jet lag* e prontos para encerrar o dia. Tudo bem com seu quarto?

— Sim. Obrigada.

Ficamos nos encarando em meio a um silêncio denso. Meus dedos expostos, sem esmalte nas unhas, afundados no carpete espesso. Senti estar em desvantagem, vestindo shorts e camisetão enquanto ele ainda estava com a roupa de trabalho.

— Meu médico vai nos atender amanhã para o teste de paternidade — Jack disse. — Eu encontro vocês na recepção às nove.

— Você tem alguma ideia de quanto tempo demora para sair o resultado?

— De três a cinco dias. Mas o médico vai apressar as coisas para mim, então o resultado pode sair amanhã à noite. Teve notícias da sua irmã?

— Acredito que terei em breve.

— Se tiver dificuldade, eu tenho um cara que consegue encontrar pessoas com muita rapidez.

— Um detetive particular? — Olhei para ele com ceticismo. — Não sei se ele conseguiria alguma coisa; não há muito o que seguir a esta altura.

— Se a sua irmã tem um celular, demoraria cerca de quinze minutos para localizá-la.

— E se o telefone estiver desligado?

— Se for um dos mais novos, ainda dá para localizar. E existem outros modos de rastrear alguém... transações em caixas automáticos, cartões de crédito, rastreamento de CPF...

Algo no tom de voz frio e racional dele me incomodou. Travis tinha o raciocínio de um caçador.

Preocupada com Tara, massageei minhas têmporas e fechei os olhos por alguns segundos.

— Se eu não conseguir falar com ela amanhã — eu disse —, vou começar a pensar nessa alternativa.

— Você já comeu? — Jack perguntou.

— Além de salgadinhos do frigobar, não.

— Quer sair para jantar?

— Com você? — Pega desprevenida pela pergunta, olhei surpresa para ele. — Sua noite deve estar devagar. Você não tem que voltar para seu harém ou algo assim?

Jack estreitou os olhos e me encarou.

Eu me arrependi no mesmo instante. Não tive a intenção de parecer tão desagradável. Mas no estado de exaustão física e mental em que me encontrava, meus limites estavam confusos.

Antes que eu pudesse me desculpar, Jack perguntou em voz baixa:

— Eu fiz algo para você, Hannah? Além de ajudá-la a conseguir um quarto de hotel e concordar em fazer um teste de paternidade desnecessário?

— Eu vou pagar pelo quarto. E pelo teste de paternidade. E se fosse mesmo desnecessário, você não teria concordado em fazer.

— Eu posso voltar atrás agora mesmo. Minha paciência tem limite, mesmo para um esfregaço bucal grátis.

Um sorriso constrangido puxou os cantos da minha boca.

— Me desculpe — eu disse. — Estou com fome e sono. Não tive tempo de me preparar para nada disso. Não consigo encontrar minha irmã, minha mãe é louca e meu namorado está em Austin. Então receio que você esteja lidando com minha frustração acumulada. E penso que, em um nível subconsciente, você representa todos os homens que podem ter engravidado minha irmã.

Jack me lançou um olhar sarcástico.

— É muito mais fácil engravidar alguém quando se faz sexo com ela.

— Nós sabemos que você não tem cem por cento de certeza de que não transou com Tara.

— Eu tenho cem por cento de certeza. A única coisa que nós sabemos é que você não acredita em mim.

Eu tive que conter outro sorriso.

— Bem, eu agradeço o convite para jantar, mas, como você pode ver, não estou vestida para sair. E eu não apenas estou cansada de arrastar aquele bebê de quarenta quilos por aí, como não existe lugar a que você poderia me levar, porque sou vegana, e ninguém em Houston sabe cozinhar sem utilizar produtos de origem animal.

A menção ao jantar deve ter estimulado meu apetite, porque meu estômago escolheu aquele momento para soltar um ronco alto e constrangedor.

Envergonhada, levei a mão ao abdome. Ao mesmo tempo, um lamento impaciente veio da cama e eu olhei na direção do som. Luke estava acordado, abanando os bracinhos.

Corri para o frigobar, peguei uma mamadeira e a coloquei dentro da pia cheia de água quente. Enquanto o leite esquentava, Jack foi até a cama e pegou Luke no colo. Segurando-o com competência e autoconfiança, murmurou calmamente para o bebê. Não fez diferença. Luke começou a berrar, a boca escancarada e os olhos apertados.

— Não adianta tentar acalmá-lo. — Vasculhei a bolsa à procura de uma fralda de pano. — Ele começa a gritar cada vez mais alto, até conseguir o que quer.

— Isso sempre dá certo para mim — Jack disse.

Depois de alguns minutos, peguei a mamadeira na pia, testei a temperatura e fui até uma poltrona. Jack trouxe Luke até mim, ajeitando-o nos meus braços. O bebê cravou as gengivas no bico de silicone e começou a mamar.

Jack ficou parado ao meu lado, o olhar analítico.

— Por que você é vegana?

Eu tinha aprendido, por experiência própria, que as conversas que começavam com essa pergunta nunca acabavam bem.

— Prefiro não falar disso.

— Não é uma dieta fácil de seguir — Jack disse. — Ainda mais no Texas.

— Eu trapaceio, às vezes — confessei. —Um pouquinho de manteiga aqui, uma batata frita ali.

— Você não pode comer batata frita?

Neguei com a cabeça.

— Não dá para saber se elas foram fritas no mesmo óleo em que fritaram peixe ou carne. — Baixei o rosto para Luke, passando a ponta do meu dedo em cima das mãozinhas que agarravam a mamadeira. Meu estômago roncou de novo, mais alto que da primeira vez. Fiquei corada de vergonha.

Jack arqueou as sobrancelhas.

— Parece que você não come há dias, Hannah.

— Eu estou morrendo de fome. Sempre faminta. — Suspirei. — O motivo de eu ser vegana é meu namorado, Dane. Nunca me sinto satisfeita por mais de vinte minutos, e é difícil manter a energia.

— Então por que você faz isso?

— Eu gosto dos benefícios para a saúde. Meu colesterol e minha pressão sanguínea ficam bem controlados. E minha consciência fica tranquila, por eu fazer uma dieta sem consumir nada de origem animal.

— Eu conheço um bom remédio para consciência demais — ele disse.

— Tenho certeza que sim.
— Parece que, se não fosse pelo namorado, você comeria carne.
— É provável — eu admiti. — Mas concordo com o ponto de vista do Dane nessa questão, e a maioria do tempo não é um problema para mim. Mas infelizmente não resisto a uma tentação.
— Gosto disso em uma mulher. Quase compensa seu excesso de consciência.
Eu tive que rir disso. Ele era um malandro, eu pensei. Essa foi a primeira vez que achei esse aspecto atraente em um homem. Quando nossos olhares se encontraram, ele me deu um sorriso deslumbrante que poderia ser rotulado como "tratamento para fertilidade". Meu estômago parou no meio de um ronco.
Biologicamente irresistível, eu me lembrei, pesarosa.
— Jack, acho que é melhor você ir.
— Não vou embora deixando uma mulher faminta que não tem nada para comer, a não ser batatas-fritas murchas no frigobar. E com toda certeza você não vai achar nada vegano neste hotel.
— Tem um restaurante no térreo.
— É uma churrascaria.
— Eles devem ter uma salada verde. E talvez um prato de frutas.
— Hannah — ele disse, olhando feio para mim. — Você deve estar com um apetite maior que isso.
— Estou, mas tenho princípios que tento seguir. Além disso, aprendi que toda vez que saio da dieta, fica muito mais difícil voltar.
Jack me fitou com um sorriso divertido nos lábios. Lentamente, ele puxou a gravata, soltando o nó, e a tirou. Um calor tomou meu rosto enquanto eu o observava. Ele dobrou a gravata de modo casual e a guardou no bolso do paletó.
— O que você está fazendo? — consegui perguntar.
Jack então tirou o paletó e o jogou sobre o braço da poltrona mais próxima. Ele tinha o corpo de um trabalhador braçal, magro e parecendo rígido. Sem dúvida havia músculos de verdade por baixo daquele traje conservador. Enquanto eu observava aquele macho robusto à minha frente, senti a atração involuntária de milhões de anos de bagagem evolucionária.
— Estou tentando descobrir a que tipo de tentação você não resiste.
Eu soltei uma risada nervosa.
— Escute, Jack, eu não...
Levantando o dedo indicador para pedir silêncio, Jack foi até o telefone do quarto. Ele discou, esperou um instante e abriu o guia de serviços do hotel.
— Serviço de quarto para dois — ele disse ao telefone.

Arregalei os olhos, surpresa.

— Não me sinto à vontade com essa ideia.

— Por que não?

— Sua reputação de libertino.

— Eu desperdicei minha juventude — ele admitiu. — Mas isso faz de mim uma companhia interessante para o jantar. — Ele voltou a atenção ao telefone. — Sim, coloque na conta do quarto.

— Também não me sinto à vontade com essa ideia — eu disse.

— Que pena — Jack disse olhando para mim. — Acabo de tornar essa uma condição para minha ida ao médico amanhã. Se você quiser uma amostra das células da minha mucosa bucal, vai ter que me pagar o jantar.

Refleti por um instante. Jantar com Jack Travis... sozinha em um quarto de hotel.

Olhei para Luke, que estava ocupado tomando sua mamadeira. Eu segurava um bebê, cansada e rabugenta, e não conseguia me lembrar da última vez em que tinha escovado o cabelo. Deus sabia que eu não iria inspirar nenhum interesse sexual em Jack Travis. Ele tinha tido um dia longo e estava com fome. Era provável que fosse do tipo de pessoa que não gostava de comer sozinho.

— Tudo bem — eu disse, relutante. — Mas nada de carne, peixe nem laticínios para mim. Isso inclui manteiga e ovos. E nada de mel.

— Por quê? Abelhas não são animais.

— São artrópodes. Assim como lagostas e caranguejos.

— Pelo amor de Deus... — A atenção dele foi chamada pela pessoa no telefone. — Sim. Queremos uma garrafa do *Cabernet Hobbs*.

Imaginei quanto aquilo iria me custar.

— Você pode perguntar se o vinho é feito com clarificante de origem animal?

Jack ignorou a pergunta e continuou:

— Vamos começar com os ovos de pato cozidos lentamente sobre um leito de linguiça. E dois bifes de Angus, alimentado apenas de pasto, com osso. Ao ponto.

— O *quê*? — Meus olhos quase saltaram das órbitas. — O que você está fazendo?

— Estou pedindo dois pedaços de carne de primeira — ele me disse. — Chama-se proteína.

— Seu canalha sádico — consegui dizer enquanto minha boca se enchia de saliva. Eu não conseguia me lembrar da última vez em que tinha comido bife.

Vendo minha expressão, Jack me deu um sorriso e voltou a atenção para o telefone.

— Batatas assadas — ele disse. — Completas. Com sour cream, bacon...

— E queijo — eu me ouvi pedir, atordoada. Queijo de verdade, do tipo que derretia. Engoli em seco.

— E queijo — Jack repetiu. Ele me fitou com um brilho perverso nos olhos. — E quanto à sobremesa?

Toda minha vontade de resistir desapareceu. Já que eu iria contrariar todos os princípios dietéticos e todas as regras veganas – e com isso trair Dane –, eu podia fazer o serviço completo.

— Alguma coisa com chocolate — eu me ouvi dizer, sem fôlego.

Jack passou os olhos pelo cardápio.

— Dois pedaços de bolo de chocolate. Obrigado. — Colocando o telefone no gancho, ele me deu um olhar vitorioso.

Ainda não era tarde demais. Eu poderia insistir para que ele cancelasse a minha parte do pedido e a substituísse por salada verde, batata cozida e vegetais no vapor. Mas eu tinha ficado de pernas bambas só de pensar no bife.

— Quanto tempo até trazerem a carne? — perguntei.

— Trinta e cinco minutos.

— Eu devia ter mandado você para o inferno — murmurei.

— Eu sabia que você não faria isso. — Ele sorriu, convencido.

— Por quê?

— Porque mulheres que estão dispostas a trapacear um pouquinho podem ser convencidas a trapacear um monte. — Jack riu quando fiz uma careta para ele. — Relaxe, Hannah. Dane não precisa ficar sabendo.

·················· Capítulo cinco ··················

Uma dupla de garçons trouxe um banquete para minha suíte e o serviu na sala de estar. Eles abriram o carrinho de serviço, transformando-o em uma mesa, e a cobriram com uma toalha branca. Então, trouxeram pratos cobertos com cúpulas de prata. Quando os pratos foram descobertos e o vinho servido, eu estava tremendo de fome.

Luke, contudo, ficou zangado depois que troquei sua fralda, uivando sempre que eu tentava deitá-lo na cama. Segurando-o junto ao ombro, contemplei o filé grelhado fumegante diante de mim e me perguntei como iria comê-lo com apenas uma mão.

— Eu ajudo — Jack murmurou e veio para o meu lado da mesa. Ele cortou o bife em pedaços pequenos e regulares com tanta habilidade que eu o encarei com uma expressão exagerada e fingida de medo.

— Você sabe como manusear uma faca.

— Eu caço sempre que posso. — Terminando a tarefa, Jack largou os talheres e prendeu um guardanapo no decote da minha camiseta. Os dedos dele roçaram na minha pele, fazendo eu sentir um arrepio nas costas. — Consigo eviscerar um cervo em quinze minutos — ele disse.

— Impressionante. Nojento, mas impressionante.

Ele me deu um sorriso tranquilo ao voltar para seu lado da mesa.

— Se isso a faz se sentir melhor, eu como tudo que caço ou mato.

— Obrigada, mas não me faz sentir nem um pouco melhor. Oh, eu sei que a carne não aparece por mágica no supermercado, toda bonitinha na bandeja de espuma e envolta em plástico. Mas preciso ficar bem distante do processo. Acho que eu não conseguiria comer carne se tivesse que caçar o animal e...

— Tirar a pele e as vísceras?

— Sim. Mas não vamos falar disso agora. — Levei um bocado de carne à boca. Fosse pelo longo período de privação, pela qualidade da carne ou pela competência do *chef*... aquele bife quente, suculento, levemente defumado, que derretia na boca, foi a melhor coisa que eu já havia provado. Fechei os olhos por um instante para sentir o sabor explodindo em minha boca.

Ele riu baixinho da minha expressão.

— Admita, Hannah. Não é tão ruim ser um carnívoro.

Peguei um pedaço de pão e o recobri com a manteiga macia e amarela.

— Não sou carnívora. Sou uma onívora oportunista. — Mordi um pedaço do pão consistente e saboreei a textura adocicada da manteiga fresca. Eu tinha me esquecido de quão boa a comida podia ser. Suspirando, eu me obriguei a ir mais devagar e apreciar tudo aquilo.

O olhar dele não desgrudou do meu rosto.

— Você é uma mulher inteligente, Hannah.

— Você se sente intimidado por uma mulher com vocabulário rico?

— Diabos... sim. Qualquer mulher com QI maior que a temperatura ambiente me faz querer cair fora. A menos que ela esteja pagando o jantar.

— Eu podia bancar a boba e fazer *você* pagar o jantar — sugeri.

— Tarde demais — ele disse. — Você já usou uma palavra de cinco sílabas.

Percebi que Luke tinha dormido por conta do peso em meu braço. Era hora de deitá-lo.

— Com licença... — Tentei me afastar da mesa. No mesmo instante, Jack apareceu ao meu lado, puxando a cadeira para mim.

Fui até a cama e deitei o bebê com cuidado, cobrindo-o com uma manta de tricô. Voltei para a mesa, ao lado da qual Jack continuava de pé, e me sentei enquanto ele empurrava a cadeira para mim.

— Esta experiência com Luke confirmou tudo que eu imaginava sobre maternidade. Principalmente que é algo que nunca vou estar pronta — eu disse.

— Então, se você casar com Dane, vai esperar um pouco antes de ter um desses? — Ele apontou a cabeça para Luke.

Eu mergulhei na batata, levantando com o garfo um pedaço saturado de sour cream, coberto de cheddar envelhecido derretido.

— Oh, Dane e eu nunca vamos nos casar.

— Por que não? — Jack me deu um olhar assustado.

— Nenhum de nós acredita nisso. É só um pedaço de papel.

Ele pareceu refletir por um instante.

— Não entendo por que as pessoas dizem que é só um pedaço de papel. Alguns pedaços de papel valem muito. Diplomas. Contratos. Constituições.

— Nesses casos, concordo que o papel é valioso. Mas um contrato de casamento e tudo que o acompanha, o anel, o vestido que parece um bolo, não significam nada. Eu poderia fazer uma promessa por escrito a Dane de que o amaria para sempre, mas como ter certeza disso? Não dá para se legislar emoções. Você não pode ser o dono de alguém. Então a união é, basicamente, um acordo de compartilhamento de propriedade. E é claro que, se houver filhos, é necessário estabelecer os termos de copaternidade... mas tudo isso pode ser resolvido sem casamento. A instituição se tornou maior que sua real utilidade. — Comi um bocado da batata coberta de queijo, tão aveludada e deliciosa que me pareceu algo que eu deveria estar fazendo em particular, com as cortinas fechadas.

— É natural querer pertencer a alguém — Jack disse.

— Uma pessoa não pode pertencer a outra — eu o contestei. — Na melhor das hipóteses, é uma ilusão. Na pior, escravidão.

— Não — ele disse. — É apenas a necessidade de ser íntimo de alguém.

— Bem... — Eu fiz uma pausa para comer mais um pedaço da batata. — Eu consigo me sentir íntima de alguém sem precisar de um documento jurídico. Na verdade, posso dizer que meu ponto de vista é mais romântico. A única coisa que mantém duas pessoas unidas deveria ser o amor, não um contrato.

Jack tomou um gole de vinho e se recostou, observando-me enquanto refletia. Ele continuou segurando a taça, os dedos longos curvados ao redor do bojo de cristal. Não era daquele modo – não mesmo – que eu imaginaria a mão de um milionário; bronzeada e calosa, com as unhas bem-aparadas. Embora não fosse uma mão graciosa, era atraente em sua força e na palma calejada... que segurava aquela taça de cristal com tanta delicadeza... Não consegui evitar de ficar olhando.

Por um segundo eu imaginei o toque daqueles dedos calejados na minha pele e fiquei, no mesmo instante, desgraçadamente excitada.

— O que você faz em Austin, Hannah?

A pergunta me arrancou daqueles pensamentos perigosos.

— Eu tenho uma coluna de conselhos. Escrevo sobre relacionamentos.

Jack parecia confuso.

— Você escreve sobre relacionamentos e não acredita em casamento?

— Não acredito para mim. Mas não significa que eu desaprove o casamento para outras pessoas. Se esse é o formato que elas escolhem para o compromisso, sou totalmente a favor. — Sorri para ele. — A Srta. Independente dá ótimos conselhos para os casados.

— Srta. Independente?

— Sim.

— É algum tipo de coluna para atacar os homens?

— De jeito nenhum. Eu gosto de homens. Sou grande fã do seu gênero. Por outro lado, com frequência lembro às mulheres de que elas não precisam de um homem para se sentirem completas.

— Merda. — Ele meneou a cabeça e abriu um sorriso sem graça.

— Você não gosta de mulheres fortes?

— Gosto. Mas elas dão muito mais trabalho.

Não entendi bem a que tipo de trabalho Jack se referia e, com toda certeza, eu não iria perguntar.

— Então eu acho que você já tem todas as respostas. — Jack me encarou.

Eu fiz uma careta, não gostando da insinuação de arrogância da minha parte.

— Eu nunca afirmaria que tenho todas as respostas. Eu só quero ajudar as outras pessoas a encontrar as respostas delas, se possível.

Nós conversamos mais um pouco sobre minha a coluna, depois descobrimos que ambos tínhamos nos formado na Universidade do Texas, embora a turma de Jack estivesse seis anos à frente da minha. Nós também descobrimos que compartilhávamos do mesmo gosto pelo jazz de Austin.

— Eu costumava ir assistir aos Crying Monkeys sempre que tocavam no Elephant Room — Jack disse, referindo-se à famosa casa noturna localizada em um subsolo na rua Congress, onde alguns dos maiores músicos do mundo tinham se apresentado. — Eu ficava ali com meus amigos por horas, ouvindo jazz e bebendo Jim Beam puro...

— E pegando a mulherada a torto e a direito.

Ele apertou os lábios.

— Eu saio com muitas mulheres, mas não faço sexo com todas.

— Isso é um alívio — eu disse. — Porque se fizesse, seria melhor você examinar outras coisas, além das células da bochecha, amanhã no médico.

— Eu tenho outros interesses além de ficar caçando mulheres.

— É, eu sei. Você também caça cervos inocentes.

— E, mais uma vez, só para constar: eu não transei com a sua irmã.

— Ela diz o contrário. — Eu lhe dei um olhar cético. — É a sua palavra contra a dela. E você não seria o primeiro cara a tentar se safar de uma situação dessas.

— Ela não seria a primeira mulher a mentir sobre quem a engravidou.

— Você saiu com a minha irmã. Não pode negar que estava interessado nela.

— Claro que sim. A princípio. Mas cinco minutos depois que estávamos juntos, eu já sabia que não iria para a cama com ela. Havia sinais de alerta.

— Do tipo...?

Ele ficou pensativo.

— Era como se ela estivesse se esforçando demais. Rindo muito alto. Nervosa o tempo todo. As perguntas e respostas não combinavam.

Eu entendi o que ele estava querendo dizer.

— Hipervigilância — eu disse. — Maníaca. Como se qualquer coisinha pudesse aterrorizá-la. Como se estivesse sempre tentando pensar dois passos à frente.

— Exatamente.

Eu concordei com a cabeça enquanto organizava as lembranças que nunca ficavam muito escondidas.

— É por causa da forma como fomos criadas. Meus pais se divorciaram quando eu tinha 5 anos e Tara 3. Depois disso, nosso pai sumiu e ficamos sozinhas com nossa mãe, que enlouquece todo mundo à volta dela. Explosões de temperamento. Drama. Não havia um só dia normal em nossa vida. Morar com ela durante todos esses anos acostumou Tara e eu a esperar um desastre a qualquer momento. Nós duas desenvolvemos mecanismos de sobrevivência, incluindo hipervigilância. É um hábito difícil de se livrar.

— Mas você conseguiu — ele disse, observando-me com atenção.

— Eu fiz muita terapia na universidade. Mas eu estou bem, principalmente, por causa de Dane. Ele me mostrou que viver com outra pessoa não precisa significar caos e drama. Eu acho que Tara nunca teve uma pessoa tão estável quanto Dane em sua vida. — Empurrei minha taça de vinho na direção de Jack, que a completou, e continuei: — Eu me sinto culpada por não ter mantido contato com ela nos últimos dois anos. Mas eu estava cansada de bancar a salvadora da minha irmã. Eu já me esforçava demais tentando *me* salvar.

— Ninguém pode culpar você por isso — ele murmurou. — Você não é a guardiã da sua irmã. Pare de se culpar, Hannah.

Fiquei intrigada e desanimada pela sensação de ligação, de ser compreendida. Não tinha nenhum sentido. Ele era um estranho. E eu já tinha lhe contado demais. Cheguei à conclusão de que eu devia estar mais cansada do que imaginava. Tentei dar um sorriso despreocupado.

— Eu tenho que atribuir minha cota diária de culpa a alguma coisa. Acho que hoje é a vez de Tara. — Tomei um gole de vinho. — Então — eu disse —, por que alguém de uma família de gurus financeiros resolve trabalhar com imóveis? Você é a ovelha negra?

— Não, só a ovelha do meio. Não aguento ficar falando de estratégias de investimento, alavancagem, compra em margem... Nada disso me interessa. Eu gosto de construir e arrumar coisas. Sou um cara do tipo "mãos à obra".

Ocorreu-me, enquanto eu escutava Jack falar, que ele e Dane tinham uma qualidade rara em comum... cada um sabia exatamente quem era, e se sentia à vontade com isso.

— Eu comecei a trabalhar na incorporadora assim que saí da faculdade — Jack continuou. — Depois de certo tempo consegui um empréstimo e comprei a empresa.

— Seu pai ajudou?

— Claro que não. — Ele deu um sorriso amargo. — Eu cometi erros que ele provavelmente teria me ajudado a evitar. Mas eu não queria que ninguém dissesse que ele era o responsável pelo meu sucesso. Então me responsabilizei por todos os riscos. Eu tinha muita coisa para provar, e é claro que eu não podia fracassar.

— Claro que não. — Eu o estudei. — Interessante. Você parece ser o típico macho alfa, mas é o filho do meio. Normalmente, filhos do meio são mais relaxados.

— Para um Travis, eu sou relaxado.

— Nossa. — Eu sorri e ataquei o bolo de chocolate. — Vou mandar você embora depois da sobremesa, Jack. Uma longa noite me espera.

— Com que frequência o bebê acorda?

— A cada três horas.

Terminamos a sobremesa e o resto do vinho. Jack foi até o telefone, ligou para o serviço de quarto vir tirar a mesa e pegou o paletó.

Parando na porta, ele olhou para mim.

— Obrigado pelo jantar.

— Não tem de quê. E está avisado: se faltar à consulta depois de tudo isso, eu mando alguém te matar.

— Eu pego vocês às nove. — Jack não se moveu. Nós estávamos próximos, e eu fiquei desconcertada ao sentir minha respiração acelerar. Embora a postura dele fosse relaxada e tranquila, Jack era tão maior que eu, que tive a sensação sutil de estar fisicamente dominada. A surpresa foi que a sensação não foi de todo desagradável.

— Dane é do tipo alfa? — ele perguntou.

— Não. Totalmente beta. Não suporto os alfas.

— Por quê? Eles a deixam nervosa?

— Nem um pouco. — Eu lhe dei meu olhar ameaçador. — Eu devoro machos alfa no café da manhã.

Os olhos escuros dele faiscaram de malícia.

— Então amanhã vou chegar mais cedo — ele disse e saiu antes que eu encontrasse uma resposta.

Capítulo seis

Eu não teria acreditado que isso fosse possível, mas minha segunda noite com Luke foi ainda pior que a primeira. A fagulha de entusiasmo que eu senti ao jantar um maravilhoso filé com vinho de qualidade e uma boa conversa desapareceu por completo após a segunda mamada.

— Você sabe estragar o momento, Luke — falei para o bebê, que não pareceu nem um pouco preocupado. Eu perdi a conta de quantas vezes ele acordou e quantas fraldas eu troquei, mas tive a sensação de que não consegui dormir mais do que vinte minutos seguidos. Quando o despertador me acordou às 7h30, arrastei-me para fora da cama, a contragosto, e cambaleei até o banheiro para escovar os dentes e tomar um banho.

Quinze minutos no chuveiro e duas xícaras do café com gosto de velho da cafeteira do quarto me renovaram um pouco. Vesti uma calça cáqui e uma camisa azul-clara com mangas até os cotovelos, e calcei sandálias de couro trançado sem salto. Refleti se devia ou não usar o secador de cabelo, com receio de que o barulho pudesse acordar o bebê, então decidi, de mau humor, que dane-se se ele chorasse.

Depois de secar o cabelo, desliguei o aparelho. Silêncio.

Teria acontecido algo com Luke? Por que ele estava tão quieto? Corri para o quarto e olhei para ele. O bebê estava deitado de costas, tranquilamente, o peito subindo e descendo, as bochechas uma aquarela cor-de-rosa. Toquei-o só para ter certeza de que estava bem. Ele bocejou e cerrou os olhos.

— *Agora* você quer dormir — eu murmurei. Sentei ao lado dele, observando a pele tão fina, os cílios delicados, as feições minúsculas e sonolentas. As sobrancelhas, tão escassas e sedosas, eram quase invisíveis. Ele era parecido com Tara. Dava para ver a semelhança no formato do nariz e da boca... embora o cabelo fosse muito escuro. Como o de Jack Travis, pensei, tocando nos fios delicados.

Levantando da cama, fui tirar meu celular do carregador. Telefonei para minha prima Liza.

— Alô? — Fiquei aliviada quando ela atendeu de imediato.
— Sou eu, Hannah.
— Como está o bebê?
— Está ótimo. Você conseguiu descobrir algo sobre o paradeiro de Tara? Porque se não...
— Eu a encontrei — Liza disse, triunfante.
— Quê?! — Arregalei os olhos. — Onde ela está? Você falou com ela?
— Com ela não. Mas tem um cara com quem ela vai ficar sempre que está num mal momento...
— *Vai ficar?* — repeti, desconfiada. — Eles estão namorando?
— Não exatamente. Ele é casado. De qualquer modo, pensei que Tara pudesse ter ido se encontrar com ele. Então eu descobri o número dele e deixei uma mensagem, e ele me ligou. O cara disse que Tara está bem. Ela ficou com ele nos últimos dias.
— Quem é esse cara?
— Não posso contar para você. Ele quer ficar fora disso.
— Aposto que sim. Liza, eu quero saber exatamente o que está acontecendo com a minha irmã, onde ela está e...
— Ela está numa clínica no Novo México.
Meu coração acelerou até me deixar zonza.
— Que tipo de clínica? Reabilitação? Ela está viciada em drogas?
— Não, não. Não tem nada a ver com drogas. Acho que ela teve um colapso nervoso ou algo assim.
A palavra "colapso" me assustou. Minha voz falhou quando perguntei:
— Qual é o nome da clínica?
— Mountain Valley Wellness.
— Quem internou Tara foi esse cara de quem você falou? Ou ela mesma se internou? Como é que ela está?
— Não sei. Você vai ter que perguntar para ela.
— Liza... — Eu apertei os olhos e me obriguei a perguntar: — Ela... não tentou se machucar, tentou?
— Oh, não foi nada disso. Pelo que eu pude perceber, ter o bebê foi demais para ela. Talvez Tara esteja precisando de férias.
Isso extraiu um sorriso desanimado de mim. Tara precisava de muito mais do que apenas férias.
— De qualquer modo — minha prima disse —, anote o telefone do lugar. Acho que você consegue falar com ela agora.
Anotei a informação, encerrei a chamada e fui direto para meu notebook.

Uma pesquisa sobre a clínica no Google revelou que o lugar era um centro de tratamento residencial de curta permanência, localizado em uma cidadezinha perto de Santa Fé. As fotografias no site da clínica faziam com que parecesse mais um spa ou resort do que uma clínica de reabilitação mental. Na verdade, o site mencionava algumas terapias holísticas e aulas de nutrição. Mas o lugar também parecia ter profissionais certificados e serviços intensivos de psiquiatria. A página "tratamentos" dava ênfase ao bem-estar do corpo e da mente, com o objetivo de não usar medicação ou, se necessário, o mínimo possível.

Mountain Valley Wellness parecia, de certa forma, *pouco* para uma pessoa que podia ter passado por um colapso nervoso. Será que eles possuíam os recursos necessários para tratar dela? Será que davam orientação psicológica de verdade, além de tratamentos faciais e pedicure?

Embora tivesse muita vontade de telefonar para a secretaria de internação, eu sabia que eles nunca violariam a privacidade de um de seus pacientes.

Sentada à escrivaninha no canto do quarto, levei as mãos à cabeça. Imaginei o quanto minha irmã devia estar confusa. Medo, piedade, angústia, raiva – tudo se misturava dentro de mim enquanto eu refletia que deveria ser quase impossível, para a maioria das pessoas, funcionar bem, se tivessem sido criadas como nós.

Pensei nos surtos histriônicos da minha mãe, a lógica bizarra, os impulsos violentos que nos confundiam e amedrontavam. Todos aqueles homens indo e vindo, que faziam parte da busca desesperada da felicidade pela minha mãe. Mas ninguém, nem nada, a deixou feliz. Nossa vida não tinha sido normal, e nossos esforços para nos enganarmos tinham imposto um isolamento amargo a mim e Tara. Nós crescemos sabendo que éramos diferentes de todo mundo.

Nenhuma de nós parecia capaz de ficar íntima de ninguém. Nem mesmo uma da outra. Intimidade, para nós, significava que a pessoa que você mais amava era a que provocava maior dano. Como é que se desaprende isso? Algo emaranhado profundamente em todas as nossas fibras, todos os vasos. Não é algo que se consiga arrancar.

Lentamente, peguei o telefone e liguei para o número do celular de Tara. Dessa vez, ao contrário de todas as minhas tentativas anteriores, ela atendeu.

— Alô?
— Tara, sou eu.
— Hannah.
— Você está bem?

— Estou. Tudo bem. — A voz da minha irmã estava aguda e trêmula. Uma voz de criança. O som me trouxe milhares de lembranças. Lembrei da criança que ela tinha sido. Lembrei de ler para ela nos dias e noites em que ficamos sozinhas por tempo demais, quando não havia o que comer e não tínhamos ideia de onde nossa mãe estava. Eu li histórias de criaturas mágicas, crianças intrépidas, coelhos aventureiros. E Tara escutou e escutou, abraçada a mim, e eu não reclamei, embora estivéssemos com calor e suadas, porque não tínhamos ar-condicionado.

— Ei — eu disse, com a voz baixa. — O que está acontecendo com você?

— Ah... nada de mais.

Nós duas rimos. Fiquei aliviada ao constatar que, mesmo que tivesse enlouquecido, minha irmã mantinha o senso de humor.

— Tara Sue... — Eu andei até a cama para observar Luke. — Você é a única pessoa que conheço que detesta surpresas tanto quanto eu. Pedir que você tivesse dado algum sinal de vida seria demais? Você podia ter me ligado ou escrito um e-mail. Enviado uma redação com o tema "o que eu fiz nas férias de verão". Em vez disso, eu recebi um telefonema da mamãe duas noites atrás.

Um longo silêncio se passou.

— Ela está doida comigo? — Tara perguntou.

— Ela está sempre doida — eu disse, e era verdade. — Se você soubesse como ela reagiu ao Luke... Bem, acho que se ela tivesse imaginado que uma de nós iria cometer o pecado imperdoável de fazer dela uma avó, mamãe teria mandado esterilizar nós duas antes da puberdade.

— Ele está bem? — Tara perguntou, chorosa.

— Está ótimo — eu respondi logo. — Saudável e comendo bem.

— Eu acho.... acho que você está se perguntando por que eu o deixei com a mamãe.

— Estou. Mas antes que me conte isso, quero saber onde você está. Na clínica da qual Liza me falou?

— Isso. Cheguei aqui na noite passada. É um lugar legal, Hannah. Eu tenho meu próprio quarto. Posso sair e voltar quando eu quiser. Estão dizendo que eu deveria ficar pelo menos três meses.

Fiquei em silêncio. Por que três meses? Como eles sabiam que esse era o tempo necessário para lidar com os problemas de Tara? Eles tinham calculado o estoque de loucura de Tara e concluído que só dava para três meses? Imaginei que se ela fosse suicida ou psicótica, eles iriam segurá-la por mais tempo. Ou seria possível que eles não quisessem revelar a verdade para Tara, de que ela estava inscrita no programa de tratamento extensivo?

Havia uma dúzia de perguntas que eu queria fazer de uma vez, todas tão urgentes que me sufocaram e não consegui fazer nenhuma. Pigarreei, tentando aliviar minha garganta das palavras engasgadas e de gosto amargo.

—Mark, meu amigo, comprou uma passagem de avião e providenciou tudo — Tara disse, como se percebesse meu desespero.

Mark. O homem casado.

— Você quer ficar aí? — perguntei com delicadeza.

— Não quero ficar em lugar nenhum, Hannah — ela sussurrou.

— Você já conversou com alguém daí?

— Já, uma mulher. Dra. Jaslow.

— Gostou dela?

— Parece legal.

— Sentiu que ela pode te ajudar?

— Eu acho que sim. Não sei.

— Sobre o que vocês conversaram?

— Eu disse para ela que tinha deixado Luke com a mamãe. E eu não queria fazer isso... deixar o bebê lá, daquele jeito.

— Você consegue me dizer por que fez isso, querida? Aconteceu alguma coisa?

— Depois que eu saí da maternidade com Luke, fui para casa... o apartamento da Liza... onde fiquei alguns dias. Mas tudo estava estranho. O bebê não parecia meu. Eu não sabia agir como mãe.

— Claro que não. Nossos pais não agiram como pais. Você não teve um exemplo para seguir.

— Foi como se eu não aguentasse estar dentro da minha própria pele por nem mais um segundo. Toda vez que eu olhava para o Luke, eu não sabia se estava sentindo o que deveria sentir. E então foi como se eu estivesse flutuando fora do meu corpo e estivesse desaparecendo. Mesmo depois que voltei para dentro de mim, eu sentia como se estivesse em um nevoeiro. Acho que ainda estou. Odeio isso. — Um silêncio longo, então Tara perguntou, hesitante: — Eu estou ficando louca, Hannah?

— Não — eu respondi de imediato. — Eu tive o mesmo problema algumas vezes. O terapeuta que consultei em Austin me disse que esse tipo de distanciamento é uma espécie de escape a que nós recorremos. Um jeito de superar o trauma.

— Você ainda tem isso?

— Essa sensação de estar fora do corpo? Não tenho há muito tempo. Um psicólogo pode ajudar você a parar de sentir isso.

— Você sabe o que está me enlouquecendo, Hannah?

Sim, eu sabia. Mas perguntei assim mesmo.

— O quê?

— Eu tento me lembrar de como era para nós, morar com a mamãe e seus acessos de fúria, e todos os homens que ela levava para casa... e as únicas partes que consigo lembrar com clareza são os momentos em que eu estava com você... quando você me preparava o jantar no forninho elétrico e quando lia histórias para mim. Coisas assim. Mas o resto é um vazio enorme. E quando eu tento me lembrar das coisas, começo a sentir medo e fico tonta.

Quando consegui falar, minha voz saiu grossa e hesitante, como se fosse uma cobertura densa que eu tentava passar sobre um bolo frágil.

— Você contou à Dra. Jaslow alguma das coisas que eu lhe disse sobre Roger?

— Eu contei uma parte — Tara respondeu.

— Ótimo. Talvez ela consiga ajudá-la a se lembrar de mais coisas.

— É difícil. — Ouvi um suspiro trêmulo.

— Eu sei, Tara.

Houve um longo silêncio.

— Quando eu era pequena, sentia como se fosse um cachorro vivendo dentro de uma cerca elétrica. Só que nossa mãe ficava mudando a cerca de lugar. Então eu nunca sabia aonde ir para não levar choque. Ela era louca, Hannah.

— *Era?* — eu perguntei, sarcástica.

— Mas ninguém queria saber disso. As pessoas não queriam acreditar que uma mãe podia ser assim.

— Eu acredito. Eu estava lá.

— Mas eu não tenho conseguido falar com você — Tara reclamou. — Você foi para Austin e me abandonou.

Até aquele momento eu não tinha sentido uma culpa tão intensa que fizesse todos os meus nervos gritarem ao mesmo tempo. Eu estava tão desesperada para escapar daquela vida sufocante, com tudo aquilo que destruía minha alma, que deixei minha irmã para trás, para se defender sozinha.

— Me desculpe — eu consegui dizer. — Eu...

Uma batida na porta do quarto.

Eram 9h15 da manhã. Eu deveria estar no saguão do hotel com Luke, à espera de Jack Travis.

— Merda — murmurei. — Espere um instante, Tara. É a arrumadeira. Não desligue.

— Está bem.

Abri a porta e fiz um gesto com a mão para que Jack Travis entrasse no quarto. Eu estava agitada a ponto de desabar.

Jack entrou no quarto. Alguma coisa na presença dele acalmou o clamor que tamborilava em meus ouvidos. Os olhos dele estavam pretos e abismais. Ele me deu um olhar alerta, entendendo a situação. Com um movimento de cabeça que disse *está tudo bem*, ele foi até a cama e olhou para o bebê adormecido.

Jack vestia uma calça jeans ligeiramente larga e uma camisa polo verde, com fendas nas laterais. Erra o tipo de roupa que um homem só conseguia usar se tivesse um físico perfeito e não desse a mínima para parecer mais alto, musculoso e magro, porque já era tudo isso.

Meus sentidos ficaram alertas com uma reação primitiva quando vi o homem corpulento se aproximar do bebê, indefeso demais até para rolar para o lado sozinho. Por uma fração de segundo, fiquei espantada com meus instintos protetores por uma criança que nem era minha. Eu era uma tigresa pronta para atacar. Mas relaxei quando vi Jack arrumar a manta sobre o peito de Luke.

Sentei em um divã, ao lado de uma poltrona estofada demais no canto do quarto.

— Tara — eu disse com cuidado. — Estou um pouco confusa quanto ao envolvimento de seu amigo Mark nisso tudo. Ele está pagando por sua estadia na clínica?

— Sim.

— Eu quero pagar. Não quero que você deva nada para ele.

— Mark nunca me pediria o dinheiro de volta.

— Estou falando em dever no sentido emocional. É difícil dizer não para alguém depois que a pessoa gastou tanto dinheiro com você. Eu sou sua irmã. Eu cuido disso.

— Está tudo bem, Hannah. — A voz dela estava rouca de irritação e cansaço. — Esqueça. Não é isso que preciso de você.

Tentei sondá-la da forma mais delicada possível. Era como tentar tirar as pétalas de uma flor sem fazer com que a coisa toda se desintegrasse.

— Ele é o pai do bebê?

— O bebê não tem pai. É só meu. Por favor, não pergunte sobre isso. Não com toda a merda que estou enfrentando agora...

— Tudo bem — eu me apressei a dizer. — Tudo bem. É só que... se você não estabelecer a paternidade, ele não vai ter direito legal a apoio do pai. E se você algum dia solicitar qualquer tipo de assistência financeira do Estado, as pessoas vão querer saber quem é o pai do Luke.

— Eu não vou precisar de nada disso. O pai do Luke vai ajudar quando eu precisar. Mas ele não quer saber de custódia, visitas, nem nada disso.
— Você tem certeza? Foi o que ele disse?
— Sim.
— Tara... Liza me falou que você disse para ela que o pai é Jack Travis.

Vi as costas de Jack ficarem tensas; músculos vigorosos tensionando sob a malha fina da camisa.

— Não é ele — Tara respondeu. — Eu só disse isso para a Liza porque ela não parava de perguntar, e eu sabia que a faria ficar quieta.
— Tem certeza? Porque eu estava pronta para levá-lo a fazer um teste de paternidade.
— Ah, Deus. Hannah, *não* incomode Jack Travis com isso. Ele não é o pai. Eu nem transei com ele.
— E por que você foi falar isso para Liza?
— Não sei. Acho que fiquei com vergonha por ele não me querer e não quis admitir para Liza.
— Não acho que havia motivo para você ficar com vergonha — eu disse em voz baixa. — Acho que ele foi um cavalheiro. — Com o canto do olho, vi Jack sentar na beira da cama. Senti o olhar dele em mim.
— Tanto faz. — Minha irmã pareceu exausta e irritada. — Preciso ir.
— Não. Espere. Só mais duas coisas. Tara, você se importa de eu conversar com a Dra. Jaslow?
— Não, tudo bem.

Fiquei surpresa com a pronta aceitação dela.

— Obrigada. Diga para ela, então, que pode conversar comigo. Ela vai querer uma permissão por escrito. E a outra coisa... Tara... o que você quer que eu faça com o Luke enquanto estiver na clínica?

Houve um silêncio tão absoluto e prolongado que achei que a ligação tivesse caído.

— Eu pensei que você iria tomar conta dele — Tara disse, afinal.

Senti como se tivesse levado uma martelada na testa. Massageei-a e apertei com força a pequena depressão onde o nariz se funde ao osso orbital. Eu estava presa, encurralada.

— Acho que não vou conseguir convencer Dane a aceitar isso.
— Você pode ir morar com Liza e assumir minha parte do aluguel.

Fiquei olhando para o vazio, na direção da porta do quarto, e pensei que, provavelmente, era bom que Tara não pudesse ver minha expressão naquele momento. Eu já pagava metade do aluguel do Dane. E a ideia de ir morar com minha prima, que levaria homens para o apartamento a qualquer hora... para não mencionar a reação de Liza a morar com um bebê barulhento... Não, isso nunca iria dar certo.

Tara falou de novo, cada palavra extraída a força:

— Você tem que pensar no que pode fazer. Eu não consigo. Não sei o que lhe dizer. Contrate alguém. Eu peço para o Mark pagar.

— Posso falar com o Mark?

— Não — ela respondeu, veemente. — Apenas decida o que você quer fazer. Tudo que preciso é que você cuide do bebê por três meses. Só três meses de toda a sua vida, Hannah! Não pode fazer isso por mim? É a única coisa que eu já lhe pedi! Não pode me ajudar, Hannah? Não?

A voz dela estava carregada de fúria e pânico. Ouvi o tom de voz da minha mãe enquanto Tara falava, e isso me assustou.

— Eu posso — eu disse, com delicadeza. E repeti até ela se acalmar. — Posso... posso.

E então nós duas ficamos sem ter o que falar, apenas ouvindo a respiração uma da outra no telefone.

Três meses para que Tara resolvesse uma infância desajustada e todas as suas consequências devastadoras, eu pensei, desanimada. Será que ela conseguiria? E eu conseguiria evitar que minha própria vida desmoronasse até lá?

— Tara... — eu disse depois de um tempo. — Se eu vou fazer parte disso, então eu *vou* ser parte disso. Você vai me deixar falar com a Dra. Jaslow. E vai me deixar falar com *você*. Não vou telefonar demais, mas quando eu ligar, não me evite. Você vai querer saber como o bebê está, certo?

— Tudo bem. Certo.

— E só para deixar claro — não consegui resistir —, esta não é a única coisa que você já me pediu.

A risada forçada dela farfalhou no meu ouvido.

Antes de Tara desligar, ela me informou o número do quarto em que estava e o de um telefone fixo, que eu podia usar para falar com ela na clínica. Embora eu quisesse conversar mais, ela encerrou a chamada de repente. Fechei o celular, enxuguei sua superfície suada na minha calça jeans e o joguei de lado sem o devido cuidado. Atordoada, tentei entender tudo que estava acontecendo. Era como correr atrás de um carro em movimento.

— Quem diabos é Mark? — perguntei em voz alta.

Eu estava paralisada. Não me mexi nem levantei o rosto quando os sapatos de Jack Travis apareceram no meu campo de visão. Mocassins de couro costurado com pontos grossos. Ele segurava algo entre os dedos... uma folha de papel dobrada, que me entregou sem dizer nada.

Abrindo o papel, vi o endereço da clínica no Novo México. Logo abaixo, o nome *Mark Gottler* acompanhado de um número de telefone e o endereço da Irmandade da Verdade Eterna.

Espantada, eu meneei a cabeça.

— Quem é ele? O que uma igreja tem a ver com isso?

— Gottler é um pastor associado. — Jack se agachou diante de mim, fazendo com que nossos rostos ficassem frente a frente. — Tara foi internada na clínica com um cartão de crédito dele.

— Meu Deus. Como foi que você... — eu perdi a voz e passei a mão na superfície suada da minha testa. — Uau — eu disse, trêmula. — Seu investigador é *mesmo* muito bom. Como ele conseguiu essa informação com tanta rapidez?

— Eu liguei para ele ontem, logo depois que conheci você.

É claro. Com recursos inimagináveis a seu dispor, Jack iria conferir tudo. Sem dúvida ele tinha me investigado também.

Baixei os olhos para o papel de novo.

— Como foi que minha irmã se envolveu com um pastor casado?

— Parece que a agência de empregos temporários para a qual ela trabalha a manda para lá, de tempos em tempos.

— Para fazer o quê? — perguntei, amarga. — Recolher a oferta dos fiéis?

— É uma megaigreja. Um negócio imenso. Eles contratam MBAs, oferecem orientação financeira, têm restaurante próprio. O lugar é quase uma Disneylândia. Trinta e cinco mil membros, e ainda está crescendo. Gottler aparece na TV sempre que o pastor principal precisa ser substituído. — Ele me observou enquanto eu entrelaçava os dedos, deixando o papel com endereço e número de telefone cair no chão. — Minha empresa tem alguns contratos de manutenção com a Verdade Eterna. Eu já me encontrei com Gottler algumas vezes.

— Mesmo? — Meus olhos devem ter soltado faíscas. — Como ele é?

— Tranquilo. Amistoso. Um homem de família. Não parece ser do tipo que trai a esposa.

— Eles nunca parecem — eu murmurei. Antes de perceber o que estava fazendo, juntei as mãos em uma brincadeira infantil... *esta é a igreja... este, o campanário...* separei as mãos e as fechei em punhos. — Tara não quer admitir que ele é o pai. Mas por que outro motivo ele estaria fazendo tudo isso por ela?

— Só existe um modo de ter certeza. Mas duvido que ele estará disposto a fazer um teste de paternidade.

— Claro — concordei, tentando absorver tudo aquilo. — Filhos bastardos não ajudam muito na carreira de pregadores de TV. — O ar-condicionado parecia ter jogado a temperatura do quarto abaixo de zero. Eu tremia. — Eu preciso falar com ele. Como eu faço?

— Eu não a aconselho a aparecer sem horário marcado. O *meu* escritório é tranquilo quanto a isso, mas você nunca passaria da porta da frente da Verdade Eterna.

Decidi ser mais direta:

— Você me ajudaria a conseguir uma reunião com Gottler?

— Vou pensar a respeito — ele respondeu, o que significava *não*. Meu nariz e meus lábios estavam dormentes. Olhei por cima do ombro de Jack, para a cama, pensando se o bebê estaria com frio.

— Ele está bem — Jack disse com delicadeza, como se pudesse ler meus pensamentos. — Tudo vai ficar bem, Hannah.

Tive um pequeno sobressalto quando senti a mão dele se fechar sobre a minha. Dei-lhe um olhar desconfiado, imaginando o que ele queria. Mas não havia nada de sugestivo no toque dele, nem em seu olhar.

A mão de Jack era espantosa em sua força e seu calor. Algo naquele toque vital me animou, como se fosse uma droga injetada na veia. Algo tão íntimo, um aperto de mão. O conforto e o prazer que tirei disso foi de uma falta indizível de lealdade para com Dane. Mas antes que eu pudesse me opor ou absorver integralmente a sensação, o toque quente foi retirado.

Durante toda a minha vida, eu tive que lidar com a carência gerada pela falta de um pai, o que me deixou com uma arraigada atração por homens fortes e dominantes, e isso me aterrorizava. Então eu sempre fui na outra direção, buscando homens como Dane, que me fazia matar aranhas e carregar minhas próprias malas. Era isso que eu queria. Ainda assim, alguém como Jack Travis, incontestavelmente macho, tão seguro de si mesmo, me atraía de um modo secreto, quase fetichista.

Eu tive que umedecer meus lábios secos antes de conseguir falar.

— Você não dormiu com a Tara.

Jack negou com a cabeça, o olhar fixo no meu.

— Perdoe-me — eu disse com humildade. — Eu tinha certeza de que você estava errado.

— Eu sei.

— Não sei por que insisti tanto nisso.

— Não sabe? — ele murmurou.

Eu pisquei com força. Ainda podia sentir o calor de Jack na mão em que ele tinha segurado. Contraí os dedos para afastar a sensação.

— Bem — eu disse, estranhamente sem fôlego. — Você pode ir, agora. Pode cancelar a consulta com o médico. Está livre. Prometo nunca mais incomodá-lo.

Eu me levantei e Jack fez o mesmo, o corpo tão perto do meu que eu quase podia sentir seu calor vigoroso. Perto demais. Eu teria recuado um passo, mas o divã estava bem atrás de mim.

— Você vai tomar conta do bebê até sua irmã se recuperar — ele afirmou, não perguntou.

Concordei com a cabeça.

— Por quanto tempo?

— Ela falou em três meses. — Tentei parecer calma. — Vou ser otimista e acreditar que não vai passar disso.

— Você vai levá-lo para Austin?

Levantei os ombros, impotente.

— Vou ligar para o Dane. Eu... eu não sei se isso vai dar certo.

Não iria dar certo. Eu conhecia Dane bem o bastante para ter certeza de que problemas sérios me aguardavam.

Ocorreu-me que eu poderia perdê-lo por causa disso.

No dia anterior, minha vida estava ótima. Agora estava desmoronando. Teria espaço para um bebê na minha vida? Como eu iria conseguir fazer meu trabalho? O que eu teria que fazer para não perder Dane?

Um gritinho veio da cama. De algum modo, aquele som colocou tudo em foco. Dane não importava naquele momento. Logística, dinheiro, carreira, nada disso importava. Naquele momento, a única coisa importante era a fome de um bebê desamparado.

— Me ligue quando decidir o que fazer — Jack disse.

Fui até o frigobar e peguei uma mamadeira de leite frio.

— Não vou mais incomodar você. Sério. Sinto muito se eu...

— Hannah. — Ele chegou até mim com duas passadas tranquilas, pegando-me pelos cotovelos quando me endireitei. Fiquei tensa com a sensação de ser tocada por aqueles dedos ásperos e quentes. Jack esperou até que eu conseguisse me obrigar a olhar para ele.

— Você não tem nada a ver com isso — eu disse, tentando parecer grata, mas indiferente. Absolvendo-o.

Jack não me deixou desviar o olhar.

— Me ligue quando decidir o que quer fazer.

— Claro. — Eu não tinha nenhuma intenção de vê-lo outra vez, e nós dois sabíamos disso.

Ele torceu os lábios. Fiquei rígida. Eu não gostava quando alguém me achava engraçada.

— Até mais, Hannah. — Ele se foi.

Na cama, Luke grasnou.

— Estou indo — eu disse e me apressei para aprontar a mamadeira.

Capítulo sete

Alimentei Luke e troquei a fralda. O telefonema para Dane teria que esperar até Luke estar pronto para descansar novamente. Percebi que já estava começando a planejar minha vida de acordo com as necessidades do bebê. Os momentos de alimentação e o sono dele, bem como os períodos em que estava acordado, formavam a estrutura ao redor da qual todo o resto tinha que ser organizado.

Colocando-o de barriga para cima, me aninhei perto dele, cantarolando trechos de canções de ninar que recordava da minha memória infantil. Peguei uma das mãozinhas que ele agitava e a apertei na minha bochecha. As palmas dele eram do tamanho de moedas. Ele manteve a mão em mim, encarando meu rosto, procurando a conexão do mesmo modo que eu.

Eu nunca tinha sido tão querida ou necessária para ninguém no mundo. Bebês são perigosos... eles fazem você se apaixonar antes que perceba o que está acontecendo. Aquela criatura pequena e solene não sabia nem dizer meu nome e dependia de mim para tudo. Tudo. Eu o conhecia há pouco mais de um dia, mas me jogaria na frente de um ônibus por ele. Eu estava à mercê do meu sobrinho. Isso era péssimo.

— Eu te amo, Luke — sussurrei.

Ele pareceu não se surpreender nem um pouco com essa revelação. É claro que você me ama, era o que a expressão dele parecia dizer. *Eu sou um bebê. É o que eu faço.* Ele apertou um pouco a mão na minha bochecha, testando a flexibilidade.

As unhas me arranharam. Como é que se corta as unhas de um bebê? É possível usar cortadores normais, de adultos, ou existe alguma ferramenta especial? Levantei os pés dele e beijei as solas rosadas, macias em sua inocência, como patas de gatinho.

— Onde está seu manual de instruções? — perguntei para ele. — Qual o telefone do serviço do consumidor de bebês?

Percebi, então, que não tinha demonstrado respeito nem compreensão pela minha amiga casada Stacy quando ela teve filho. Tentei mostrar algum interesse, mas não fazia ideia do que ela estava enfrentando. Não é possível até se enfrentar o mesmo desafio. Será que ela tinha se sentido assim assoberbada, despreparada para a responsabilidade de criar uma pessoa? Eu sempre ouvi que as mulheres possuem um instinto, um depósito secreto de sabedoria materna que se abria quando fosse necessário.

Eu não sentia essa sabedoria aflorar. A única coisa que aflorou foi um impulso poderoso de ligar para minha melhor amiga Stacy e me lamuriar. E tendo sempre acreditado no valor terapêutico da ocasional boa e completa lamúria, telefonei para ela. Aquela experiência era novidade para mim, mas Stacy conhecia todos os perigos e armadilhas da maternidade. Ela namorou com Tom, o melhor amigo de Dane, durante anos, e foi assim que eu a conheci. Então ela ficou grávida do Tom por acidente, e ele fez o esperado e casou com ela. A bebê, uma garotinha chamada Tommie, estava agora com 3 anos. Stacy e Tom juravam que ela era a melhor coisa que tinha acontecido a eles. Tom até parecia ser sincero.

Dane e Tom continuavam grandes amigos, mas eu sabia que, no fundo, Dane pensava que Tom era um vendido. Antes, Tom era um ativista liberal e individualista empedernido. Agora estava casado e era dono de uma minivan com cintos de segurança manchados e o chão cheio de caixinhas vazias de suco e brinquedos do McLanche Feliz.

— Stace — eu disse, afobada, aliviada por ela ter atendido o telefone.
— Sou eu. Você tem um minuto?

— Claro que sim. Como você está, querida? — Eu a imaginei de pé na cozinha da casa pequena, em estilo *arts and crafts*, que eles reformaram, os olhos brilhantes como pirulitos no rosto cor de café com leite, o cabelo, com tranças intrincadas, preso para cima, mostrando a nuca.

— Condenada — eu respondi. — Absolutamente condenada.

— Problemas com a coluna? — ela perguntou, simpática.

Eu hesitei.

— Sim. Tenho que dar conselho para uma mulher solteira cuja irmã mais nova teve um filho, sem ser casada, e quer que a mais velha tome conta da criança por pelo menos três meses. Enquanto isso, a irmã mais nova vai ficar internada em uma clínica psiquiátrica para tentar ficar boa o bastante para ser mãe.

— Situação difícil — Stacy disse.

— E fica pior. A irmã mais velha mora em Austin com um namorado que já disse que não aceita o bebê na casa deles.

— Babaca — Stacy comentou. — Qual o motivo dele?

— Eu acho que ele não quer a responsabilidade. Acredito que esteja com medo de que a situação vai interferir nos planos que ele tem para salvar o mundo. E talvez ele tenha receio de que isso possa afetar o relacionamento dos dois, e que a namorada comece a exigir mais dele do que queria no passado.

— Oh. Meu. Deus. — Enfim, Stacy entendeu. — Hannah, você está falando de você e Dane?

Era um prazer descarregar tudo aquilo em alguém como Stacy, uma amiga fiel que me apoiava automaticamente. E muito embora *eu* estivesse alterando as regras do meu relacionamento com Dane, levando um bebê para nossa vida, Stacy ficou do meu lado.

— Estou em Houston com o bebê — eu disse. — Estamos num quarto de hotel. Ele está bem do meu lado. Não quero fazer isto, mas ele é o primeiro homem para quem eu disse "eu te amo" desde o colégio. Oh, Stace, você não imaginaria o quanto ele é fofo.

— Todos os bebês são fofos — ela disse, séria.

— Eu sei, mas este é acima da média.

— Todos os bebês são acima da média.

Fiquei em silêncio para fazer uma careta para o bebê, que estava soprando bolhas.

— Luke está um por cento superior acima da média.

— Espere um pouco. Tom está em casa para almoçar. Eu quero que ele participe disto. *Toooom!*

Esperei até Stacy explicar a situação para o marido. Dentre o número considerável de amigos de Dane, Tom sempre foi meu favorito. Nunca havia tédio nem melancolia quando Tom estava por perto... o vinho fluía, as pessoas riam e a conversa seguia com tranquilidade. Quando Tom estava por perto, as pessoas se sentiam inteligentes e espirituosas. Stacy era o varal firme e confiável no qual o pitoresco Tom ficava à vontade para esvoaçar e brilhar.

— Você pode pôr Tom na extensão? — perguntei para Stacy.

— No momento só temos um aparelho. Tommie jogou o outro na privada. Então... você já falou com Dane?

Senti um peso no estômago.

— Não, eu quis falar com você primeiro. Estou enrolando porque eu já sei o que Dane vai falar. — Senti meus olhos arderem, marejados. Minha voz saiu fina e carregada de emoção. — Dane não vai topar isto, Stace. Ele vai me dizer para não voltar para Austin.

— Que nada. Venha para cá agora mesmo com esse bebê.

— Não posso, você sabe como o Dane é.

— Eu sei, e é por isso que eu acho que está na hora de ele crescer. Isso é responsabilidade de adulto, e ele precisa dar conta.

Por algum motivo eu senti necessidade de defender Dane.

— Ele é adulto — eu disse, enxugando meus olhos com a manga da blusa. — Mas isto é diferente. Dane sempre foi claro quanto a não querer saber de bebês. E só porque estou sendo forçada a assumir uma situação que eu não esperava, não significa que Dane também tenha que sofrer.

— É claro que significa. Ele é seu companheiro. E ter um bebê não é sofrer. É... — Ela parou para ouvir um comentário do marido. — Fique quieto, Tom. Hannah, quando um bebê entra na sua vida, você tem que abrir mão de muita coisa. Mas você recebe muito mais do que dá. Você vai ver.

Luke começou a fechar as pálpebras, lentamente, conforme a necessidade de dormir tomava conta dele. Mantive a mão sobre a barriguinha dele, sentindo o gorgolejo digestivo na minha palma.

— ...teve uma infância ótima — Stacy dizia —, e está na idade certa para se estabelecer. Todo mundo que o conhece acredita que ele seria um pai maravilhoso. Você tem que impor essa questão, Hannah. Quando Dane vir como é incrível ter filhos, o quanto eles acrescentam à sua vida, ele vai estar pronto para assumir um compromisso.

— Ele mal consegue se comprometer com as próprias meias — eu disse. — Dane precisa ter liberdade total, Stacy.

— Ninguém pode ter liberdade total — Stacy disse. — O motivo de se estar em um relacionamento é ter alguém para te apoiar quando precisar da pessoa. Do contrário, é só uma... espere um pouco. — Ela fez uma pausa e eu ouvi uma voz abafada ao fundo. — Você quer que o Tom fale com o Dane? Ele acabou de dizer que faria isso com prazer.

— Não — eu me apressei em dizer. — Não quero que Dane se sinta pressionado.

— Por que ele tem que ser poupado? — Stacy perguntou, indignada. — Você está sendo pressionada, não está? Você está encarando uma situação difícil. Por que ele não tem que ajudá-la nesse momento? Juro por Deus, Hannah, se Dane não fizer a coisa certa, eu vou falar tanta merda para ele... — Ela parou ao ouvir um comentário do marido. — Estou falando sério, Tom! Pelo amor de Deus, e se a Hannah ficasse grávida do mesmo modo que eu? Você assumiu a responsabilidade; não acha que Dane deveria fazer o mesmo? Não ligo a mínima se o bebê é dele ou não. A verdade é que Hannah precisa do apoio dele. — Ela voltou a atenção para mim. — Não importa o que Dane diga, volte para Austin com o bebê, Hannah. Seus amigos estão aqui. Nós vamos ajudar você.

— Não sei. Eu iria encontrar Dane o tempo todo... Seria estranho morar perto dele, mas não com ele. Talvez seja melhor eu encontrar um apartamento mobiliado aqui em Houston. É só por três meses.

— E voltar para o Dane quando o problema estiver resolvido? — Stacy perguntou, indignada.

— Bem... sim.

— Se você tivesse câncer também teria que se virar sozinha, para não incomodar o Dane? Faça com que ele seja parte disso. Você tem que poder contar com ele, Hannah! Você... espere, Tom quer dizer algo.

Esperei até ouvir a voz conformada dele.

— Oi, Hannah.

— Oi, Tom. Antes de você falar qualquer coisa... não me diga o que a Stacy quer que eu ouça. Fale a verdade. Você é o melhor amigo dele e o conhece melhor do que ninguém. Dane não vai ceder, vai?

Tom suspirou.

— Para ele tudo é uma armadilha. Qualquer coisa que tenha aparência de um lar com cachorro, esposa e dois filhos. E, ao contrário de Stacy e de todo mundo que nós conhecemos, não acho que Dane seria um pai maravilhoso. Ele não tem o lado "masoquista" que os pais precisam ter.

Sorri com tristeza, sabendo que Tom iria ouvir muito de Stacy por sua honestidade.

— Eu sei que Dane preferiria salvar o mundo do que tentar salvar um bebê. Mas não entendo o porquê.

— Bebês são como clientes difíceis, Hannah — Tom disse. — Você ganha muito mais crédito por tentar salvar o mundo. E é mais fácil.

Capítulo oito

— Eu fui colocada em uma situação difícil e não posso simplesmente abandonar — eu disse ao Dane pelo telefone. — Então eu vou lhe dizer o que quero fazer e, depois que me ouvir, você pode me dizer quais opções eu tenho. Ou não.

— Meu Deus, Hannah — ele disse em voz baixa.

Eu franzi a testa.

— Não diga "Meu Deus, Hannah". Ainda não. Eu não lhe contei meu plano.

— Eu sei qual é.

— Sabe?

— Eu soube no momento em que você saiu de Austin. Você sempre foi a "equipe de limpeza" da sua família. — A bondade resignada de Dane estava sempre a um passo da piedade. Eu teria preferido hostilidade. Ele me fazia sentir como se a vida fosse um circo e eu tivesse sido designada para sempre andar atrás do elefante.

— Ninguém está me forçando a fazer nada que eu não queira — protestei.

— Pelo que eu saiba, tomar conta do bebê da sua irmã nunca esteve na sua lista de objetivos na vida.

— Ela teve o bebê há uma semana. Eu não posso revisar minha lista de objetivos na vida?

— Pode. Mas isso não quer dizer que eu também tenho que revisar a minha. — Ele suspirou. — Conte tudo para mim. Acredite ou não, eu estou do seu lado.

Eu expliquei o que tinha acontecido, a conversa com Tara, e terminei na defensiva:

— São só três meses. E o bebê quase não incomoda. — *A menos que você goste de dormir*, pensei. — Então eu vou procurar um apartamento mobiliado em Houston e vou ficar por aqui até Tara melhorar. Acho que Liza também pode ajudar. E então eu volto para o nosso apartamento em Austin. Para você. — Achei melhor terminar logo: — Parece um bom plano?

— Parece um plano — ele disse. Eu ouvi a expulsão lenta e suave do ar contido, saindo do fundo dos pulmões dele. — O que você quer que eu diga, Hannah?

Eu queria que ele dissesse: *"Venha para casa. Vou ajudar com o bebê."* Mas...

— Eu quero saber o que você está pensando de fato — foi o que eu disse.

— Eu acho que você continua presa aos velhos costumes — Dane disse, a voz contida. — Sua mãe estala os dedos, ou sua irmã apronta alguma, e você interrompe sua vida para tomar conta de tudo. Mas não vão ser só três meses, Hannah. Podem ser três *anos* até que Tara consiga apertar os parafusos da cabeça. E se ela tiver mais filhos? Você vai tomar conta de todos?

— Já pensei nisso — eu admiti com dificuldade. — Mas não posso me preocupar com o que talvez aconteça no futuro. Neste momento só existe o Luke, e ele precisa de mim.

— E quanto ao que você precisa? Você deveria estar escrevendo um livro, não é? Como vai continuar com sua coluna?

— Não sei. Mas outras pessoas conseguem trabalhar e cuidar dos filhos.

— Esse não é seu filho.

— Ele é parte da minha família.

— Você não tem uma família, Hannah.

Embora eu tivesse feito comentários semelhantes no passado, doeu ouvi-lo falar daquele jeito.

— Nós somos indivíduos unidos por um padrão de obrigações recíprocas — eu disse. — Se um grupo de chimpanzés da Amazônia pode ser chamado de família, acho que os Varner também podem.

— Considerando o fato de que os chimpanzés de vez em quando comem uns aos outros, acho que concordo com isso.

Refleti que não deveria ter confidenciado tanto a respeito dos Varner para Dane.

— Detesto discutir com você — murmurei. — Você sabe demais da minha vida.

— Você detestaria ainda mais se eu a deixasse tomar a decisão errada sem dizer nada.

— Eu acho que é a decisão certa. Do modo como eu vejo, é a única decisão com a qual eu conseguiria viver.

— Está certo. Mas *eu* não consigo viver com essa decisão.

Eu inspirei fundo.

— Então, como é que nós ficamos, se eu for em frente e fizer isso? O que acontece com o nosso relacionamento de quatro anos? — Era difícil, para mim, acreditar que a pessoa de quem eu mais dependia, o homem em quem eu confiava profundamente, estava estabelecendo um limite tão rígido.

— Acredito que podemos considerar isso como um hiato — Dane respondeu.

Refleti sobre o assunto enquanto uma preocupação gélida se arrastava pelas minhas veias.

— E quando eu voltar nós vamos continuar de onde paramos?

— Podemos tentar.

— O que você quer dizer com *tentar*?

— É possível guardar algo no congelador e tirá-lo de lá depois de três meses. Mas nunca mais será a mesma coisa.

— Mas você promete me esperar, certo?

— Esperar como?

— Quero dizer que você não vai transar com ninguém.

— Hannah, nenhum de nós pode prometer não fazer sexo com ninguém mais.

— Não podemos? — Fiquei boquiaberta.

— Claro que não. Em um relacionamento maduro não existem promessas nem garantias. Nós não somos donos um do outro.

— Dane, eu pensei que nós éramos exclusivos. — Percebi que, pela segunda vez naquele dia, eu estava me lamuriando. Um novo pensamento me ocorreu. — Você já me traiu?

— Eu não chamaria de trair. Mas não, nunca.

— E se eu transasse com outra pessoa? Você não sentiria ciúme?

— Eu não negaria a você a liberdade de experimentar outros relacionamentos, se você assim quisesse. É uma questão de confiança. E abertura.

— Nós temos um relacionamento aberto?

— Se você quer rotular desse modo, sim.

Poucas vezes, se é que alguma, fiquei tão aturdida. As suposições mais básicas que eu tinha a respeito de Dane e eu estavam sendo destruídas.

— Meu Deus. Como é que nós podemos ter um relacionamento aberto se eu não sabia disso? Quais são as regras?

Dane pareceu estar se divertindo com aquilo.

— Não existem regras para nós, Hannah. Nunca existiram. Esse é o único motivo para você ter ficado tanto tempo comigo. No minuto em que eu tentasse confiná-la de algum modo, você teria ido embora.

Minha cabeça estava cheia de argumentos e exigências. Eu me perguntei se ele estava certo, e receei que estivesse.

— Por algum motivo — eu disse lentamente —, sempre me considerei uma pessoa convencional. Convencional demais para um relacionamento sem qualquer estrutura.

— A Srta. Independente é convencional — ele disse. — O conselho que ela dá para outras pessoas obedece um conjunto bem estabelecido de regras. Mas como Hannah, não, você não é convencional.

— Mas eu sou a Srta. Independente *e* a Hannah — protestei. — Onde está a verdadeira *eu* no meio disso tudo?

— Parece que a verdadeira você está em Houston — ele respondeu. — E eu gostaria que você voltasse.

— Eu gostaria de levar o bebê para casa só por alguns dias, até tentarmos entender as coisas.

— Isso não vai funcionar para mim — Dane se apressou em dizer.

— O apartamento também é meu. — Eu franzi o cenho, irritada. — Quero ficar na minha metade.

— Tudo bem. Vou me instalar em outro lugar até você e o bebê irem embora. Ou vou me mudar de vez, e assim você pode ficar com o apartamento todo...

— Não. — Instintivamente, eu soube que se Dane fosse obrigado a sair porque eu tinha escolhido cuidar de Luke, eu poderia perdê-lo para sempre. — Tudo bem, você pode ficar aí. Eu vou encontrar um lugar temporário para mim e Luke.

— Eu ajudo da forma que puder — Dane disse. — Vou assumir sua parte do aluguel pelo tempo que for necessário.

Fiquei incomodada com a oferta. E furiosa como um touro de rodeio por Dane se recusar a aceitar Luke. Mas, acima de tudo, eu estava assustada pela revelação de que tínhamos um relacionamento sem regras nem promessas. Porque significava que eu não tinha mais certeza de quem Dane era... Ou eu.

— Obrigada — eu disse, emburrada. — Depois eu informo onde nós fomos parar.

— A primeira coisa que nós temos que fazer — eu disse a Luke no dia seguinte — é encontrar um lugar legal que tenhamos condições de alugar. Será que é melhor procurar no centro? Em Montrose? Ou, quem sabe, possamos encontrar algo por perto, em Sugar Land? Nós também podemos ir para Austin, mas teríamos que tomar cuidado para evitar você sabe quem. E os aluguéis em Austin são *muito* mais caros.

Luke parecia refletir a respeito, sugando lentamente a mamadeira, como se ponderasse as possibilidades.

— Você está pensando no assunto? — perguntei para ele. — Ou está tratando de sujar outra fralda?

Eu tinha passado a noite anterior fazendo muita pesquisa na internet, sobretudo a respeito de cuidados infantis. Eu li páginas de orientações sobre o uso de fraldas, marcos do primeiro mês de vida e visitas programadas ao pediatra. Eu até mesmo encontrei instruções para cortar as unhas de um bebê.

— Diz aqui, Luke — contei para ele —, que você deve dormir de quinze a dezoito horas por dia. Você precisa se esforçar mais. Aqui também diz que eu devo desinfetar todas as coisas que você põe na boca. E que você vai aprender a sorrir até o fim do mês.

Eu tinha passado vários minutos com o rosto bem em cima dele, sorrindo para Luke à espera de uma resposta. Mas ele reagiu com uma careta tão solene que eu tive que lhe dizer que estava parecendo com Winston Churchill.

Depois de salvar o endereço de uma dúzia de sites de maternidade, comecei a procurar apartamentos mobiliados para alugar em Houston. Os que eu podia pagar pareciam ruins e deprimentes, e os que eu gostava tinham aluguéis astronômicos. Infelizmente, foi difícil encontrar algo bem decorado em um local decente e por um valor razoável. Fui dormir me sentindo ansiosa e deprimida. Talvez por pena, Luke acordou apenas três vezes durante a noite.

— Nós temos que encontrar algo hoje — eu disse para ele. — E sair deste quarto de hotel caríssimo. — Decidi passar a manhã escolhendo imóveis na internet, para à tarde visitar alguns lugares pessoalmente. Eu estava anotando o primeiro endereço e número de telefone quando meu celular tocou.

O nome *Travis* apareceu na tela. Senti um misto de nervosismo e curiosidade enquanto atendia a ligação.

— Alô?

— Hannah. — Ouvi a voz grossa característica de Jack, fluida como metal derretido. — Como você está?

— Ótima, obrigada. Luke e eu estamos procurando apartamentos. Decidimos morar juntos.

— Parabéns. Estão procurando em Houston ou vão voltar para Austin?

— Vamos ficar por aqui.

— Que ótimo. — Uma breve hesitação. — Você tem planos para o almoço?

— Não.

— Então eu pego você ao meio-dia.

— Não tenho condições de pagar outra refeição para você — eu disse e ele riu.

— Esta é por minha conta. Eu quero conversar com você sobre algo.

— Sobre o que você pode estar querendo conversar comigo? Me dê uma dica.

— Você não precisa de uma dica, Hannah. Tudo que precisa é dizer sim.

Eu hesitei, pega de surpresa pelo modo como ele falava comigo, amistoso mas insistente, como um homem que não está acostumado a ouvir não.

— Pode ser um lugar simples? — perguntei. — No momento, Luke e eu não temos nada muito caprichado para vestir.

— Sem problema. Só não ponha meias cor-de-rosa nele.

Para minha surpresa, Jack apareceu para nos pegar em um SUV híbrido. Eu o esperava num monstro beberrão de gasolina, ou talvez em um carro esportivo caríssimo. Com certeza eu não apostava em algo que Dane, ou um de seus amigos, se sentiriam à vontade dirigindo.

— Você num híbrido.... — eu disse espantada, lutando para prender a base da cadeirinha do Luke no assento detrás. — Eu pensei que você apareceria em um Denali ou um Hummer. Algo assim.

— Um Hummer — Jack repetiu, bufando. Ele me entregou Luke com o bebê-conforto e, delicadamente, me afastou, curvando-se para prender a base da cadeirinha com o cinto de segurança. — Houston já tem emissões tóxicas suficientes. Não vou contribuir para aumentar o problema.

Arqueei minhas sobrancelhas.

— Isso parece a fala de um ambientalista.

— Eu sou um ambientalista — Jack disse, tranquilo.

— Não pode ser. Você é um caçador.

— Existem dois tipos de ambientalistas, Hannah. — Jack sorriu. — O tipo que abraça árvores e pensa que uma ameba unicelular é tão importante quanto um alce da Nova Escócia... E o meu tipo, que encara a caça regulamentada como parte do controle responsável da vida selvagem. E como eu gosto de estar na natureza o máximo possível, sou contra poluição, excesso de pesca, aquecimento global, desmatamento ou qualquer coisa que destrua os lugares que eu frequento.

Jack pegou o bebê-conforto de mim e o travou com cuidado na base. Ele murmurou algo para Luke, que estava afivelado como um miniastronauta, pronto para uma missão perigosa.

Não pude deixar de apreciar a vista quando Jack se curvou no interior do carro. Ele tinha um belo corpo, os músculos firmes e torneados modelando a calça jeans sob medida, os ombros grandes retesados marcavam a camisa azul-claro com as mangas dobradas. Ele tinha o físico ideal para um *quarterback*; forte o bastante para aguentar o tranco de um defensor, alto o suficiente para lançar um passe preciso sobre a defesa, magro na medida certa para ser ágil e rápido.

Como costumava acontecer em Houston, uma viagem que deveria durar quinze minutos demorou quase meia hora. Mas eu gostei do passeio, porque não apenas estava fora do quarto do hotel, como Luke dormia, embalado pelo ar-condicionado e pelo movimento do carro.

— O que aconteceu com Dane? — Jack perguntou, descontraído. — Vocês terminaram?

— Não, de jeito nenhum. Continuamos juntos. — Eu fiz uma pausa desconfortável antes de continuar. — Mas nós estamos num... hiato. Só por três meses, até Tara pegar o filho e eu poder voltar para Austin.

— Isso significa que você pode sair com outras pessoas?

— Nós sempre pudemos sair com outras pessoas. Dane e eu temos um relacionamento aberto. Nada de promessas, nada de compromisso.

— Isso não existe. Um relacionamento é *feito* de promessas e compromissos.

— Para pessoas convencionais, talvez. Mas Dane e eu acreditamos que não se pode ser dono de alguém.

— Claro que pode — Jack disse.

Eu arqueei as sobrancelhas.

— Talvez seja diferente em Austin — Jack continuou. — Mas em Houston, um cachorro não divide o osso.

Ele foi tão afrontoso que não consegui segurar o riso.

— Você já esteve em algum relacionamento sério, Jack? Sério de verdade, do tipo noivado?

— Uma vez — ele admitiu. — Mas não deu certo.

— Por que não?

— Por quê? — ele repetiu a pergunta.

A hesitação antes da resposta foi grande o bastante para eu me dar conta de que aquele era um assunto do qual Jack Travis raramente falava.

— Ela se apaixonou por outra pessoa — ele disse, afinal.

— Sinto muito — respondi, sincera. — A maior parte das cartas que recebo para a minha coluna são de pessoas que estão no lado mais frágil de um relacionamento. Homens apegados a mulheres infiéis; mulheres apaixonadas por homens casados que estão sempre prometendo deixar a esposa, mas nunca deixam... — minha voz foi sumindo enquanto eu observava o polegar dele se mover de um lado para outro sobre o couro brilhante do volante de direção, como se Jack massageasse um ponto dolorido.

— O que você diria para um homem cuja namorada transou com o melhor amigo dele? — Jack perguntou.

Entendi no mesmo instante. Tentei esconder minha compaixão, sentindo que ele não gostaria que eu demonstrasse pena.

— Foi algo que aconteceu apenas uma vez ou eles começaram a namorar?

— Eles se casaram — Jack respondeu, amargo.

— Isso é horrível — eu disse. — É pior quando eles se casam, porque todo mundo pensa que isso absolve o casal dos malfeitos. "Oh, bem, eles traíram você, mas depois se casaram, então tudo bem." E isso faz com que você tenha que engolir o rancor e enviar um presente de casamento, do contrário vai parecer um babaca. É uma sacanagem em vários níveis.

Ele parou de balançar o polegar no volante.

— É isso mesmo. Como é que você sabe dessas coisas?

— Madame Hannah sabe de tudo — respondi, brincando. — Eu iria mais longe e diria que o casamento deles não está indo bem agora. Porque relacionamentos que começam assim sempre terão trincas nos alicerces.

— Mas você não desaprova traições — ele disse. — Porque uma pessoa não pode ser dona da outra, certo?

— Não, eu condeno traições com veemência quando as regras não são aceitas pelas duas partes. A menos que você concorde que está em um relacionamento aberto, existe uma promessa implícita de que é preciso ser fiel. Não existe nada pior do que quebrar uma promessa feita a alguém que se importa com você.

— Sim. — A voz dele saiu baixa, mas a única palavra veio com tanto peso que revelou o quanto aquele assunto era importante para ele.

— Então estou certa quanto ao casamento deles? — insisti. — Não está indo bem?

— Recentemente parece um pouco desgastado — ele admitiu. — É provável que se divorciem, o que é uma pena, porque eles têm dois filhos.

— Quando ela ficar disponível outra vez, você acha que vai se interessar de novo?

— Não posso negar que já pensei nisso. Mas não, não vou insistir nessa história.

— Eu tenho uma teoria sobre homens como você, Jack.

Isso pareceu melhorar o humor dele. Jack me deu um olhar divertido.

— Qual é sua teoria, Hannah?

— É o motivo de você ainda não ter se comprometido com ninguém. É só uma questão de dinâmica eficiente de mercado. A maioria das mulheres com que você sai são, basicamente, a mesma. Você se diverte com uma delas e passa para a próxima, fazendo com que elas se perguntem por que o relacionamento não durou. Elas não percebem que ninguém se destaca em um mercado em que todas oferecem a mesma coisa, não importa quão bonita seja a embalagem. Então a única coisa que pode mudar sua situação é algo aleatório e inesperado. Algo que você ainda não viu. É por isso que você vai terminar ficando com uma mulher que é completamente diferente do que você próprio, e todo mundo, imaginam que ficaria. — Eu sorri para ele. — O que você acha?

— Acho que você fala demais — ele disse.

O restaurante a que Jack nos levou podia ser simples para os padrões dele, mas tinha manobrista, carros de luxo estacionados e um toldo branco imaculado que levava até a porta. Fomos conduzidos a uma mesa excelente junto à janela. A julgar pela decoração de bom-gosto e imaculada, e pela música elegante que emanava do piano, fiquei esperando que Luke e eu fôssemos jogados para fora no meio da refeição. Mas Luke me surpreendeu comportando-se bem. A comida estava deliciosa, e eu tomei uma taça de Chardonnay, que despertou uma sensação prazerosa em minha língua. E Jack foi, provavelmente, o homem mais encantador que eu já conheci. Depois do almoço, nós fomos para o centro de Houston e entramos na garagem subterrânea do 1800 Main.

— Nós vamos ao seu escritório? — perguntei.

— À ala residencial, onde minha irmã trabalha.

— O que ela faz?

— Ela cuida, na maior parte do tempo, de operações financeiras e contratos. E de questões cotidianas, coisas que não consigo me dedicar.

— E eu vou conhecê-la?

— Você vai gostar dela — Jack aquiesceu.

Nós pegamos o elevador até uma recepção pequena, revestida de mármore, com uma escultura contemporânea de bronze e uma escrivaninha majestosa. O recepcionista, um jovem vestindo um terno sob medida, sorriu para Jack e deu um sutil olhar interrogativo para o bebê adormecido. Jack tinha insistido em carregar o bebê, e fiquei grata. Meus braços ainda não tinham se acostumado com a nova responsabilidade de carregar Luke e sua parafernália para todo canto.

— Diga à Srta. Travis que estamos subindo — Jack lhe disse.

— Sim, Sr. Travis.

Eu segui Jack através de um conjunto de portas de vidro gravado, que se abriram deslizando com um som suave, até chegarmos a um par de elevadores.

— Em que andar fica o escritório? — eu perguntei.

— Sétimo. Mas Haven vai nos encontrar no apartamento dela, no sexto.

— Por que lá?

— É uma unidade mobiliada que não gera receita. Um dos benefícios do emprego de Haven. Mas o noivo dela mora em um apartamento de três dormitórios no piso superior, e Haven já mudou a maioria das coisas dela para lá. Então o apartamento está desocupado.

Quando percebi onde ele estava querendo chegar, eu o encarei, estupefata. Meu estômago deu uma cambalhota, mas eu sabia que não era devido ao movimento do elevador, nem da surpresa.

— Jack, se você está pensando em algo como Luke e eu morando *aqui* pelos próximos três meses... eu agradeço, mas isso não vai ser possível.

— Por quê? — Nós paramos e Jack gesticulou para que eu saísse do elevador à frente dele.

Decidi ir direto ao ponto:

— Não tenho condições de pagar.

— Nós podemos chegar a um valor que caiba no seu orçamento.

— Eu não quero lhe dever nada.

— E não vai dever. Isso é entre você e minha irmã.

— Sim, mas você é o dono do prédio.

— Não sou, não. Eu só o administro.

— Mas é da família Travis.

— Tudo bem. — A voz dele tinha um tom divertido. — É da família Travis. Ainda assim, você não me deve nada. É só uma questão de oportunidade. Você precisa de um lugar para ficar e existe um apartamento disponível.

Eu continuei de cara fechada.

— *Você* mora neste prédio, não mora?

Ele parecia estar zombando de mim.

— Eu não preciso distribuir apartamentos para conseguir a atenção das mulheres, Hannah.

— Não é o que eu quero dizer — protestei, enquanto a vergonha fazia com que eu sentisse uma onda de calor me deixando vermelha dos pés à cabeça. Na verdade, era isso mesmo que eu estava querendo dizer. Como se eu, Hannah Varner, fosse tão irresistível que Jack Travis se daria ao trabalho de fazer uma grande armação para me ter morando no mesmo prédio que ele. Bom Senhor, de que parte do meu ego isso tinha saído? Tentei manter as aparências: — Eu só quero dizer que você não pode estar satisfeito com a ideia de ter um recém-nascido barulhento no seu prédio.

— Eu faço uma exceção para o Luke. Depois do começo de vida que ele teve, acho que o garoto merece um desconto. — Jack seguiu na direção de um apartamento quase no fim do corredor acarpetado, no andar em forma de H. Ele apertou a campainha e a porta foi aberta.

Capítulo nove

Haven Travis era magra e tão menor que o irmão que parecia difícil acreditar que os dois fossem filhos dos mesmos pais. Mas os olhos escuros de cigano eram idênticos. Ela tinha a pele clara, cabelos pretos e uma beleza delicada. Sua expressão vibrava de inteligência. Mas havia algo nela... um toque de vulnerabilidade ferida que sugeria, de certa forma, que ela não tinha passado incólume pelas dificuldades da vida.

— Oi, Jack. — A atenção dela foi capturada, no mesmo instante, pelo bebê adormecido na cadeirinha. — Oh, que bebê fofo. — A voz de Haven era marcante, alegre e calorosa, e um pouco rouca, como se tivesse acabado de tomar uma bebida cara. — Dê essa cadeirinha para mim... você está balançando o bebê.

— Ele gosta — Jack respondeu com calma, ignorando a tentativa da irmã de pegar Luke. Ele baixou a cabeça para beijar a irmã no rosto. — Hannah Varner, esta mulher mandona é minha irmã Haven.

Haven pegou minha mão em um aperto firme e confiante.

— Entre, Hannah. Que coincidência! Eu comecei a ler sua coluna poucas semanas atrás.

Haven nos mostrou o apartamento, uma unidade pequena, de um dormitório, decorada com tons de branco e creme, e madeiras escuras. O esquema discreto de cores era acalorado por alguns pontos verdes, de plantas. Um relógio sueco de madeira ocupava o canto da sala. A sala de estar estava mobiliada com algumas peças simples... cadeiras francesas antigas, um sofá bem macio coberto por uma manta em preto e creme.

— Foi meu grande amigo Todd quem decorou — Haven disse, ao ver que eu estava gostando.

— Está lindo. Parece apartamento de revista.

— Todd diz que o erro que algumas pessoas cometem, ao decorar lugares pequenos, é escolher peças muito delicadas. Você precisa de algo robusto, como esse sofá, ou a sala fica sem estrutura.

— Continua sendo pequeno demais — Jack disse ao colocar o bebê-conforto na mesa baixa de centro.

Haven sorriu, contrariada.

— Nenhum dos meus irmãos acha que um sofá é confortável a menos que seja do tamanho da carroceria de uma picape — ela disse, indo até o bebê adormecido e o observando com ternura. — Qual o nome dele?

— Luke — respondi e fiquei surpresa ao sentir uma pontada de orgulho.

— Jack me contou um pouco sobre a sua situação — Haven disse. — Eu acho maravilhoso o que você está fazendo por sua irmã. É óbvio que não é a opção mais fácil. — Ela sorriu. — Mas é o que eu esperaria que a Srta. Independente fizesse.

Jack olhou para mim, curioso.

— Eu gostaria de ler suas colunas.

— Na mesa de canto tem alguns exemplares da *Vibe* — Haven lhe disse. — Você pode começar por *O Pescador Empedernido*.

Para minha tristeza, Jack sentou no sofá e pegou a edição mais recente, que continha um dos meus textos mais provocativos.

— Talvez você não devesse... — comecei, mas minha voz foi sumindo enquanto ele folheava a revista. Deu para ver quando ele encontrou minha página, com meu retrato caricato, em que estou de saltos-altos exagerados e um casaco longo e esvoaçante. Eu soube exatamente o que Jack estava lendo antes mesmo de ele arquear as sobrancelhas até o alto da testa.

Cara Srta. Independente,

Estou namorando um cara fantástico, lindo, bem-sucedido, amoroso e bom de cama. Mas tem um problema. Ele é mais para pequeno, sexualmente falando. Sempre ouvi dizer que tamanho não importa, mas não consigo deixar de desejar que ele tivesse mais a oferecer nesse departamento. Eu quero continuar com ele, apesar de ter algo parecido com uma salsichinha de aperitivo. Então como faço para parar de desejar uma linguiça calabresa?

– Amante do Tamanho.

Cara Amante do Tamanho,

Apesar das promessas que aparecem aos montes em mensagens publicitárias na caixa de spam do e-mail da Srta. Independente, não é possível aumentar o tamanho do genital masculino. Mas existem alguns fatos relevantes a considerar: existem aproximadamente oito mil terminações nervosas no clitóris, uma concentração menor no terço mais externo da vagina, e quase nenhuma nos dois terços internos. Portanto, um pênis mais curto é capaz de fornecer o mesmo estímulo necessário que um mais comprido.

Para a maioria das mulheres, a habilidade do parceiro é muito mais importante que o tamanho. Experimente posições e técnicas variadas, dê mais atenção às preliminares e lembre-se de que muitos caminhos levam a Roma.

E, por fim, se você quer brincar com algo grande durante a relação, leve alguns brinquedos para a cama. Pense nisso como um tipo de terceirização.

Jack estava com uma expressão um pouco espantada, como se tentasse reconciliar a personalidade da Srta. Independente com o que ele tinha conhecido de mim até então. Recostando-se no sofá, ele continuou a ler.

— Venha ver a cozinha — Haven disse, puxando-me na direção da área azulejada com balcões de granito e eletrodomésticos de aço-escovado.

— Você gostaria de beber alguma coisa?

— Sim, por favor.

Ela abriu a geladeira.

— Chá gelado com manga ou suco de framboesa com manjericão?

— Chá gelado, por favor. — Eu me sentei em um banco junto à ilha central.

Jack tirou a atenção da revista apenas para reclamar:

— Haven, você sabe que eu não suporto essa coisa. Me dê o chá normal.

— Eu não tenho chá normal — a irmã dele respondeu, segurando uma jarra de chá amarelado. — Você pode experimentar o com manga.

— Qual o problema do chá com gosto de chá?

— Pare de reclamar, Jack. Hardy já tomou várias vezes e gosta.

— Querida, o Hardy iria gostar até de grama fervida, se você fizesse. Ele é totalmente dominado por você.

Haven segurou a risada.

— Duvido que você diga isso na frente dele.

— Não posso — foi a resposta lacônica. — Ele é dominado, mas ainda assim pode me dar uma surra.

Arregalei os olhos ao imaginar que tipo de homem poderia dar uma surra em Jack Travis.

— Meu noivo trabalhava como soldador em uma plataforma de petróleo, e é bem durão. — Os olhos dela cintilaram. — O que é bom, porque, do contrário, meus três irmãos mais velhos já o teriam botado para correr.

— Nós quase demos uma medalha para ele, por aceitar você — Jack retrucou.

Pelo jeito como eles brincavam, era evidente que gostavam da companhia um do outro. Continuando com as provocações amigáveis, Haven levou chá para o irmão e voltou para a cozinha.

Depois de me servir um copo, Haven apoiou os antebraços no tampo da ilha.

— Gostou do apartamento? — ela perguntou.

— Adorei, é lindo. Mas tem um problema...

— Eu sei. O negócio é o seguinte, Hannah — ela disse com uma sinceridade persuasiva —, eu nunca paguei aluguel por este apartamento, já que faz parte dos benefícios do emprego. Depois que eu me casar, vou me mudar para o apartamento do Hardy no décimo-oitavo andar. — Um sorriso constrangido iluminou o rosto de Haven quando acrescentou: — Quase todas as minhas coisas já estão lá. Então o que sobrou foi um apartamento mobiliado e desocupado. Não vejo por que você não possa ficar aqui com Luke pelos próximos meses... pagando as contas, é claro..., até você ter que voltar para Austin. Eu não cobraria aluguel, pois o apartamento ficaria sem uso de outro modo.

— Não, eu tenho que pagar aluguel — insisti. — Não posso aceitá-lo de graça.

Ela fez uma careta e passou a mão pelo cabelo.

— Não sei como falar isso com delicadeza... mas o que quer que você possa me pagar, não será nada além de um gesto simbólico. Eu não preciso de dinheiro.

— Eu não posso aceitar de outra forma.

— Então pegue o dinheiro que estaria disposta a pagar de aluguel e abra uma poupança para o Luke.

— Posso perguntar por que você não quer que este apartamento renda alguma coisa?

— Nós já conversamos sobre isso — ela admitiu, olhando para Jack. — Existe até uma lista de espera. Mas nós ainda não sabemos o que fazer com ele. Quando e se contratarmos um novo administrador, ele ou ela vai ter que morar no prédio, de modo que precisamos manter esta unidade à disposição.

— Por que vocês vão precisar de um novo... — eu comecei, mas pensei melhor e fechei a boca.

Haven sorriu.

— É provável que Hardy e eu comecemos a aumentar a família logo.

— Um homem que *quer* um bebê — eu disse. — Que novidade.

Jack não emitiu nenhum som. Eu ouvi apenas o folhear das páginas da revista.

Olhei para Haven e sacudi os ombros em um gesto de conformismo.

— Fico espantada que você esteja disposta a fazer isso por uma completa estranha.

— Você não é uma *completa* estranha — ela argumentou. — Afinal, nós conhecemos sua prima Liza e Jack, de fato, saiu com sua irmã...

— Uma vez — ele retrucou.

— Uma vez — Haven repetiu com um sorriso. — Então você é a amiga de uma amiga. Depois... — O rosto dela assumiu uma expressão reflexiva. — Não faz muito tempo que eu passei por maus bocados, tive que enfrentar um divórcio horroroso. Algumas pessoas, inclusive Jack, me ajudaram a passar por isso. Então quero manter o bom carma fluindo.

— Eu não estava querendo ajudar você — Jack disse. — O que eu queria era mão de obra barata.

— Fique aqui, Hannah — Haven pediu. — Você pode se mudar agora mesmo. Só precisa de um berço para o bebê e pronto.

Eu me senti insegura e constrangida. Não estava acostumada a pedir favores nem a recebê-los. Eu precisava imaginar as possíveis complicações.

— Será que posso pensar um pouco antes de responder?

— Claro. — Os olhos castanhos dela faiscaram. — Só por curiosidade, o que a Srta. Independente diria?

— Eu não costumo pedir conselhos para ela — eu disse e sorri.

— Eu sei o que ela diria. — Jack veio para a cozinha trazendo seu copo vazio. Ele apoiou uma mão na borda da ilha, ficando tão perto de mim que senti o impulso de me afastar. Mas fiquei parada, com minhas terminações nervosas atentas a qualquer movimento como a acuidade de bigodes de gato. O cheiro dele era refrescante, com um aroma masculino de fundo que eu queria inspirar sem parar. — Ela lhe diria para fazer o que fosse melhor para o Luke — Jack concluiu. — Não é mesmo?

Eu concordei e me encostei no balcão, cobrindo os cotovelos com as mãos.

— Então faça isso — ele murmurou.

Ele estava me pressionando outra vez, mais insistente do que qualquer homem já tinha sido comigo. E, por algum motivo, em vez de resistir, eu quis relaxar e ceder.

Como eu senti que corava outra vez, não ousei levantar os olhos para ele, preferindo me virar para Haven. Ela observava o irmão intensamente, como se algo que Jack tinha acabado de fazer ou dizer não fosse típico dele. E então ela pegou o copo dele para levar até a pia e disse que estava na hora de voltar para o escritório, alguma coisa a respeito de contratos e reuniões.

— Por favor, tranquem o apartamento pra mim quando saírem — ela disse, animada. — Pense durante o tempo que quiser, Hannah.

— Obrigada. Foi um prazer conhecer você.

Nem eu nem Jack nos movemos quando ela saiu. Fiquei retesada sobre o banco, meus dedos do pé enrolados no apoio da cadeira. Ele se debruçou sobre mim até eu poder sentir sua respiração balançando meu cabelo.

— Você estava certo — eu disse, rouca. — Gostei dela. — Senti Jack mover a cabeça afirmativamente. O silêncio dele me fez continuar: — Sinto muito que ela tenha precisado enfrentar um divórcio.

— Meu único pesar é por ela não ter feito isso antes. E por eu não ter acabado com o sujeito. — Não havia fanfarronice na voz dele, apenas uma sinceridade calma que me assustou. Olhei para ele.

— Nem sempre é possível proteger as pessoas que nós amamos — eu disse.

— Foi o que eu descobri.

Ele não perguntou se eu iria ficar. De algum modo, nós dois já sabíamos.

— Isto aqui é muito diferente da minha vida — eu disse depois de um momento. — Não costumo visitar lugares deste tipo, muito menos morar neles. Meu lugar não é aqui, e não tenho nada em comum com as pessoas daqui.

— Onde é seu lugar? Em Austin, com Dane?

— Sim.

— Parece que ele não pensa o mesmo.

— Esse foi um golpe baixo — eu disse com uma careta.

Jack não se comoveu.

— As pessoas neste prédio são como todas as outras, Hannah. Algumas são legais, outras não. Algumas são inteligentes, outras são tão brilhantes quanto um fósforo molhado em uma caverna escura. Em outras palavras, são normais. Você vai se dar bem com elas. — A voz dele ficou mais suave. — Você vai fazer amigos aqui.

— Não vou ficar tempo suficiente para conhecer ninguém. Vou estar ocupada com o Luke, é óbvio, e tentar ajudar Tara a melhorar. E vou trabalhar, claro.

— Você vai até Austin para pegar suas coisas, ou Dane irá trazê-las para você?

— Eu não tenho muita coisa, na verdade. Acho que Dane pode empacotar minhas roupas e despachá-las para mim. Talvez em algumas semanas ele apareça para uma visita.

Ouvi o resmungo de Luke vindo da sala de estar. Automaticamente, levantei do banco.

— Hora de comer e trocar fralda — eu disse, indo até o bebê-conforto.

— Por que você não fica aqui com o Luke e relaxa enquanto eu vou até o hotel pegar suas coisas? Eu providencio sua saída, para você não ser cobrada por mais uma noite.

— Mas meu carro...

— Eu levo você até lá mais tarde, para pegá-lo. No momento... descanse.

Parecia uma boa ideia. A última coisa que eu queria era voltar para o carro com Luke e ter que ir a qualquer lugar, principalmente por ser a hora mais quente do dia. Eu estava cansada e o apartamento estava fresco e tranquilo. Olhei para Jack, pesarosa.

— Eu já lhe devo muitos favores.

— Então mais um não vai fazer diferença. — Ele me observou soltar Luke e tirá-lo do bebê-conforto. — Você tem tudo que precisa?

— Tenho — respondi.

— Eu volto logo. Você tem o número do meu celular, se precisar de qualquer coisa.

— Obrigada. Eu... — Sentindo-me grata, eu levei a mão até o bolso térmico da sacola de fraldas e peguei uma mamadeira fria. — Não sei por que você está fazendo tudo isto. Ainda mais depois de eu ter desconfiado de você. Mas agradeço.

Jack parou à porta e olhou para mim.

— Eu gosto de você, Hannah. Respeito o que está fazendo por sua irmã. A maioria das pessoas, na sua situação, pularia fora em vez de enfrentar o problema. Não me incomoda ajudar alguém que está tentando fazer a coisa certa.

Depois que Jack saiu eu cuidei de Luke e o carreguei pelo apartamento. Nós fomos até o quarto, que tinha uma cama de metal com uma colcha de renda branca, um baú de vime servindo de criado-mudo e um abajur vitoriano com um globo de vidro. Acomodei Luke na cama e sentei ao lado dele com o celular na mão.

Chamei o número de Tara, ouvi a voz dela na caixa postal e deixei uma mensagem:

— Oi, querida... Luke e eu estamos ótimos. Vamos ficar em Houston pelos próximos três meses. Eu estava pensando em você. Em como você está. E Tara... — Minha garganta ficou apertada com carinho e compaixão. — Eu acho que entendo o que você está passando. Como é difícil conversar a respeito... bem, a respeito da nossa mãe, do passado e de todo o resto. Estou orgulhosa de você, porque está fazendo a coisa certa. Você vai ficar bem.

Quando desliguei, sentia os olhos arderem. Mas as lágrimas desapareceram quando vi que Luke tinha virado a cabeça para me observar com seu olhar curioso e inocente. Eu me aproximei e encostei o nariz na cabeça dele, seu cabelo escuro, macio e sedoso como penas de passarinho.

— Você também vai ficar bem — eu falei para ele. Nós adormecemos juntos, Luke embalado por seus sonhos inocentes, e eu, pelos meus preocupados.

Meu sono foi muito mais pesado do que eu esperava ou pretendia, e acordei no quarto escuro. Surpresa que Luke não tivesse feito nenhum som, estendi a mão para ele e senti um arrepio de pânico quando minha mão encontrou apenas um espaço vazio.

— Luke! — Eu me levantei, assustada.

— Ei... — Jack entrou no quarto e acendeu a luz. — Calma. Está tudo bem, Hannah. — A voz dele estava reconfortante e tranquila. — O bebê acordou antes de você. Eu o levei para a sala, para você descansar um pouco mais. Estamos assistindo a um jogo.

— Ele chorou? — perguntei com a voz pastosa de sono, esfregando os olhos.

— Só quando ele percebeu que os Astros estavam levando outra surra no beisebol. Mas eu disse para ele que não precisava ter vergonha de chorar pelos Astros. É um tipo de ligação que nós, homens de Houston, temos em comum.

Tentei sorrir, mas estava exausta e não tinha acordado direito. Para meu horror, quando Jack se aproximou da cama, tive o terrível impulso instintivo de levantar os braços para ele. Mas Jack não era Dane, e era inadequado, assustador mesmo, pensar nele dessa forma. Tinha levado quatro anos de confidências e riscos emocionais para que Dane e eu conquistássemos a intimidade que agora compartilhávamos. Eu não conseguia me imaginar tendo isso com outro homem.

Antes que eu pudesse me mexer, Jack se aproximou da cama e me observou com seus olhos escuros e carinhosos. Eu caí um pouco para trás, meu estômago se contraindo de prazer quando eu imaginei, por uma fração de segundo, que ele iria deitar sobre mim, e que seu corpo seria duro, pronto para me dar prazer...

— Seu carro estará na garagem dos moradores dentro de duas horas — ele murmurou. — Eu paguei um funcionário do hotel para trazê-lo.

— Obrigada. Eu... vou lhe pagar...

— Não precisa.

— Eu não quero lhe dever ainda mais do que já devo.

Ele meneou a cabeça, parecendo se divertir.

— Às vezes, Hannah, você pode relaxar e deixar que alguém faça algo legal para você.

Eu pisquei várias vezes quando ouvi a música de câmara vindo da sala.

— O que você está ouvindo?

— Eu peguei um DVD para o Luke quando saí. Alguma coisa com Mozart e fantoches de meia.

Um sorriso brotou em meus lábios.

— Acho que Luke ainda não consegue enxergar além de vinte centímetros à frente do rosto.

— Isso explica a falta de interesse dele. Pensei que ele preferisse Beethoven.

Jack estendeu a mão para me ajudar a levantar. Eu hesitei antes de aceitar. É claro que eu podia levantar sem ajuda, mas me pareceu falta de educação ignorar o gesto.

Tive a sensação de que o lugar da minha mão era na dele, com seu polegar sobre o meu, nossas palmas se encaixando gentilmente. Eu a retirei assim que fiquei de pé. Tentei lembrar se minha atração por Dane tinha sido assim imediata e direta. Não... ela tinha se desenvolvido aos poucos, de forma lenta e paciente. Eu tinha verdadeira aversão a coisas muito rápidas.

— Sua mala está na sala — Jack me disse. — Se estiver com fome, pode pedir algo no restaurante do sétimo andar. Se precisar de qualquer outra coisa, ligue para Haven. Deixei o número dela do lado do telefone. Não vou ver você por alguns dias... vou estar fora da cidade.

Eu quis perguntar aonde ele iria, mas apenas concordei com a cabeça.

— Boa viagem.

Os olhos dele brilharam, bem-humorados.

— Obrigado.

Ele foi embora com um adeus amistoso, sua partida ao mesmo tempo um alívio e, por mais estranho que pudesse parecer, anticlimática. Fui até a sala de estar e encontrei minha mala. Notei que o recibo do hotel, guardado em um envelope branco, estava sobre ela. Abri-o e, quando vi a conta, me encolhi. Mas ao examinar a lista de despesas, reparei que algo estava faltando: o jantar no quarto.

Ele deve ter pagado pelo jantar, eu pensei. Nós tínhamos concordado que eu pagaria. Por que ele mudou de ideia? Por pena? Talvez pensasse que eu não podia pagar? Ou talvez nunca tenha tido a intenção de me deixar pagar pelo jantar. Confusa e vagamente aborrecida, pus a conta do hotel de lado e fui pegar Luke nos braços. Eu assisti ao vídeo dos fantoches de meia com o bebê e tentei não pensar em Jack Travis. Acima de tudo, tentei não me perguntar quando ele voltaria.

Capítulo dez

Nos dias que se seguiram, telefonei para todos os meus amigos para contar o que tinha acontecido. Tive a sensação de repetir uma centena de vezes a história do bebê-surpresa da minha irmã até ficar boa em contar a versão resumida. Embora a maior parte dos amigos manifestasse apoio, alguns, como Stacy, não gostaram nem um pouco que eu tivesse escolhido ficar em Houston. Eu me senti um pouco culpada ao saber que Dane estava recebendo mais ligações e repreensões do que merecia. Parecia que as reações de nossos amigos se dividiam de acordo com o gênero. As mulheres diziam que era óbvio que minha única opção era cuidar do Luke, enquanto os homens eram muito mais compreensivos quanto à decisão do Dane de não querer nada com um bebê pelo qual não tinha nenhuma responsabilidade.

O que não deu para entender foi como as discussões se transformaram num tipo de referendo sobre se eu devia ou não ter casado com Dane antes, pois isso teria tornado a situação muito diferente.

— Por que você acredita que seria diferente? — perguntei a Louise, uma *personal trainer* cujo marido Ken era paramédico em Lake Travis. — Mesmo que Dane estivesse casado comigo, ele não iria querer bebês.

— Sim, mas ele *teria* que ajudar você com Luke — Louise respondeu. — Quero dizer, um homem não pode chutar a mulher nesse tipo de situação, pode?

— Ele não me chutou — eu disse na defensiva. — E eu nunca obrigaria Dane a fazer algo que ele não quisesse só porque estaríamos casados. Ainda assim ele teria o direito de tomar suas decisões.

— Isso é ridículo — Louise disse. — As mulheres se casam para tirar o direito dos homens de tomarem decisões. E eles ficam mais felizes assim.

— Ficam?

— Claro!

— Casamento também tira nosso direito de tomar decisões?

— Não, casamento nos dá mais direito, além de segurança. É por isso que as mulheres querem se casar mais do que os homens.

Fiquei perplexa com a visão que Louise tinha do matrimônio. Percebi que casamento podia se transformar em um arranjo muito cínico caso o amor fosse tirado da equação. Como uma parede de tijolo com o cimento se desfazendo, o casamento acabaria ruindo.

Com relutância, telefonei para minha mãe e contei as novidades sobre Tara, o bebê e o fato de que eu ficaria em Houston por um tempo, para ajudar minha irmã.

— Depois de todos os anos que gastou passeando por Austin — minha mãe disse —, você não tem direito de reclamar.

— Não estou reclamando. E eu não estava passeando. Eu estava trabalhando, estudando e...

— Foram drogas, não foram? Tara era tão inocente... Ela foi atraída pelo estilo de vida glamoroso de todos aqueles amigos ricos... Com toda aquela cocaína flutuando ao redor, é provável que tenha inalado alguma coisa por acidente e então...

— Não existe isso de cheirar cocaína por tabela, mãe.

— Ela foi *pressionada* — minha mãe estrilou. — Você não tem ideia do que é ser linda, Hannah. De todos os problemas que isso traz.

— Você está certa, eu não tenho ideia. Mas tenho certeza de que Tara não estava usando drogas.

— Bem, sua irmã só quer atenção. Você pode ter certeza de que não vou pagar nem um centavo para ela tirar essas férias de três semanas. Mais do que ninguém, *eu* preciso de férias. Todo o estresse que isso está me causando... Por que ninguém pensou em me enviar para um spa?

— Ninguém espera que você pague por isso, mãe.

— Quem vai pagar, então?

— Eu não sei ainda. Mas, agora, o principal é nos concentrarmos em como ajudar Tara a ficar boa. E cuidar do Luke. Ele e eu estamos hospedados em um belo apartamento mobiliado.

— Onde fica?

— Ah, em algum lugar dentro do anel viário. Nada de especial. — Segurei um sorriso enquanto olhava para o ambiente luxuoso ao meu redor, sabendo que, se ela descobrisse que eu estava morando no 1800 Main, apareceria ali em menos de meia hora. — O lugar precisa de uns retoques. Você quer me ajudar a arrumá-lo? Talvez amanhã...

— Bem que eu gostaria — ela se apressou a dizer —, mas não posso. Estou ocupada, também. Você vai ter que se virar sozinha, Hannah.

— Tudo bem. Você gostaria que eu fosse visitá-la com Luke, qualquer dia? Você deve estar querendo criar algum tipo de ligação com ele.

— Estou... mas meu namorado gosta de aparecer de surpresa. Não quero que ele veja o bebê. Eu ligo para você quando tiver um dia livre.

— Ótimo, porque eu preciso de alguém para cuidar do bebê enquanto...

Ela desligou o telefone.

Quando liguei para Liza e contei que estava hospedada em um apartamento no 1800 Main, ela ficou impressionada e muito curiosa.

— Como você conseguiu um negócio desses? Transou com Jack Travis ou algo assim?

— Claro que não — respondi, ofendida. — Você me conhece melhor que isso.

— Bem, acho estranho os Travis simplesmente deixarem você ficar desse jeito. Mas acho que eles têm tanto dinheiro que têm condições de fazer esse tipo de gentileza. Para eles, talvez isso seja um tipo de caridade.

A pessoa que mais me ajudou, não só de modo emocional, mas prático, foi Haven Travis. Ela me orientou no processo de mudar as contas para o meu nome, disse-me aonde ir para conseguir as coisas que eu precisava e até recomendou uma babá que a cunhada dela gostava.

Haven não fazia críticas nem pretendia interferir na vida de ninguém. Ela era uma boa ouvinte e tinha um senso de humor ágil. Eu me sentia à vontade perto dela, quase tanto quanto estava com Stacy – o que não é pouco. Eu refleti que, em troca das pessoas com quem perdemos contato, ou não conseguimos manter, a vida de vez em quando nos oferece a pessoa certa no momento certo.

Nós fomos almoçar e, em seguida, saímos para comprar coisas para o bebê. Caminhamos juntas algumas manhãs, antes de o calor do dia ficar intenso. Enquanto trocávamos, com cuidado, os detalhes da nossa vida, descobrimos que a nossa amizade era de um tipo raro, em que tudo é compreendido de imediato. Embora Haven não falasse muito de seu casamento fracassado, ela deixou a entender que tinha sofrido algum tipo de abuso. Eu percebi que foi necessária muita coragem para ela abandonar aquele relacionamento e reconstruir a vida, e que o processo de recuperação ainda tomaria muito tempo. Quem quer que ela fosse antes disso, agora Haven era significativamente diferente.

O casamento abusivo tinha distanciado Haven de seus antigos amigos. Alguns deles se sentiam constrangidos de enfrentar a questão, e outros ficavam imaginando o que ela teria feito para provocar tudo aquilo. E ainda havia aqueles que decidiram não acreditar nela em absoluto, pensando que uma mulher rica não podia sofrer abuso. Como se o dinheiro fosse um escudo contra todo tipo de violência ou problema.

— Alguém disse pelas minhas costas que, se eu apanhei do meu marido, era porque eu gostava de apanhar — Haven me contou.

Nós duas ficamos em silêncio enquanto as rodas do carrinho de bebê rangiam sobre a calçada. Embora Houston não fosse uma cidade feita para se andar, havia alguns lugares em que se podia caminhar com conforto, em especial na Rice Village, onde havia sombra de árvores. Passamos por todo tipo de lojas e butiques, restaurantes e bares, salões e uma butique para bebês. Os preços me deixaram zonza. Era inacreditável o quanto se podia gastar em moda infantil.

Refletindo sobre o que Haven tinha acabado de me contar, desejei poder dizer algo que a consolasse. Mas o único conforto que eu podia oferecer era deixar claro que acreditava nela.

— As pessoas têm medo de pensar que poderiam sofrer abusos ou agressões sem nenhum motivo — eu disse. — Então preferem pensar que você, de algum modo, provocou a situação. Assim elas conseguem acreditar que estão em segurança.

Haven concordou com a cabeça.

— Mas eu acho que deve ser ainda pior quando uma criança sofre abuso de um dos pais. Porque, assim, a criança pode pensar que merece aquilo e vai carregar essa sensação para sempre.

— Esse é o problema de Tara.

Ela me deu um olhar inquisidor.

— Não o seu?

Eu dei de ombros, pouco à vontade.

— Eu lidei com isso durante alguns anos. Acho que consegui reduzir o problema para um tamanho aceitável. Não sou mais tão ansiosa quanto costumava ser. Por outro lado... tenho problemas para me afeiçoar às pessoas. Não é fácil eu me aproximar das pessoas.

— Você criou uma ligação com Luke — ela observou. — E só faz alguns dias, certo?

Refleti sobre isso e concordei.

— Acho que bebês são um caso à parte.

— Mas e quanto ao Dane? Você está com ele há bastante tempo.

— É, mas eu percebi recentemente... que nosso relacionamento funciona, mas está empacado. Como um carro em ponto morto.

Então eu contei para ela sobre nosso relacionamento aberto, e do que Dane tinha dito, que se ele tivesse tentando me prender de algum modo, eu o teria deixado.

— Teria mesmo? — Haven perguntou, abrindo a porta de uma cafeteria enquanto eu empurrava o carrinho para dentro. Um sopro de ar gelado nos envolveu.

— Não sei — eu disse, sincera, franzindo a testa. — Ele pode estar certo. Talvez eu não consiga lidar com um relacionamento mais firme. Acho que sou alérgica a compromisso. — Parei o carrinho ao lado de uma mesinha, recolhi a capota plissada e olhei para Luke, que agitava as pernas, feliz com o frescor do ambiente.

Ainda de pé, Haven examinou a lousa com o menu dos cafés em oferta. Seu sorriso encantador me lembrou o de seu irmão.

— Não sei, Hannah. Isso pode ser algum problema com profundas raízes psicológicas ou... é possível que você ainda não tenha encontrado o cara certo.

— Não existe cara certo para mim. — Curvando-me sobre o bebê, eu murmurei: — Exceto você, bafo de leite. — Peguei um pezinho descalço e o beijei. — Só existem você e minha paixão por seus pezinhos suados.

Senti Haven bater de leve nas minhas costas enquanto dava a volta na mesa.

— Sabe o que eu acho, Hannah? Além do fato de que vou tomar um *moccachino* de menta gelado, com chantili e raspas de chocolate? Acho que, com as condições certas, você pode conseguir tirar seu carro do ponto-morto na hora que quiser.

Jack aparecia com destaque em muitas das histórias de infância de Haven. Como é costume com irmãos mais velhos, ele aparecia tanto como herói quanto vilão. Com maior frequência, tinha sido vilão. Mas agora que os dois eram adultos, em uma família com dinâmica complexa, um laço forte tinha se criado entre eles.

De acordo com Haven, o irmão mais velho deles, Gage, sempre foi o alvo das maiores exigências do pai, dos maiores elogios e também das grandes ambições. Filho único do primeiro casamento de Churchill Travis, Gage sempre se esforçou para agradar ao pai, para ser o filho perfeito. Ele sempre foi sério, determinado, hiper-responsável, distinguindo-se em um internato escolar de elite, depois formando-se na Universidade do Texas e na Harvard Business School. Mas Gage não era, nem de perto, tão durão quanto Churchill. Ele possuía uma bondade inata, uma aceitação da fragilidade humana, que Churchill Travis achava difícil conceber.

O segundo casamento de Churchill tinha durado até a morte de sua esposa Ava e resultou em três filhos: Jack, Joe e Haven. Como Gage já tinha carregado o fardo da expectativa paterna, Jack pôde se divertir, fazendo experiências, maluquices e amigos. Ele sempre foi o primeiro a querer brigar e também a fazer as pazes depois. Tinha praticado todos os esportes, encantado os professores – que lhe deram notas melhores do que ele merecia — e namorado as garotas mais bonitas da escola. Jack era um amigo fiel que pagava suas dívidas e nunca quebrava promessas. Nada deixava Jack mais louco do que alguém que fazia um acordo e depois não cumpria o combinado.

Quando Churchill decidia que seus filhos mais novos precisavam ser lembrados do que significava trabalho árduo, colocava os garotos para plantar grama sob o sol escaldante do Texas, ou os fazia construir uma cerca de pedra ao redor da propriedade da família, até que os músculos dos jovens ardessem como fogo e que um bronzeado forte tivesse saturado a pele deles, mesmo sob várias camadas de roupa. Dos três rapazes, apenas Jack tinha apreciado, de verdade, o trabalho manual ao ar livre. Suor, terra, esforço físico, tinham um efeito purificador nele. Sua necessidade básica de se testar na terra, na natureza, manifestava-se em seu amor pela vida com atividades ao ar livre: caça, pesca, qualquer coisa que o levasse para longe da opulência enclausurada de River Oaks.

Haven tinha sido poupada pelo pai desse tipo de lições de vida. Em vez disso, ela foi sujeitada às ideias da mãe sobre como criar uma garota para ser uma lady. Era natural que Haven tivesse crescido como uma moleca, sempre correndo atrás dos três irmãos. Devido à grande diferença de idade entre Gage e Haven, ele tinha assumido um papel ligeiramente paternal, intervindo em favor dela sempre que julgava necessário.

Mas Jack brigou com Haven em muitas ocasiões, como quando ela entrou no quarto dele sem permissão ou brincou com o trenzinho do irmão sem pedir. Para se vingar, Jack deu um beliscão no braço de Haven. Quando Haven contou para Churchill, o pai bateu em Jack com o cinto até Haven começar a chorar. Formado na escola texana de masculinidade, Jack se orgulhava de não ter derramado nenhuma lágrima. Depois disso, Churchill falou para Ava que Jack era o garoto mais teimoso que existia.

— Parecido demais comigo — Churchill disse, pesaroso, frustrado por não conseguir motivar o rebelde Jack do mesmo modo que tinha feito com Gage.

Haven me contou que tinha ficado muito infeliz quando Gage, seu protetor, foi mandado para a escola interna. Mas ao contrário do que se esperava, Jack não a atormentou na ausência do irmão mais velho. Um dia, quando ela voltou para casa chorando porque um garoto na escola tinha feito *bullying* com ela, Jack ouviu a história toda, pegou a bicicleta e foi resolver o problema. O valentão nunca mais incomodou Haven. Na verdade, nunca mais se aproximou dela.

Mas eles perderam contato por algum tempo, depois que Haven se casou com um homem que o pai não aprovava.

— Eu não deixei ninguém saber o que eu estava acontecendo — ela disse, triste. — Também sou muito teimosa. E era orgulhosa demais para deixar que os outros descobrissem o erro que eu tinha cometido. Depois, meu marido conseguiu esmagar minha autoconfiança de um modo que me fazia sentir medo e vergonha de pedir ajuda. Mas chegou o dia em que consegui me libertar, e Jack me ofereceu um emprego para ajudar a me recuperar. Nós viramos amigos... camaradas, até... de um jeito que não éramos antes.

Fiquei curiosa quanto à parte "chegou o dia em que consegui me libertar", sabendo que algo importante devia ter acontecido. Mas essa conversa aconteceria na hora certa.

— O que você acha da vida romântica dele? — não conseguir evitar de perguntar. — Será que algum dia ele vai se acalmar?

— Com certeza. Jack gosta de mulheres... ele gosta *mesmo*, não de um modo misógino, do tipo marcar no cinto o número de mulheres com que transou. Mas ele não vai se comprometer até que consiga encontrar alguém em quem possa confiar.

— Por causa da mulher que casou com o melhor amigo dele?

Ela arregalou os olhos para mim.

— Ele lhe contou sobre isso?

Eu concordei.

— Jack quase nunca fala dela. Foi um acontecimento e tanto para ele. Quando um Travis se apaixona por alguém, é para valer. O sentimento é intenso. Nem todo mundo aguenta um relacionamento assim.

— Eu não, com certeza — eu disse com uma risada abafada, enquanto alguma coisa em mim se retraía diante daquela ideia. Jack Travis ficando todo intenso era algo que eu não gostaria de ver.

— Eu acho que ele está solitário demais — Haven disse.

— Mas ele é tão ocupado.

— Acho que as pessoas mais ocupadas são, com frequência, as mais solitárias.

Mudei de assunto assim que a oportunidade surgiu. Falar de Jack me deixou agitada e um pouco irritada, a maneira como eu me sentia quando queria algo que, eu sabia, me faria mal.

Eu conversava com Dane ao telefone todas as noites e contava para ele minhas novidades e as de Luke. Embora Dane não quisesse ter nenhuma relação pessoal com o bebê, eu acreditava que ele não se importava de ouvir sobre Luke e a minha experiência cuidando dele.

— Você acha que algum dia vai querer ter um filho? — perguntei a Dane, relaxando no sofá, com Luke deitado no meu peito.

— Não posso dizer "não" para sempre. Pode existir outra fase na minha vida em que eu, talvez.... mas é difícil imaginar. O que eu poderia tirar dessa experiência, já consigo com o trabalho ambiental e os grupos de caridade.

— Sim, mas e quanto a educar uma criança que vai se importar com essas mesmas coisas? É uma maneira de tornar o mundo um lugar melhor.

— Fala sério, Hannah. Você sabe que não é assim que acontece. Meu filho terminaria sendo um lobista republicano ou um diretor financeiro de uma empresa química. A vida sempre estraga nossas melhores intenções.

Eu ri ao imaginar um garoto, filho de Dane, vestindo um terno com colete e segurando uma calculadora.

— É provável que você tenha razão.

— E você pensa em ter um bebê algum dia?

— Não! Deus, não — eu disse de imediato. — Estou tentando me virar até poder devolver o Luke para Tara. Eu rezo por uma boa noite de sono ou por uma refeição sem ser interrompida. E só uma vez eu gostaria de poder sair de casa sem toda essa parafernália. É de enlouquecer; carrinho, fraldas, lencinhos umedecidos, fraldas de pano, chupetas, mamadeiras... Eu até me esqueci de como é só pegar a chave de casa e sair pela porta. E tem todas essas consultas com pediatra que eu tive que marcar... avaliações de desenvolvimento, diagnósticos, vacinas... Então é até bom não conseguir dormir, porque assim eu uso esse tempo para trabalhar.

— Talvez a melhor coisa nisso tudo seja que você está descobrindo tudo agora e não vai ter que ficar imaginando como seria.

— Eu acho que é como ruibarbo — eu disse. — Ou você ama, ou odeia. Mas não dá para aprender a gostar se não tiver uma predisposição natural.

— Eu detesto ruibarbo — Dane disse.

Ao fim da minha primeira semana no 1800 Main, eu ainda estava dominando a técnica de carregar uma sacola de compras, empurrar o carrinho e abrir portas. Era início de noite de sexta-feira. O trânsito estava tão ruim que, em vez de sair por aí de carro, decidi caminhar até um mercado de conveniência e voltar logo para casa. Depois da curta caminhada no calor, Luke e eu estávamos cozidos. As alças de plástico das sacolas de compras estavam deslizando da minha mão úmida e a bolsa de fraldas ameaçou cair do meu ombro quando manobrei o carrinho para entrar na recepção. E o bebê fazia barulhos assustadores.

— Sabe, Luke — eu disse, ofegante —, a vida vai ficar bem mais fácil para todos nós quando você souber andar. Não, droga... não comece a chorar, porque não tenho como pegar você no colo agora. Deus, Luke, *por favor*, fique quieto... — praguejando e suando, passei com o carrinho à frente do balcão da recepção.

— Srta. Varner, precisa de ajuda? — o recepcionista perguntou, começando a se levantar.

— Não, obrigada. Eu consigo. Estamos bem. — Passei pelas portas de vidro e cheguei ao elevador no momento em que ele se abria.

Duas pessoas saíram, uma ruiva linda usando sandálias douradas e um vestido branco e revelador... e Jack Travis de terno preto, camisa branca com o colarinho aberto e sapatos Oxford pretos. Bastou um olhar para ele entender meu dilema. Ao mesmo tempo, ele pegou as sacolas de compras e usou o pé para manter a porta do elevador aberto. Seus olhos castanhos brilharam.

— Olá, Hannah.

Minha respiração ficou presa na garganta. Percebi que sorria para ele feito uma idiota.

— Olá, Jack.

— Está subindo? Parece que você precisa de uma mão.

— Não, eu estou bem. Obrigada. — Empurrei o carrinho para dentro do elevador.

— Nós vamos ajudar você a chegar ao apartamento.

— Ah, não. Eu consigo...

— Só vai levar um minuto — ele disse. — Você se importa, Sonya?

— Claro que não. — A mulher parecia amigável e legal, e me deu um grande sorriso quando voltou para o elevador. Não dava para criticar o gosto de Jack. Sonya era deslumbrante, com a pele sedosa e perfeita, cabelo vermelho vívido e um corpo magnífico. Quando ela se curvou para falar com o bebê irrequieto, a combinação do rosto lindo com o decote imenso bastou para fazer Luke ficar quieto. — Oh, ele é a coisinha mais fofa! — ela exclamou.

— Ele está de mau humor por causa do calor — eu expliquei.

— Olhe só todo esse cabelo moreno... Deve ser como o do pai.

— Acho que sim — eu disse.

— Como vocês estão? — Jack me perguntou. — Conseguiu se instalar?

— Nós não poderíamos estar melhor. Sua irmã tem sido ótima... Não sei o que teríamos feito sem ela.

Enquanto ouvia a conversa, Sonya me deu um olhar breve e desconfiado, como se avaliasse o tipo de ligação que eu tinha com Jack. Percebi o instante exato em que ela decidiu que eu não era páreo para ela. Com meu rosto lavado, o cabelo curto e o corpo escondido por uma camiseta grande demais, meu visual gritava "mamãe de primeira viagem".

O elevador parou no sexto andar e Jack segurou a porta enquanto eu saía com o carrinho.

— Eu levo as sacolas — eu disse, estendendo a mão para as compras. — Obrigada pela ajuda.

— Nós a acompanhamos até a porta — Jack insistiu, sem entregar as sacolas.

— Você se mudou há pouco tempo? — Sonya perguntou enquanto seguíamos pelo corredor.

— Sim, há cerca de uma semana.

— Vocês têm muita sorte de morar aqui — ela disse. — O que o seu marido faz?

— Na verdade, não sou casada.

— Oh. — Ela franziu a testa.

— Eu tenho um namorado em Austin — expliquei. — Vou voltar para lá dentro de uns três meses.

— Ah — Sonya relaxou o semblante. — Isso é *maravilhoso*.

Nós chegamos à minha porta e eu digitei a senha no teclado digital. Enquanto Jack segurava a porta aberta, empurrei o carrinho para dentro e peguei Luke.

— Obrigada mais uma vez — eu disse, observando Jack colocar as sacolas sobre a mesa de centro.

Sonya deu um olhar de admiração para o apartamento.

— A decoração é linda.

— Não posso aceitar o crédito por isso — eu disse. — Mas Luke e eu estamos dando nossa contribuição. — Com um sorriso torto, gesticulei para o canto da sala, onde estavam dispostas uma caixa grande e peças de metal e madeira.

— O que você está montando? — Jack perguntou.

— Um berço com trocador acoplado. Comprei na Rice Village, outro dia, quando saí com Haven. Infelizmente, eles cobram cem dólares a mais para montar, então decidi fazer isso eu mesma. Os entregadores trouxeram a caixa de peças com um manual de instruções, que ainda estou tentando entender. Achei que seria mais fácil se eu lesse o manual, mas até agora já encontrei páginas em japonês, francês e alemão, mas nada em inglês. Eu já me arrependi de não ter desembolsado os cem dólares a mais. — Quando percebi que estava tagarelando, dei de ombros e sorri. — Mas eu gosto de um desafio.

— Vamos, Jack — Sonya pediu.

— Certo. — Mas ele não se mexeu, só olhou para mim, Luke e a pilha de peças do berço. O momento de expectativa silenciosa fez meu coração dar uma batida descompassada. O olhar dele voltou para o meu, e ele fez um breve movimento de cabeça que continha uma promessa implícita: *mais tarde*. Mas eu não queria isso.

— Vocês dois, vão andando — eu disse, animada. — Divirtam-se.

— Tchau. — Sonya sorriu e, pegando Jack pelo braço, arrastou-o para fora do apartamento.

Três horas mais tarde, Luke me observava, de sua cadeirinha de balanço, eu sentada no chão rodeada por peças do berço. Eu tinha terminado de jantar espaguete com molho de tomate, carne moída e manjericão. Quando o resto da comida esfriasse, eu iria congelá-la em porções individuais.

Tendo me cansado de Mozart e seus fantoches de meia, conectei meu iPod ao aparelho de som. A voz rouca e sexy de Etta James tomou conta do ambiente.

— Essa é a melhor coisa dos *blues* — eu disse para Luke, fazendo uma pausa para tomar um gole de vinho. — Eles falam de sentimentos, amor, desejo sem freios. Ninguém tem coragem de viver desse jeito. A não ser, talvez, os músicos.

Ouvi uma batida na porta.

— Quem pode ser? Você convidou alguém sem me contar? — Levantando com a taça de vinho na mão, fui descalça até a entrada do apartamento. Eu vestia um pijama da cor de algodão-doce cor-de-rosa. E já tinha tirado as lentes de contato e colocado os óculos. Na ponta dos pés, espiei pelo olho mágico. Minha respiração acelerou quando vi o perfil familiar de um homem.

— Não estou vestida para receber visitas — eu disse através da porta.

— Me deixe entrar mesmo assim.

Eu destranquei a porta e a abri, revelando Jack Travis, que agora vestia jeans e camisa branca e segurava uma bolsa de lona, desgastada pelo uso. Ele passou o olhar lentamente por mim.

— Já terminou de montar aquele berço?

— Ainda estou trabalhando nele. — Tentei ignorar a pulsação do meu coração. — Onde está Sonya?

— Nós jantamos e eu a levei para casa.

— Mas já? Por que não ficou com ela?

Ele deu de ombros, me encarando.

— Posso entrar?

Eu quis dizer não. Senti que havia algo acontecendo entre nós, algo que exigia negociação, compromisso... mas eu não estava pronta para isso. Não consegui pensar em uma razão para impedi-lo de entrar. Dei um passo hesitante para trás.

— O que tem na sacola?

— Ferramentas. — Jack entrou no apartamento e fechou a porta. Os movimentos dele pareciam cautelosos, como se ele estivesse se aventurando em um ambiente novo, que poderia ter perigos ocultos. — Oi, Luke — ele murmurou, abaixando-se junto ao bebê. Com delicadeza, ele fez a cadeirinha balançar, e Luke gorgolejou e agitou as pernas, entusiasmado. — Você está ouvindo Etta James — Jack disse, com a atenção ainda no bebê.

Tentei parecer irreverente.

— Em situações de montagem, eu sempre ouço *blues*. John Lee Hooker, Bonnie Raitt...

— Você conhece os músicos de Deep Ellum? Blues do Texas... Blind Lemon Jefferson, Leadbelly, T-Bone Walker?

Eu demorei para responder, minha atenção dedicada a observar como a camisa dele estava esticada sobre os ombros largos e as costas poderosas.

— Já ouvi T-Bone Walker, mas não os outros.

Jack olhou para mim.

— Você já ouviu "See That My Grave is Kept Clean"?

— Pensei que essa música fosse do Bob Dylan.

— Não, ele só tocou. A composição é do Blind Lemon. Vou gravar um CD para você. Nem sempre é fácil encontrar o Lemon.

— Não imaginei que um garoto de River Oaks conheceria tanto de *blues*.

— Hannah, querida... os *blues* são sempre a respeito de um homem bom se sentindo mal. Existe muito disso em River Oaks.

Era uma loucura o quanto eu adorava a voz dele. O sotaque de Houston, arrastado e grave, parecia alcançar lugares impossíveis. Eu queria me sentar no chão ao lado dele e passar a mão pelas camadas grossas de seu cabelo, pousando meus dedos sobre a nuca musculosa dele. *Conte-me tudo*, eu diria. *Tudo sobre os blues e quando seu coração foi partido, sobre o que o amedronta mais e a coisa que você mais queria fazer, mas ainda não conseguiu.*

— Alguma coisa está cheirando bem — ele disse.

— Eu fiz espaguete mais cedo.

— Sobrou um pouco?

— Você acabou de voltar de um jantar.

Jack pareceu ofendido.

— Foi em um daqueles lugares chiques. O meu prato era um pedaço de peixe do tamanho de uma peça de dominó e uma colher de risoto. Estou morrendo de fome.

Eu ri da expressão de sofrimento dele.

— Vou servir um pouco de espaguete para você.

— Enquanto isso, vou trabalhar no berço.

— Obrigada. Eu arrumei as peças de acordo com o diagrama, mas sem as instruções em inglês...

— Não precisa de instruções. — Jack olhou brevemente para o diagrama, jogou-o de lado e começou a remexer nas peças de madeira pintada. — Isto aqui é bem simples.

— Simples? Você viu quantos tipos diferentes de parafusos tem naquele saco plástico?

— Nós vamos resolver isso. — Ele abriu a bolsa de lona e pegou uma parafusadeira sem fio.

Eu franzi a testa.

— Você sabia que 47 por cento dos ferimentos nas mãos são causados pelo uso de ferramentas elétricas em casa?

Com habilidade, Jack inseriu uma ponta Philips na máquina.

— Muita gente também machuca a mão ao fechar a porta. Mas isso não quer dizer que deveríamos parar de usar portas.

— Se Luke começar a chorar por causa do barulho — eu disse, olhando feio —, você vai ter que usar uma chave Philips comum.

— Dane não usa ferramentas elétricas? — Jack perguntou, arqueando as sobrancelhas.

— Normalmente, não. A não ser no verão em que ele ajudou a construir casas em Nova Orleans, com a *Habitat for Humanity*... e isso porque ele estava a mais de quinhentos quilômetros longe de mim.

Um sorriso tomou os lábios dele.

— Qual seu problema com ferramentas elétricas, querida?

— Não sei. Não estou acostumada com essas coisas, só isso. Elas me deixam nervosa. Não cresci com um pai ou irmão usando isso.

— Bem, você deixou de aprender um protocolo importante, Hannah. Não é possível separar um texano de suas ferramentas elétricas. Nós gostamos delas. Das grandes, que gastam bastante energia. Nós também gostamos de café da manhã de caminhoneiro, objetos grandes em movimento, futebol segunda-feira à noite e da posição papai-mamãe. Nós não bebemos cerveja *light*, nem dirigimos carros inteligentes, nem admitimos saber o nome de mais do que cinco ou seis cores. E também não depilamos o peito. Nunca.

— Ele ergueu a parafusadeira. — Agora me deixe fazer as coisas de homem enquanto você vai para a cozinha.

— Luke vai chorar — eu disse, azeda.

— Não vai, não. Ele vai é adorar.

Para me contrariar, Luke não emitiu nenhum som e ficou observando, satisfeito, Jack montar o berço. Eu esquentei um prato de espaguete com molho e arrumei um lugar para Jack na ilha da cozinha.

— Venha, Luke — eu disse, pegando o bebê e carregando-o para a cozinha. — Vamos acompanhar o homem das cavernas enquanto ele janta.

Jack se lançou com gosto ao macarrão fumegante, emitindo sons de aprovação e engolindo pelo menos um terço da comida antes de parar para respirar.

— Está delicioso. O que mais você sabe cozinhar?

— Só o básico. Alguns cozidos, macarrão, refogados. Eu sei assar frango.

— Você sabe fazer bolo de carne?

— Sim.

— Case comigo, Hannah.

Fitei aqueles olhos escuros e maliciosos, e mesmo sabendo que ele estava brincando, senti um nó no estômago e minhas mãos tremeram.

— Caso — eu disse, como se não fosse nada. — Quer pão?

Depois do jantar, Jack voltou para o chão e montou o berço com uma habilidade nascida de vasta experiência. Ele era bom com as mãos, confiante e capaz. Eu tenho que admitir que gostei de vê-lo arregaçar as mangas, expondo os braços peludos, e se ajoelhar diante da estrutura de madeira, o corpo bonito e atlético. Eu fiquei sentada perto, com um copo de vinho na mão, passando os parafusos para ele. De vez em quando Jack se aproximava o bastante para que eu sentisse seu cheiro, um incenso sexual de suor masculino e pele limpa. Ele praguejou umas duas vezes por causa de alguns parafusos espanados; as imprecações seguidas imediatamente por pedidos de desculpas.

Jack Travis era uma experiência nova para mim, um homem à moda antiga. Nenhum dos garotos com quem eu tinha saído na faculdade era mais do que isso; garotos tentando descobrir quem eram e tentando encontrar seu lugar no mundo. Dane e seus amigos eram sujeitos sensíveis, com consciência ambiental, que pedalavam suas bicicletas e tinham conta no Facebook. Eu não conseguia imaginar Jack Travis escrevendo um blog ou se preocupando em se encontrar, e tive certeza de que ele não ligava a mínima se suas roupas eram produzidas de modo sustentável.

— Jack — eu disse, pensativa —, você vê as mulheres com igualdade?

— Sim — ele respondeu encaixando uma barra de apoio no estrado.

— Em alguma circunstância você deixa a mulher pagar o jantar?

— Não.

— É por isso que o serviço de quarto não estava na minha conta do hotel?

— Eu nunca deixo uma mulher pagar pela minha comida. Eu só disse que o jantar era por sua conta porque sabia que esse era o único jeito de você me deixar ficar.

— Se você vê as mulheres como iguais, por que não me deixou lhe pagar o jantar?

— Porque eu sou homem.

— Se você tivesse que escolher entre contratar um homem ou uma mulher para tocar um de seus projetos, e a mulher estivesse em idade fértil, escolheria o homem no lugar dela?

— Não. Eu escolheria o melhor profissional.

— E se eles fossem iguais sob todos os aspectos...?

— Eu não usaria a possibilidade de gravidez contra a mulher. — Jack me deu um sorriso intrigado. — O que você está tentando descobrir?

— Estou imaginando onde colocar você, na escala da evolução.

Ele fixou um parafuso no lugar.

— E onde estou?

— Não decidi ainda — respondi. — O que você acha do politicamente correto?

— Não sou contra. Mas um pouquinho já vale bastante. Espere um instante... — A parafusadeira zuniu e rangeu enquanto Jack afixava um suporte no estrado. Ele parou e olhou para mim com um sorriso. — O que mais?

— O que você procura em uma mulher?

— Que ela seja leal. Amorosa. Que goste de passar tempo comigo, principalmente ao ar livre. E eu não me importaria se ela gostasse de caçar.

— Tem certeza de que não seria mais feliz com um labrador?

Jack não demorou nada para terminar o berço. Eu ajudei a segurar as partes maiores enquanto ele as prendia e acrescentava reforço extra.

— Acho que um bebê elefante pode dormir nesse berço que ele não quebra — eu disse.

— Você o quer aqui ou no quarto? — Jack perguntou.

— O quarto é tão pequeno que prefiro deixá-lo aqui. É esquisito ter um berço na sala de estar?

— Nem um pouco. O apartamento também é do Luke.

Com ajuda de Jack, coloquei o berço ao lado do sofá e pus um lençol sobre o colchão. Com cuidado, coloquei o bebê sonolento no berço e o cobri com uma manta, colocando um móbile em movimento sobre ele. Ursos e potes de mel circulavam lentamente, acompanhados de uma canção de ninar.

— Parece confortável — Jack sussurrou.

— Não é mesmo? — Vendo como Luke estava bem instalado, em segurança, eu senti uma onda de gratidão. A cidade escura borbulhava lá fora, cheia de tráfego, pessoas em movimento, bebendo, dançando, enquanto o solo liberava, lentamente, o calor do dia. Mas nós estávamos enfiados naquele lugar fresco e protegido, tudo como devia ser.

Eu precisava preparar as mamadeiras de Luke e me aprontar para a noite. Nós tínhamos uma rotina. Eu achava os rituais do banho e da hora de dormir profundamente reconfortantes.

— Faz tempo que eu não cuido de uma criança — eu disse, quase sem perceber que estava falando em voz alta. Minha mão segurou no alto da grade do berço. — Desde que eu própria era criança.

Como resposta, Jack deslizou a mão por cima da minha, cobrindo-a com uma pressão quente. Antes que eu conseguisse olhar para ele, Jack me soltou e começou a guardar suas ferramentas. Metodicamente, ele jogou todos os restos de papelão e plástico dentro da caixa retangular em que o berço tinha vindo. Levantando a caixa com uma mão, ele a carregou até a porta.

— Eu levo isto para você.

— Obrigada. — Sorrindo, fui abrir a porta para ele. — Obrigada por isso, Jack. Por tudo. Eu...

O vinho devia ter erradicado cada átomo de bom-senso que eu possuía, porque estendi os braços para lhe dar um abraço do mesmo modo que eu teria feito com Tom ou um dos outros amigos de Dane. Um abraço de amigo. Mas todos os meus nervos, da cabeça aos pés, gritaram *"Erro!"* assim que a frente do meu corpo encontrou a dele, aderindo como algodão molhado.

Os braços de Jack me envolveram, puxando-me contra uma parede de músculos, e ele era tão grande e quente, e foi tão gostoso sentir seu corpo junto ao meu, que fiquei completamente rígida. O sopro quente da respiração dele na minha bochecha fez meu coração enlouquecer, e uma excitação instantânea ocupou o espaço entre cada batida. Fiquei sem ar e tentei me esconder, enfiando o rosto no ombro dele.

— Jack... — eu mal consegui falar. — Eu não estava tentando seduzir você.

— Eu sei. — A mão dele deslizou até a parte de trás da minha cabeça e seus dedos se entrelaçaram aos fios dos meus cabelos. Segurando-me com delicadeza, Jack me fez olhar para ele. — Não é culpa sua que eu tenha entendido assim.

— Jack, não...

— Eu gosto deles — ele murmurou, tocando a armação retangular dos meus óculos, segurando, com cuidado, a haste. — Bastante. Mas eles estão atrapalhando.

— O quê? — Congelei quando ele tirou meus óculos e os colocou de lado.

— Fique parada, Hannah. — Então ele baixou a cabeça.

Capítulo onze

Se eu estivesse pensando racionalmente, nunca teria permitido aquilo. A boca de Jack roçou de leve a minha, antes de cobri-la com uma pressão delicada. Eu me mexi de encontro àquele corpo firme, até encontrar um alinhamento perfeito e inesperado, que fez uma onda de calor me percorrer. Meus joelhos cederam, mas não teve importância, porque ele me segurava com muita firmeza. Uma das mãos de Jack subiu até meu queixo com extremo cuidado.

Toda vez que eu tentava fechar a boca para terminar o beijo, ele pressionava mais, obrigando-me a permanecer aberta, saboreando-me lentamente. Aquilo era tão diferente do que eu estava acostumada; parecia outra coisa que não beijar. Eu percebi que meus beijos com Dane tinham se tornado uma forma de pontuação, eram como aspas ou um travessão apressado no fim de uma conversa. Com Jack era mais macio, mais urgente e implacável. Beijos novos, loucos, cambaleantes, que desafiavam meu equilíbrio. Segurei nos ombros de Jack, apertando os dedos em sua nuca.

Ele tomou um fôlego rápido e desceu a mão, que deslizou sobre a calça do meu pijama e puxou meus quadris para cima, pressionando-os. A pressão que ele exercia era impressionante, galvanizadora. Ele era inacreditavelmente duro. Todo ele. Jack estava no controle, era muito mais forte e queria que eu soubesse disso.

Ele me beijou até as sensações fluírem em direções que eu não podia ir, derramando-se sensualmente. Quando eu senti uma dor desesperada arqueando a parte inferior do meu corpo, entendi, afinal, que se fizesse sexo com aquele homem, ele tomaria tudo. Todas as defesas que eu tinha construído seriam destruídas.

Tremendo, eu o empurrei e consegui virar a cabeça tempo o suficiente para falar, ofegante:

— Não posso. Não. Chega, Jack.

Ele parou no mesmo instante. Mas me manteve junto de si, seu peito movendo-se com dificuldade.

Não consegui olhar para ele.

— Isso não podia ter acontecido — eu disse com a voz rouca.

— Eu queria fazer isso desde a primeira vez em que te vi. — Os braços dele me apertaram e ele baixou a cabeça até sua boca ficar perto da minha orelha. — Você também queria — ele sussurrou com a voz delicada.

— Não queria. Eu não.

— Você precisa se divertir, Hannah.

Soltei uma risada incrédula.

— Pode acreditar, eu não preciso me divertir, eu preciso... — eu me interrompi com uma exclamação quando ele pressionou meus quadris contra os dele. Senti-lo foi mais do que minha razão estupefata podia suportar. Para minha completa humilhação, arqueei os quadris contra ele sem perceber, desejo e instinto vencendo a sanidade.

Sentindo minha resposta por reflexo, Jack sorriu junto à minha bochecha vermelha.

— Você deveria me aceitar. Eu seria bom para você.

— Você é *tão* convencido... e não seria bom para mim, com seus filés de carne, suas ferramentas elétricas e sua libido com déficit de atenção, e... aposto que você é membro de carteirinha da Associação Nacional de Rifles. Admita, você é. — Eu parecia não conseguir ficar quieta. Estava falando demais, respirando rápido demais, tremendo como um brinquedo de corda que foi enrolado até os limites do mecanismo.

Jack encostou o nariz em um lugar sensível atrás da minha orelha.

— Por que isso tem importância? — ele perguntou.

— Isso é um sim? Só pode ser. *Deus*. Tem importância porque... pare com isso. Tem importância porque eu só iria para a cama com um homem que respeitasse a mim e meus princípios. Meus... — eu me interrompi com um som sem sentido quando ele mordiscou minha pele de leve.

— Eu respeito você — ele murmurou. — E seus pontos de vista. E vejo você como minha igual. Respeito sua inteligência e todas aquelas palavras complicadas que você gosta de usar. Mas também quero arrancar suas roupas e fazer sexo com você, fazendo com que grite, chore e veja Deus. — A boca dele se arrastou delicadamente pelo meu pescoço. Eu estremeci, sem conseguir me conter, os músculos vibrando de prazer, e as mãos dele seguraram meus quadris, mantendo-me no lugar. — Vou lhe mostrar o que é bom de verdade, Hannah. Começando com um sexo selvagem. Do tipo que você não conseguirá lembrar o próprio nome quando terminarmos.

— Estou com Dane há quatro anos — eu consegui dizer. — Ele me compreende de um jeito que você não consegue.

— Eu posso aprender seu jeito.

Parecia que algo dentro de mim começava a se soltar, uma fraqueza que se espalhava, fazendo todo meu corpo se contrair a isso. Eu fechei os olhos e engoli um gemido.

— Quando você me ofereceu o apartamento — eu disse, fraca —, disse que não tinha intenções ocultas. Não gosto da posição que isso me deixa, Jack.

Ele levantou a cabeça e seus lábios roçaram a ponta do meu nariz.

— Que posição você prefere?

Eu abri os olhos. De algum modo, tinha conseguido me desvencilhar dele. Meio sentada, meio encostada no braço do sofá, eu apontei para a porta com o dedo trêmulo.

— Vá embora, Jack.

Ele estava tão sexy... uma tentação... amarrotado e excitado.

— Você está me expulsando?

Eu mesma mal consegui acreditar.

— Sim, eu estou expulsando você. — Fui pegar meus óculos, me atrapalhando na hora de recolocá-los.

Ele torceu a boca, mal-humorado.

— Nós precisamos conversar sobre algumas coisas.

— Eu sei. Mas se eu deixar você ficar, acho que não vamos conversar muito.

— E se eu prometer que não irei tocá-la?

Quando nossos olhares se encontraram, pareceu que a sala toda estava tomada por um calor volátil.

— Você estaria mentindo — respondi.

— Tem razão. — Jack levou a mão à nuca e fez uma careta.

Inclinei minha cabeça na direção da porta.

— Por favor, saia.

Ele não se mexeu.

— Quando eu posso ver você de novo? Amanhã à noite?

— Eu tenho que trabalhar.

— E depois de amanhã?

— Não sei. Tenho muita coisa para fazer.

— Droga, Hannah. — Ele foi até a porta. — Você pode adiar tudo agora, mas vai ter que lidar com isso mais tarde.

— Eu acredito no poder de adiar as coisas — eu disse. — Na verdade, eu até adio a procrastinação.

Ele me deu um olhar fulminante e saiu, levando consigo a caixa vazia do berço.

Eu arrumei a cozinha devagar, limpei os balcões e preparei as mamadeiras de Luke. Dei alguns olhares furtivos para o telefone – estava na hora da minha conversa diária com Dane – mas o aparelho permaneceu na base. Eu tinha obrigação de contar para ele o que aconteceu entre mim e Jack? Um relacionamento aberto permitia segredos? E se eu confessasse para Dane sobre a atração que sentia por Jack Travis, algo de bom poderia resultar disso?

Enquanto eu ponderava a situação, decidi que o único motivo de contar sobre o beijo seria se aquilo levasse a alguma coisa. Ou seja... se eu me envolvesse com Jack. Mas eu não me envolveria. O beijo não teve nenhum significado. Portanto, a opção mais sensata – para não dizer também a mais fácil – era fingir que não tinha acontecido.

E parar de falar nisso até a coisa toda ser esquecida.

No dia seguinte, telefonei para minha irmã. Eu estava frustrada, mas não exatamente surpresa por Tara estar demorando para autorizar a Dra. Jaslow a falar comigo.

— Você sabe que não vou fazer nada que seja contra seus interesses — eu disse para ela. — Eu só quero ajudar.

— Estou me virando bem sozinha. Você pode falar com a minha médica mais tarde. Talvez. Mas não é algo que eu precise neste momento. — Havia uma fragilidade defensiva no tom de Tara que eu compreendia muito bem. Eu senti isso, vivi com essa sensação por cerca de um ano depois de começar a terapia. Depois que começamos a perceber que temos direito à privacidade, nós a defendemos com unhas e dentes. É claro que Tara não queria que eu interferisse. Por outro lado, eu precisava saber o que estava acontecendo.

— Você pode me contar um pouco do que tem feito?

Ouviu-se um silêncio desanimado antes de Tara responder:

— Comecei a tomar antidepressivos.

— Bom — eu disse. — Você está sentindo alguma diferença?

— Parece que demora algumas semanas para fazer efeito, mas acho que já estou me sentindo melhor. E eu tenho conversado muito com a Dra. Jaslow. Ela disse que o modo como nós fomos criadas não é normal nem saudável. E quando sua própria mãe é louca, negligente e compete com você, é preciso entender o que tudo isso fez com a sua cabeça quando era criança, e tem que se esforçar para consertar isso, do contrário...

— Do contrário você pode terminar repetindo alguns comportamentos dela — eu completei delicadamente.

— Exato. Então a Dra. Jaslow e eu temos conversado sobre algumas coisas que sempre me incomodaram.

— Por exemplo...

— Por exemplo, o fato de a mamãe sempre ter dito que eu era a bonita e você a inteligente... Isso é errado. Ela me fez acreditar que eu era burra e não tinha como ficar inteligente. E eu cometi um monte de erros idiotas por causa disso.

— Eu sei, querida.

— Talvez eu nunca vá me tornar uma neurocirurgiã, mas sou muito mais inteligente do que nossa mãe acredita.

— Ela não conhece nenhuma de nós, Tara.

— Eu queria enfrentar a mamãe, tentar fazê-la entender o que fez conosco. Mas a Dra. Jaslow disse que mamãe nunca vai conseguir entender. Eu poderia ficar explicando sem parar, mas ela iria negar ou dizer que não se lembra.

— Concordo — eu disse. — Tudo o que você e eu podemos fazer é cuidar dos nossos problemas.

— Estou fazendo isso. Estou descobrindo muita coisa que não sabia. Estou melhorando.

— Ótimo. Porque Luke sente falta da mãe dele.

— Você acha mesmo? Eu fiquei com Luke por tão pouco tempo que não sei se ele vai se lembrar de mim. — Tara respondeu com uma insegurança que me emocionou.

— Você o carregou por nove meses, Tara. Ele conhece sua voz. A batida do seu coração.

— Ele dorme a noite toda?

— Bem que eu gostaria — respondi, amarga. — Ele acorda pelo menos três vezes, na maioria das noites. Estou me acostumando com isso. Eu comecei a dormir um sono tão leve que assim que ele faz qualquer barulho eu já acordo.

— Talvez seja melhor ele estar com você. Eu nunca fui rápida para acordar.

Eu ri.

— Ele é rápido para fazer muito barulho. Acredite em mim, você aprenderia a saltar da cama como pão da torradeira. — Eu fiz uma pausa e perguntei, com cuidado: — Você acha que Mark irá querer vê-lo em algum momento?

Nossa comunicação calorosa terminou de repente. A voz de Tara ficou inexpressiva e fria.

— Mark não é o pai. Eu já disse, não existe pai. Luke é só meu.

— Acho difícil acreditar que Luke foi trazido por uma cegonha, Tara. Quero dizer, *alguém* faz parte nisso. E quem quer que seja, precisa ajudar você de algum modo. E, mais importante, precisa ajudar o Luke.

— Isso é problema meu.

Foi difícil me segurar para não dizer que, já que eu tinha sido recrutada para cuidar de Luke com meus próprios recursos, aquilo também era problema meu.

— Existem muitas questões práticas que nós nem começamos a discutir, Tara. Se o pai de Luke está ajudando você, se ele fez promessas... bem, essas promessas precisam ser colocadas por escrito. E algum dia Luke vai querer saber...

— Agora não, Hannah. Eu tenho que ir. Estou atrasada para uma aula de ginástica.

— Mas se você me deixar...

— Tchau. — O telefone ficou mudo na minha mão.

Irritada e preocupada, fui até a pilha de contas e catálogos na ilha da cozinha, onde encontrei o pedaço de papel que Jack tinha me entregado com o número da Irmandade da Verdade Eterna.

Eu me perguntei qual seria minha responsabilidade. Para mim, era óbvio que Tara não estava em condições de tomar decisões a respeito do futuro. Ela estava vulnerável e provavelmente estava sendo iludida por Mark Gottler a pensar que ele tomaria conta dela; que sustentaria Tara e o bebê indefinidamente. Talvez ele tivesse tirado vantagem dela, sabendo que não haveria repercussões, porque ela praticamente não tinha família.

Mas ela tinha a mim. E eu cuidaria dela.

Capítulo doze

Nos dois dias seguintes eu telefonei para a Irmandade da Verdade Eterna, tentando marcar uma reunião com Mark Gottler. Não consegui nada que não evasivas, silêncio ou desculpas implausíveis.

Eu estava sendo enrolada e percebi que seria impossível conseguir, sozinha, uma reunião com Gottler. Ele pertencia às esferas mais altas da administração da igreja – isolado e protegido dos meros mortais.

Quando contei a Dane sobre esse problema, ele disse que talvez tivesse um contato útil. A igreja mantinha uma vasta rede de entidades beneficentes, e um velho amigo dele tinha alguma coisa com o informante da Verdade Eterna na América Central. Infelizmente essa tentativa também resultou em nada, então voltei à estaca zero.

— Você deveria falar com Jack — Haven disse na sexta-feira, depois de sair do trabalho. — Esse é o tipo de problema no qual ele é bom. Jack conhece todo mundo. Ele não tem vergonha de cobrar favores. E se não me engano, acho que a empresa tem alguns contratos com essa igreja.

Nós estávamos bebendo no apartamento em que ela vivia com o noivo, Hardy Cates. Haven tinha preparado uma jarra de sangria branca, misturando vinho Riesling com pedaços de pêssego, laranja e manga, além de uma dose generosa de aguardente de pêssego.

O apartamento com três quartos possuía uma parede de janelas que iam do chão ao teto, com vista para Houston. A decoração era em tons neutros, com móveis imensos cobertos de tecido e couro macio.

Eu só tinha visto aquele tipo de apartamento em programas de TV e filmes. Eu desconfiava do prazer que me dava estar usufruindo desses ambientes tão lindos. Não tinha nada a ver com preconceito ou inveja, a questão é que eu sabia o quão temporária era minha presença nesse mundo, e não queria me acostumar com ele. Embora eu nunca tivesse me considerado uma pessoa ambiciosa, estava descobrindo o terrível encanto do luxo. Sorri para mim mesma e pensei no quanto eu precisava que Dane reajustasse minhas prioridades.

Luke estava deitado de bruços sobre um cobertor no chão. Eu vi, fascinada, quando ele levantou a cabeça. Parecia que ele mudava um pouco a cada dia, ficando mais forte, prestando atenção nas coisas à sua volta. Eu sabia que Luke não estava fazendo nada que milhões de bebês já não tivessem feito, a maioria das pessoas diria que ele era comum... mas para mim ele era incrível. Eu queria o melhor para ele. Queria que Luke tivesse todas as vantagens do mundo, mas, na verdade, ele tinha recebido menos do que a média. Nem família, nem lar, nem mesmo uma mãe... ainda.

Batendo de leve no traseiro fraldado de Luke, refleti sobre o que Haven tinha acabado de falar de Jack.

— Eu sei que ele pode ajudar — eu disse. — Mas eu preferia encontrar outro modo. Jack já fez tanto por mim e Luke.

Haven sentou no chão ao nosso lado, segurando seu copo de sangria.

— Tenho certeza de que ele não se importaria em ajudar mais. Ele gosta de você, Hannah.

— Ele gosta de todas as mulheres.

Haven deu um sorriso de canto de boca.

— Não vou dizer que não. Mas você é diferente das marias-breteiras que saem com meu irmão.

Eu olhei feio para ela e abri a boca para protestar.

— Oh, eu sei que você não está *com* ele — Haven disse. — Mas o interesse é óbvio. Pelo menos da parte dele.

— Sério? — Eu me esforcei para manter a voz e a expressão neutras. — Não percebi isso. Quero dizer, Jack tem sido muito legal me ajudando a me instalar aqui... mas ele com certeza sabe que eu vou voltar para Dane, que não estou disponível e... o que é uma maria-breteira?

Ela sorriu.

— As garotas que frequentavam rodeios, querendo ficar com os peões de rodeio, eram chamadas assim, antes. Agora a expressão se aplica a qualquer oportunista do Texas à procura de um amante rico.

— Eu não sou uma oportunista.

— Não, você dá conselhos para elas em sua coluna. Você lhes diz para se sustentarem e estabelecerem prioridades.

— Todo mundo deveria me escutar — eu disse e Haven riu, erguendo o copo.

Eu a acompanhei no brinde e tomei um gole.

— Tome quanto quiser, a propósito — Haven me disse. — Hardy não quer nem saber disso. Ele diz que só tomaria uma bebida com frutas se estivéssemos em uma praia tropical e ninguém que conhecemos estivesse olhando.

— Qual o problema dos homens de Houston? — perguntei, atônita.

— Não sei — Haven respondeu e sorriu. — Tenho uma amiga de Massachusetts, do tempo da faculdade, que veio me visitar recentemente. Ela jurou que os homens daqui são uma subespécie.

— Ela gostou deles?

— Ah, sim. A única reclamação foi que eles não conversam o bastante para o gosto dela.

— É óbvio que ela não puxou os assuntos certos — eu disse e Haven soltou uma risadinha.

— Sem brincadeira. Semana passada eu tive que ouvir Hardy e Jack discutindo sobre todas as maneiras de se fazer fogo sem usar fósforos. Eles encontraram sete.

— Oito — veio uma voz grave da porta, e eu me virei para ver um homem entrando no apartamento. Hardy Cates tinha o corpo musculoso e sólido de um petroleiro, transbordava sensualidade e tinha os olhos mais azuis que eu já vi. O cabelo dele não era preto como o de Jack, mas um castanho-escuro profundo. Largando uma pasta de couro estufada no chão, ele foi até Haven. — Nós lembramos — ele continuou, lacônico — que é possível polir o fundo de uma lata de refrigerante com creme dental e usar o reflexo para acender uma mecha.

— Oito, então — Haven concordou, rindo, e levantou o rosto quando ele se curvou para beijá-la. Quando Hardy levantou a cabeça, ela disse: — Esta é a Hannah. A mulher que está hospedada no meu apartamento.

Hardy se curvou e estendeu a mão para mim.

— Prazer em conhecê-la, Hannah. — O sorriso dele ficou mais largo quando viu Luke. — Qual a idade dele?

— Três semanas, mais ou menos.

Ele deu um olhar de aprovação para o bebê.

— É um garoto bonito. — Soltando a gravata, Hardy olhou para a jarra de líquido claro sobre a mesa de centro. — O que vocês estão bebendo?

— Sangria. — Haven riu da careta que ele fez. — Tem cerveja na geladeira.

— Obrigado, mas esta noite vou começar com algo mais forte.

Haven observou, atenta, o noivo ir para a cozinha. Embora Hardy parecesse relaxado, Haven devia conhecer muito bem o jeito dele, porque franziu a testa.

— O que foi? — ela perguntou, levantando-se, enquanto ele servia uma dose de *Jack Daniel's*.

Hardy suspirou.

— Eu discuti com o Roy, hoje. — Olhando para mim, ele explicou: — É um dos meus sócios. — Então ele se voltou para Haven. — Ele está analisando cortes de um poço velho e acha que vamos atingir uma zona rentável se continuarmos perfurando. Mas as marcas nas amostras, que ajudam a medir a qualidade do petróleo, mostram que, mesmo se encontrarmos um reservatório, não vai valer a pena.

— Roy não concorda? — Haven perguntou.

Hardy negou com a cabeça.

— Ele está brigando para continuarmos investindo. Mas eu disse para ele que não vou aumentar o orçamento nem por um cacete... — Fazendo uma pausa, ele me deu um sorriso constrangido. — Perdão, Hannah. Meu linguajar fica meio grosseiro quando eu passo algum tempo com a turma do campo.

— Não tem problema — eu disse.

Haven passou a mão pelo braço do noivo depois que ele virou a dose de uísque.

— Roy devia saber que não deve discutir com você — ela murmurou. — Seu instinto para achar petróleo é legendário.

Deixando o copo de lado, Hardy deu um olhar magoado para ela.

— Segundo Roy, meu ego também é.

— Roy está falando besteira. — A mão dela subiu pelo braço de Hardy, confortando-o. — Precisa de um abraço?

Eu me debrucei sobre Luke e brinquei com ele, tentando ignorar o que estava se tornando, rapidamente, um momento íntimo.

Então ouvi Hardy murmurar algo a respeito de ele ter o que precisava mais tarde, ao que se seguiu um silêncio absoluto. Virando-me para eles, vi Hardy baixar a cabeça sobre ela. Voltei-me para o bebê o mais rápido que consegui. Eles precisavam de algum tempo a sós, eu pensei.

Quando voltaram para a sala de estar, comecei a guardar as coisas na bolsa de fraldas.

— Está na hora de nós irmos — eu disse, animada, para Luke. — Haven, essa foi a melhor sangria que eu já...

— Ah, fique para jantar! — ela exclamou. — Eu já fiz uma tonelada de frango à escabeche... é uma salada mediterrânea fria. E também preparei *tapas* com azeitonas e queijo manchego.

— Ela é ótima cozinheira — Hardy disse, passando um braço à frente dela e puxando-a para si. — Fique, Hannah, ou eu vou ter que beber aquela maldita sangria com ela.

Eu os encarei, em dúvida.

— Tem certeza de que vocês não querem um pouco de privacidade?

— Mas nós não teríamos mesmo que você fosse embora — Hardy disse. — Jack vem jantar conosco.

— Ele vem? — Haven e eu perguntamos ao mesmo tempo. Um choque de ansiedade me atravessou.

— Vem. Eu o encontrei no saguão e disse para vir tomar uma cerveja comigo. Ele está de ótimo humor. Estava vindo de uma reunião com um advogado imobiliário, a respeito da reforma da propriedade na rua McKinney.

— Eles vão conseguir superar as restrições? — Haven perguntou.

— O advogado disse que sim.

— Eu falei para o Jack não se preocupar. O zoneamento em Houston é um mito. Não existe, na verdade. — Haven me deu um olhar de encorajamento. — Será ótimo, Hannah. Você pode perguntar se o Jack quer ir à Verdade Eterna com você.

— Você quer convidar o Jack para ir à igreja? — Hardy perguntou, incrédulo. — Querida, ele seria fulminado por um raio assim que passasse pela porta da frente.

Haven sorriu para o noivo.

— Comparado a você, Jack é um coroinha.

— Como ele é seu irmão mais velho — ele disse, brincalhão —, vou deixar que você mantenha a ilusão.

A campainha tocou e Haven foi atender. Fiquei aborrecida ao sentir meu pulso acelerar. O beijo não tinha significado nada, falei para mim mesma. Sentir o corpo dele contra o meu não tinha significado nada. O sabor íntimo e doce dele, o calor...

— Oi, chefe. — Na ponta dos pés, Haven abraçou Jack rapidamente.

— Você só me chama de chefe quando quer algo — Jack disse, passando pela irmã e entrando no apartamento. Ele parou ao me ver, o rosto inescrutável. Jack devia ter tirado um momento para se trocar, depois do trabalho, porque estava vestindo jeans desbotado e uma camiseta branca que parecia brilhar em contraste com seu bronzeado. Eu fraquejei com uma reação do meu corpo que abalou minha compostura. Ele possuía uma combinação irresistível de vitalidade, autoconfiança e masculinidade, misturadas à perfeição, como um coquetel. — Oi, Hannah — ele murmurou, dando um breve aceno de cabeça.

— Oi — eu disse, a voz fraca.

— Você e Hannah vão ficar para o jantar — Haven informou o irmão. Jack olhou desconfiado para ela, depois se voltou para mim.

— Nós vamos?

Eu assenti e peguei minha sangria, conseguindo não a derrubar por algum milagre.

Sentando no chão ao meu lado, Jack pegou Luke e o segurou junto ao peito.

— Ei, garotão. — O bebê olhou para ele, atento, enquanto Jack brincava com sua mãozinha. — E o berço, deu certo? — Jack me perguntou, a atenção ainda em Luke.

— Ficou ótimo. Está bem firme.

Ele me fitou então. Nós estávamos muito próximos. As íris dos olhos dele estavam muito claras e castanhas, como um tempero exótico dissolvido em conhaque. *Gosto de um desafio*, eu tinha dito para ele, e o encontrei ali, no olhar de Jack, junto com a promessa de que eu não só iria perder, como também iria adorar.

— Hannah está com um problema, e nós esperamos que você possa ajudar — Haven disse da cozinha, abrindo a geladeira.

Jack me encarou fixamente enquanto um canto de sua boca se curvava para cima.

— Qual é o seu problema, Hannah?

— Quer uma cerveja, Jack? — veio a voz de Hardy.

— Quero — Jack respondeu. — Com uma fatia de limão, se você tiver.

— Estou tentando conseguir uma reunião com Mark Gottler — eu disse para ele. — Para conversar sobre a minha irmã.

A expressão de Jack ficou mais tranquila.

— Ela está bem?

— Está, eu acho. Mas vejo que ela não está fazendo nada para garantir seus interesses, nem os de Luke. Eu preciso me encontrar com Gottler para esclarecer algumas coisas. Ele não pode acreditar que vai pagar a conta de Tara na clínica e depois lavar as mãos, como se tivesse se livrado do problema. Ele vai ter que fazer o que é certo a respeito de Tara e Luke.

Acomodando Luke sobre o cobertor, Jack pegou um coelhinho de pelúcia e o segurou acima do bebê, fazendo com que Luke espernease de alegria.

— Então você quer que eu a ponha lá dentro — ele disse.

— Quero. Eu preciso me encontrar com Gottler.

— Eu posso conseguir uma reunião, mas você vai precisar penetrar comigo...

Eu dei um olhar ultrajado para ele, incrédula de que ele me fizesse tal proposta com a irmã por perto.

— Se você acha que vou transar com você só para conseguir falar com Gottler...

— Eu disse *penetrar comigo*, Hannah. Entrar de penetra. Pode ser que não seja necessário, mas talvez eu tenha que omitir a sua presença.

— Oh! — eu exclamei, envergonhada. — Tudo bem.

Jack me deu um sorriso enigmático.

— Vou arrumar uma razão para me reunir com ele e levar você junto. Não é necessário sexo. A menos que você se sinta muito grata...

— Não estou assim tão grata. — Mas não pude deixar de sorrir, porque nunca tinha conhecido um homem que conseguisse transpirar tanta sensualidade segurando um coelhinho de pelúcia.

Jack acompanhou meu olhar até o brinquedo em sua mão.

— Que tipo de coisa você está comprando para ele? Isto aqui não é para meninos.

— Ele gosta — eu protestei. — O que há de errado com coelhinhos?

Haven sentou em um divã próximo, sorrindo com pesar.

— Gage, meu outro irmão, é igualzinho — ela disse. — Tem ideias muito definidas sobre o que é adequado para garotos. Mas eu acho que ele não teria problemas com o coelho, Jack.

— Ele tem um laço no rabo — foi o comentário severo de Jack. Mas ele se virou com o brinquedo, fazendo-o saltar no peito de Luke e voar sobre o rosto dele.

Eu e Haven rimos da expressão hipnotizada do bebê.

— Homens e mulheres se relacionam com crianças de forma tão diferente — Haven disse. — Gage brinca de modo muito mais intenso com Matthew. Ele joga o menino para cima, dá sustos... e o bebê parece adorar. Acho que é por isso que é bom ter os dois... — ela se interrompeu e ficou corada, lembrando tarde demais que Luke não tinha a quem chamar de pai. — Desculpe, Hannah.

— Tudo bem — eu me apressei em dizer. — É óbvio que Luke não vai ter muita influência masculina por algum tempo. Mas eu espero que minha irmã conheça um homem bom e assim, quem sabe, Luke pode ter um padrasto algum dia.

— Ele vai ficar bem — Jack disse, segurando o coelho enquanto Luke puxava a orelha do brinquedo. — Deus sabe que nosso pai quase nunca estava por perto. E quando estava, mal podíamos esperar para nos livrar dele. Nós crescemos sem pai, a maior parte do tempo.

— E veja como estamos bem — Haven disse. Ela e Jack se entreolharam e os dois explodiram em uma gargalhada, como se tivessem dito um absurdo.

Nosso jantar foi descontraído, com todos se revezando para segurar Luke. Haven continuou a servir sangria, e eu bebi até me sentir agradavelmente zonza. Eu ri mais do que em semanas. Meses. Contudo, eu me perguntei o que aquilo significava... conseguir apreciar a companhia de gente tão diferente de Dane e meus amigos de Austin.

Eu tinha certeza de que Dane encontraria muito o que criticar em Hardy e Jack, dois homens bem versados em acordos nebulosos e em flexibilizar regras. Eles eram mais velhos do que os homens que eu conhecia, muito mais cínicos e provavelmente eram implacáveis quando se tratava de conseguirem o que queriam. Mesmo assim, eram incrivelmente charmosos.

Esse era o perigo, eu pensei. Os modos afáveis e o charme, que impediam que as pessoas vissem quem eles realmente eram. O tipo de homem que consegue te controlar, fazendo com que entre em um compromisso após o outro, pensando que está feliz com tudo isso. E só depois que você entrou na armadilha percebe a besteira que fez. A revelação era que, mesmo sabendo de tudo isso, eu me sentia atraída por um homem como Jack Travis.

Eu me sentei ao lado dele em um dos grandes sofás de veludo, tentando identificar o sentimento que estava me dominando. Finalmente percebi que era tranquilidade. Eu nunca tinha sido uma pessoa relaxada. Estava sempre tensa, à espera de que alguma emergência acontecesse. Mas nessa noite eu estava estranhamente tranquila. Talvez fosse porque me encontrava em uma situação na qual não precisava me proteger de nada, sem ter que provar qualquer coisa. Talvez fosse o bebê adormecido e em segurança nos meus braços.

Quando eu me recostei com Luke, encontrei-me aninhada à lateral quente do corpo de Jack, que mantinha um dos braços estendido ao longo do encosto do sofá. Fechando os olhos, deixei a cabeça descansar no ombro dele. Só por um momento. Uma das mãos dele veio até o lado da minha cabeça e acariciou meu cabelo.

— O que você pôs nessa droga de sangria, Haven? — eu o ouvi perguntar com a voz baixa.

— Nada — ela respondeu, o tom de voz defensivo. — Vinho branco, basicamente. Tomei a mesma quantidade que Hannah e estou bem.

— Eu também estou bem — protestei, forçando os olhos a abrir. — Só um pouco... — eu fiz uma pausa, precisando me concentrar para formar as palavras; parecia que minha língua tinha sido impermeabilizada — ...com o sono atrasado.

— Hannah, querida... — Havia um tremor de diversão na voz de Jack, e a mão dele passou pelo meu cabelo. Os dedos dele mergulharam por entre as mechas finas e soltas até chegar na minha cabeça, que ele acariciou delicadamente. Fechei os olhos e permaneci imóvel, na esperança de que ele não parasse.

— Que horas são? — murmurei, bocejando.

— Oito e meia.

— Faço café? — ouvi Haven perguntar.

— Não — Jack respondeu antes de mim.

— Nós estamos cansados, bebida pode derrubar a gente — Hardy disse, simpático. — Era assim na plataforma. Depois de duas semanas, com um turno à noite para ajudar, a gente ficava tão exausto que uma cerveja bastava para derrubar.

— Ainda estou me acostumando ao ritmo do Luke — eu disse, esfregando os olhos arenosos. — Ele não é o que se pode chamar de dorminhoco. Muito menos para um bebê.

— Hannah — Haven disse, o rosto gentil e preocupado. — Nós temos um quarto extra. Por que você não dorme aqui esta noite? Eu cuido do Luke para que você possa descansar.

— Não. Oh, é muita gentileza. Você é tão... mas estou bem. Eu só preciso... — Fiz uma pausa para bocejar e esqueci o que ia dizer. — Preciso encontrar o elevador — eu disse.

Haven veio até mim e tirou o bebê dos meus braços.

— Vou colocar Luke no bebê-conforto.

Eu só queria ter mais cinco minutos de descanso junto ao Jack. Os músculos debaixo da camiseta apoiavam meu rosto com tanta firmeza, tanta perfeição.

— Só mais um pouquinho — eu murmurei e me afundei mais. Suspirei e cochilei, vagamente ciente da conversa em voz baixa ao meu redor.

— ...tão duro o que ela está fazendo — Haven disse. — Colocando a própria vida em segundo plano...

— Qual o problema com o cara de Austin? — Hardy perguntou.

— Não é homem o bastante — Jack respondeu com desdém. E embora eu quisesse dizer algo em defesa de Dane, estava exausta demais para emitir qualquer som. Então, ou adormeci de verdade, ou um longo silêncio se passou, porque não ouvi mais nada por um bom tempo.

— Hannah — ouvi, afinal, e sacudi a cabeça, irritada. Eu estava tão confortável que só queria que aquela voz sumisse. — Hannah. — Algo macio e quente passou pelo meu rosto. — Vou levar você para seu apartamento.

Fiquei morta de vergonha ao perceber que tinha pegado no sono na frente dos três, e que estava, praticamente, no colo de Jack.

— Tudo bem. Claro. Me desculpem. — Eu me esforcei para levantar, tentando me equilibrar.

Jack estendeu os braços para me ajudar.

— Peso-mosca.

Grogue, com o rosto vermelho, eu fiz uma careta.

— Não bebi tanto assim.

— Nós sabemos — Haven disse, tentando me tranquilizar, e olhou feio para o irmão. — Você é a última pessoa com direito a dizer algo, Sr. Inércia do Sono.

— Eu levanto às sete todos os dias — Jack disse, sorrindo. — Mas não acordo antes do meio-dia. — Ele mantinha o braço ao redor do meu ombro. — Vamos lá, olhos azuis. Vou ajudar você a encontrar o elevador.

— Onde está o bebê?

— Eu dei de mamar e troquei a fralda dele — Haven disse. Hardy levantou o bebê-conforto e o passou para Jack, que o pegou com a mão livre.

— Obrigada. — Dei um olhar pesaroso para Haven quando ela me entregou a bolsa de fraldas. — Me desculpe.

— Por quê?

— Por dormir desse jeito.

Haven sorriu e deu um passo adiante para me abraçar.

— Não tem do que se desculpar. O que é um pouco de narcolepsia entre amigos? — O corpo dela era esguio e forte, e ela bateu nas minhas costas com sua mãozinha. O gesto me surpreendeu por sua naturalidade. Meio sem jeito, retribuí o abraço. — Eu gosto desta aqui, Jack — Haven disse por cima do meu ombro.

Jack não respondeu, só me conduziu na direção do corredor.

Marchei em frente, cambaleando, quase cega de exaustão. Precisei de muita concentração para colocar um pé à frente do outro.

— Não sei por que fiquei tão cansada essa noite — eu disse. — Acho que tudo me atingiu ao mesmo tempo. — Senti a mão de Jack descer até o centro das minhas costas, fazendo-me seguir em frente. Decidi falar para continuar acordada. — Você sabe, privação de sono cômica... cônica...

— Crônica?

— Isso. — Sacudi a cabeça, tentando clareá-la. — Isso causa problemas na memória e faz a pressão sanguínea subir. E pode provocar acidentes de trabalho. Por sorte eu não posso me machucar fazendo meu trabalho. A menos que eu caia para a frente e acerte a cabeça no teclado. Se algum dia você vir QWERTY impresso na minha cabeça, já sabe o que aconteceu.

— Aqui estamos — Jack disse, fazendo-me entrar no elevador. Apertei os olhos para a fileira de botões e estiquei a mão para um deles. — Não — Jack disse, paciente. — Esse é o nove, Hannah. Aperte o que está de cabeça para baixo.

— Estão todos de cabeça para baixo — eu disse, mas consegui encontrar o seis. Encostando-me no canto, cruzei os braços à frente do corpo. — Por que Haven disse para você "eu gosto desta aqui"?

— E por que ela não gostaria de você?

— É só que... ao dizer isso para você, isso quer dizer... — tentei fazer meu cérebro completar a dedução — ...alguma coisa.

Uma risada abafada escapou dele.

— Não tente pensar agora, Hannah. Deixe para mais tarde.

Aquela pareceu uma boa ideia.

— Tudo bem.

A porta do elevador abriu e eu cambaleei para fora com Jack logo atrás. Por pura sorte, e não coordenação motora, consegui digitar a senha correta no teclado da minha porta. Nós entramos no apartamento.

— Preciso preparar as mamadeiras — eu disse, tropicando na direção da cozinha.

— Eu cuido disso. Vá colocar seu pijama.

Agradecida, fui até o quarto e me troquei, vestindo uma camiseta e calça de flanela. Depois que lavei o rosto e escovei os dentes, cheguei na cozinha e Jack já tinha enchido as mamadeiras, colocado-as na geladeira e posto Luke para dormir no berço. Ele sorriu quando eu me aproximei dele, hesitante.

— Você parece uma garotinha — ele murmurou —, com o rosto lavado e brilhante. — Ele tocou meu rosto com uma mão, o polegar acariciando uma das minhas olheiras. — Uma garotinha cansada — ele sussurrou.

— Não sou uma criança — eu disse, ficando vermelha.

— Eu sei disso. — Ele me puxou para perto, os braços quentes e firmes garantindo meu equilíbrio. — Você é uma mulher forte e inteligente. Mas mesmo mulheres fortes precisam de ajuda, às vezes. Você está se acabando, Hannah. É, eu sei que você não gosta de conselhos, a menos que você os dê. Mas aqui vai um, de qualquer jeito. Você precisa começar a pensar no que vai fazer com o Luke a longo prazo.

Fiquei espantada de conseguir responder com coerência:

— Esta não é uma situação de longo prazo.

— Você não tem como saber. Ainda mais se tudo depender de Tara.

— Eu acredito que as pessoas podem mudar.

— As pessoas podem mudar os hábitos, talvez. Mas não a essência do que são. — Jack começou a massagear minhas costas e meus ombros, e apertou os músculos doloridos da minha nuca. Eu soltei um gemido fraco ao sentir a pressão deliciosa dos dedos dele. — Espero muito que Tara consiga resolver os problemas dela e se transformar em uma mãe um pouco decente, para liberar você. Mas vou ficar muito surpreso se isso acontecer. Acredito que esta situação é mais permanente do que você gostaria de admitir. Você é uma mãe recente, tenha tido chance de se preparar para isso ou não. Vai ficar esgotada se não se cuidar. Precisa dormir quando o bebê estiver dormindo. E precisa de uma creche ou de uma babá.

— Não vou ficar aqui muito tempo. Tara virá pegá-lo e eu vou voltar para Austin.

— Vai voltar para o quê? Um cara que desaparece quando você precisa dele? O que Dane está fazendo, neste momento, que é mais importante do que ajudar você? Lutando pelos direitos das samambaias em extinção?

Fiquei rígida e me afastei dele, a irritação me tirando do meu estado de fuga.

— Você não tem o direito de julgar Dane nem meu relacionamento com ele.

Jack soltou uma exclamação de pouco caso.

— Esse relacionamento de meia-tigela acabou no momento em que Dane lhe disse para não levar o bebê para Austin. Você sabe o que ele deveria ter dito? "Diacho, Hannah. É claro que vou ficar do seu lado não importa o que aconteça. Nós vamos dar um jeito. Venha para casa agora e pule na cama."

— Dane não tinha como lidar com isso e manter a empresa dele funcionando, e você não faz ideia de quantas causas ele apoia, quanta gente ele ajuda...

— A mulher dele deveria ser a causa número um.

— Poupe-me da filosofia de botequim. E pare de atacar o Dane. Quando é que você colocou uma mulher em primeiro lugar?

— Eu estou para colocar você em primeiro lugar agora mesmo, querida.

Aquele comentário poderia ser compreendido de várias formas diferentes, mas o brilho nos olhos dele sugeriu uma interpretação maliciosa. Meus pensamentos ficaram confusos e meu pulso acelerou loucamente. Não era justo que ele tentasse me seduzir quando eu estava exausta. Mas parecia que, na lista de prioridades de Jack Travis, justiça vinha muito abaixo de sexo. E era ao redor de sexo que nós nos movíamos. Desde o início. Não havia como nenhum de nós dois tirar o sexo da equação.

Sem pensar, eu me refugiei atrás da mesa como uma virgem ultrajada em algum melodrama vitoriano.

— Jack, este não é o melhor momento. Estou cansada de verdade e não consigo pensar direito.

— Por isso mesmo é o momento ideal. Se você estivesse descansada e sóbria, seria muito mais difícil discutir com você.

— Eu não faço as coisas por impulso, Jack. Eu não... — Eu parei de falar com um suspiro profundo quando ele encurtou o espaço entre nós e agarrou meu pulso. — Solte-me. — Não havia força nenhuma na minha voz.

— Com quantos homens você esteve, Hannah? — ele perguntou, a voz suave, enquanto me puxava ao redor da mesa.

— Eu acredito que as pessoas não devem contar seus números umas para as outras. Na verdade, uma vez escrevi uma coluna...

— Um, dois? — ele me interrompeu, puxando-me para mais perto.

— Um e meio. — Eu estava tremendo.

Um sorriso tomou os lábios dele.

— Como é que você pode fazer sexo com meio cara?

— Era meu namorado no ensino médio. Nós estávamos experimentando... Eu estava me preparando para ir até o fim com ele, mas antes que isso acontecesse, um dia, ao voltar para casa, eu o peguei na cama com a minha mãe.

Com uma exclamação compassiva, Jack me abraçou de forma tão cuidadosa e protetora que eu não tive como resistir.

— Já superei isso — eu concluí.

— Certo. — Ele continuou me abraçando.

— O sexo com Dane sempre foi ótimo. Nunca precisei procurar fora de casa.

— Tudo bem.

— Basicamente, não tenho esse tipo de impulso.

— Claro. — Os braços dele me apertaram e não tive escolha senão descansar a cabeça em seu ombro. Fui relaxando aos poucos. Estava tão silencioso no quarto, com nada a não ser o som da respiração dele e da minha, e o zunido do ar-condicionado.

Bom Senhor, como ele cheirava bem.

Eu não queria nada daquilo. Era como estar presa em uma montanha-russa, esperando que o passeio começasse, mas sabendo que seria terrível. Mergulhos que desafiavam a morte. Acelerações que induziam hematomas.

— Já imaginou como seria com outra pessoa? — Jack perguntou com delicadeza.

— Não.

Senti a boca dele passar pelo meu cabelo.

— Você nunca teve um momento impulsivo em que exclamou: "Que se dane!", e foi em frente?

— Eu não tenho momentos impulsivos.

— Aqui está um para você, Hannah. — Os lábios de Jack encontraram os meus, seguindo-os com insistência enquanto eu tentava evitá-los. A mão dele se curvou ao redor da minha nuca, os dedos fortes. Um choque me sacudiu, acelerando meu coração para um ritmo frenético. Ele me beijou repetidas vezes, beijos longos e indecentes, cheios de uma fricção quente, escorregadia e sedosa. Arfei ao sentir a abrasão do queixo e do rosto barbeados, da exploração insistente de sua língua.

Às cegas, procurei os pulsos dele, um atrás da minha cabeça, outro do lado, e agarrei com força, enterrando as unhas no músculo denso. Não sei se estava tentando afastar as mãos dele ou puxá-lo mais para perto. Ele continuou me beijando, explorando minhas sensações de modo rude e experiente. Eu soltei os pulsos dele e moldei meu corpo ao terreno excitante do dele. Eu nunca tinha estado desse modo tão puramente físico, sem pensar em nada, sem ter consciência de nada. Só precisando. Desejando.

Ele deslizou uma mão até meu traseiro e me puxou contra a pressão sedutora de sua ereção, e eu comecei a ofegar, arqueando o corpo em um esforço desesperado para mantê-lo ali mesmo. Os beijos dele ficaram mais suaves, sua boca absorvendo os sons que subiam da minha garganta. Eu me apertei contra ele, reunindo sensações, os músculos ficando tesos enquanto a mão dele me pressionava em um ritmo sutil. Nada jamais tinha sido tão gostoso quanto aquela boca, aquele corpo e as mãos dele, que me puxavam em sua direção até nossos quadris se massagearem em uma pulsação preguiçosa.

A tensão cresceu em um surto que prometia chegar ao êxtase... espasmos violentos, quentes, fora de controle, que me fariam morrer de humilhação. Tudo isso de um beijo e um abraço... nós dois ainda vestidos. *Não pode acontecer*, eu pensei em pânico, afastando minha boca.

— Espere — eu disse com dificuldade, meus dedos enrolados na camisa dele. — Eu tenho que parar.

Jack olhou para mim, os olhos pesados, as maçãs do rosto e a ponte do nariz tingidas de vermelho.

— Ainda não — ele disse, a voz espessa. — Nós estamos quase chegando na melhor parte. — Antes que eu pudesse emitir qualquer som, ele se curvou para tomar minha boca outra vez. Dessa vez havia intenção no ritmo dele, uma esfregação deliberada e desavergonhada. Ele me apertava, provocava, deixando que meu corpo aproveitasse o embalo.

Sabor, movimento, carícias sensuais e rítmicas, tudo puxou as sensações de êxtase numa direção. Eu estremeci de encontro a ele, soltando um grito baixo. O surto foi tão poderoso que não consegui acompanhar meus próprios batimentos cardíacos. Eu estremeci, me contraí e crispei as mãos na camisa dele. Jack prolongou o prazer, mantendo o ritmo calmo, sabendo exatamente o que estava fazendo. Quando os últimos tremores deixaram meu corpo, dissolvendo-se em um brilho incandescente, eu choraminguei e murchei contra ele.

— Oh, não. Oh, Deus. Você não devia ter feito isso.

Jack mordiscou meu queixo, minha bochecha vermelha, a pele macia do meu pescoço.

— Está tudo bem — ele sussurrou. — Está tudo ótimo, Hannah.

Nós dois ficamos em silêncio, esperando que eu recuperasse a respiração. Tão próximos como estávamos, não dava para eu deixar de notar que ele continuava excitado. Qual era a etiqueta sexual para isso? Eu tinha uma obrigação de retribuir, não?

— Eu acho — gaguejei depois de um longo momento —, que deveria fazer algo por você agora.

Os olhos noturnos de Jack brilharam de diversão.

— Está tudo bem. É por minha conta.

— Não é justo com você.

— Vá descansar. Mais tarde você pode me dizer o que tem no cardápio.

Olhei para ele, insegura, pensando no que ele poderia esperar de mim. Eu tinha uma vida sexual normal e saudável com Dane, mas nós nunca nos aventuramos em nada que pudesse ser considerado exótico.

— Meu cardápio é bem limitado — eu disse.

— Considerando o quanto eu gostei do aperitivo, não posso reclamar. — Jack me soltou com cuidado, mantendo uma mão no meu ombro quando eu oscilei. — Quer que eu a ponha na cama? — O tom dele era brincalhão e delicado. — Quer que eu a cubra?

Neguei com a cabeça.

— Vá dormir, então — Jack murmurou. Senti um tapinha no traseiro.

E assim ele saiu do apartamento enquanto eu encarava suas costas, sentindo-me atordoada, arrebatada e horrivelmente culpada. Mordi o lábio para não chamá-lo de volta.

Fui olhar Luke, que dormia profundamente, então fui até o quarto e me enfiei debaixo das cobertas. Deitada na escuridão, minha consciência maltratada saiu de sua trincheira agitando uma bandeira branca.

Eu percebi que não tinha conversado com Dane na noite anterior, nem nesta. O padrão familiar da minha vida ia desbotando como uma tatuagem temporária.

Estou em dificuldades, Dane. Acho que vou cometer um erro terrível. Não vou conseguir evitar que aconteça. Estou me perdendo. Deixe-me voltar para casa.

Se não estivesse tão exausta, teria ligado para Dane. Mas eu sabia que não seria coerente. E em um cantinho obstinado e magoado do meu coração, eu queria que Dane ligasse para mim.

Mas o telefone permaneceu em silêncio. E quando adormeci, Dane não fez parte dos meus sonhos.

Capítulo treze

Cara Srta. Independente,

Eu comecei a sair com um cara com quem não tenho nada em comum. Ele é alguns anos mais novo do que eu e temos gostos diferentes para quase tudo. Ele gosta de ficar ao ar livre, eu gosto de ambientes fechados. Ele gosta de ficção científica, eu gosto de tricotar. Apesar de tudo isso, nunca fui tão maluca por alguém. Mas receio que, como somos tão diferentes, o relacionamento esteja condenado a não dar certo. Devo terminar agora, antes de ficarmos ainda mais envolvidos?

– Leitora Preocupada de Walla Walla

Prezada Leitora Preocupada,

Às vezes, quando não estamos prestando atenção, relacionamentos acontecem. Não existe regra exigindo que duas pessoas apaixonadas sejam exatamente iguais. Na verdade, existem evidências científicas que sugerem que, geneticamente, pessoas mais diferentes têm maior tendência a relacionamentos saudáveis e duradouros.

Mas quem realmente consegue explicar os mistérios da atração? Pode pôr a culpa no Cupido. Na Lua. No formato do sorriso. Você e seu par podem ter sucesso mesmo com todas as diferenças, desde que as respeitem. Você pode gostar de seis, ele de meia dúzia. Deixe a coisa acontecer, Leitora Preocupada. Mergulhe de cabeça. Geralmente aprendemos mais sobre nós mesmas com pessoas diferentes de nós.

Fiquei encarando a tela do computador. "Deixe a coisa acontecer?", eu pensei. Eu detestava deixar as coisas acontecerem. Eu nunca ia a um lugar novo sem pesquisar muito sobre ele antes. Sempre que comprava alguma coisa, eu fazia questão de enviar os cartões de registro e garantia. Quando Dane e eu fazíamos sexo, nós usávamos preservativo, espermicida e pílula. Eu nunca ingeria alimentos que contém corante vermelho. Eu usava protetor solar com fator de proteção de dois dígitos.

Você precisa se divertir, Jack tinha me dito, e, na sequência, provou ser mais do que capaz de fornecer a diversão. Eu sentia que, se deixasse a coisa acontecer com ele, haveria muita diversão adulta envolvida. Só que a vida não era diversão; era fazer a coisa certa. A diversão era um subproduto casual para quem tivesse sorte.

Eu me encolhi ao pensar em rever Jack, imaginando no que eu diria para ele. Se pelo menos eu pudesse me abrir com alguém. Stacy. Mas eu sabia que ela contaria para o Tom, que depois diria algo para o Dane.

No meio do dia, meu celular tocou, e vi o número do Jack no identificador de chamadas. Estendi a mão para o aparelho, mas logo a recolhi, depois peguei o telefone com cuidado.

— Alô?

— Hannah, como você está? — Jack parecia tranquilo e profissional. Com o tom de voz que usava quando estava trabalhando.

— Muito bem — eu disse, desconfiada. — E você?

— Ótimo. Escute, eu fiz algumas ligações para a Verdade Eterna, esta manhã, e quero lhe contar as novidades. Por que nós não encontramos no restaurante para almoçar?

— O restaurante do sétimo andar?

— Isso. Você pode levar o Luke. Encontre-me lá em vinte minutos.

— Você não pode me contar agora?

— Não, eu preciso de companhia para almoçar.

Um sorriso me veio aos lábios.

— E eu devo acreditar que sou sua única opção?

— Não. Mas você é a minha opção favorita.

Fiquei feliz por ele não poder ver a cor que invadiu meu rosto.

— Estarei lá.

Como eu ainda estava de pijama, corri para o armário e peguei uma jaqueta de sarja, uma camisa branca, jeans e sandálias de salto plataforma. Passei o resto do tempo arrumando Luke, vestindo-o com um body limpo e uma calça jeans para bebê.

Quando tive certeza de que estávamos apresentáveis, pus Luke no bebê-conforto e pendurei a bolsa de fraldas no ombro. Nós subimos até o restaurante, um bistrô contemporâneo com mesas de vidro e cadeiras de couro e obras de arte abstratas e coloridas nas paredes. A maioria dos clientes era de profissionais; mulheres com vestido conservador, homens de terno clássico. Jack já estava lá, conversando com a *hostess*. Ele estava esguio e lindo em um terno azul-marinho e camisa azul-clara. Contrariada, refleti que Houston, ao contrário de Austin, era um lugar em que as pessoas se arrumavam para o almoço.

Jack me viu e se aproximou para pegar o bebê-conforto. Ele me deixou desconcertada ao me dar um beijo no rosto.

— Oi — eu disse, piscando. Fiquei incomodada ao perceber que tinha ficado constrangida e ofegante, como se tivesse sido pega assistindo a um filme pornô.

Jack pareceu entender exatamente o que eu estava pensando. Ele abriu um sorriso, devagar.

— Não fique se achando — eu disse para ele.

— Não estou me achando. Este é só meu jeito de sorrir.

A *hostess* nos levou até uma mesa de canto, junto às janelas, e Jack colocou o bebê-conforto na cadeira ao meu lado. Depois de me acomodar, Jack me entregou uma sacolinha de papel azul com alças de barbante.

— O que é isto? — perguntei.

— É para o Luke.

De dentro da sacolinha tirei um tratorzinho de pelúcia feito para bebês. Era macio e flexível, composto de tecidos de diferentes texturas. As rodas faziam um barulhinho quando apertadas. Sacudi o brinquedo, curiosa, e ouvi um som de chocalho. Sorrindo, mostrei o brinquedo para Luke e o coloquei em seu peito. Ele logo começou a apertar a novidade com seus dedinhos.

— Isso é um trator — eu disse para ele.

— É uma pá carregadeira articulada — Jack esclareceu.

— Obrigada. Acho que agora podemos nos livrar do coelhinho afeminado.

Nossos olhares se encontraram e eu me peguei sorrindo para ele. Eu ainda podia sentir o lugar do meu rosto que ele tinha beijado.

— Você conversou pessoalmente com Mark Gottler? — eu perguntei.

Os olhos de Jack cintilaram de diversão.

— Nós temos que começar com isso?

— Com o que mais começaríamos?

— Você não poderia me perguntar algo do tipo, "Como foi sua manhã?" ou "O que é um dia perfeito para você?".

— Eu já sei o que é um dia perfeito para você.

Ele arqueou uma sobrancelha, como se o tivesse surpreendido.

— Sabe mesmo? Quero ouvir o que você acha que é.

Eu ia dizer algo engraçado e irreverente, mas enquanto olhava para ele, refleti sobre a questão com seriedade.

— Hum... Acho que você estaria em uma casa na praia...

— Meu dia perfeito inclui uma mulher — ele disse.

— Muito bem. Você está com a namorada. Uma mulher de baixo custo.

— Não conheço nenhuma mulher de baixo custo.

— É por isso que você gosta tanto dessa! E a casa é rústica, a propósito. Nada de TV a cabo nem internet, e vocês dois desligaram os celulares. Você e ela saem para passear na praia, talvez nadar um pouco. E recolhem pedaços de vidro marinho para guardar em um pote. Mais tarde, os dois vão de bicicleta até a cidade e param na loja de pesca para comprar coisas... minhocas...

— Moscas, não minhocas — Jack disse, sem tirar os olhos dos meus.

— Moscas artificiais.

— Para que tipo de peixe?

— Cantarilho.

— Ótimo. Então você vai pescar...

— A namorada não vai? — ele perguntou.

— Não, ela fica em casa para ler.

— Ela não gosta de pescar?

— Não, mas ela acha ótimo que você pesque, e diz que é saudável que vocês tenham interesses distintos. — Eu faço uma pausa. — Ela prepara um sanduíche grande e separa duas cervejas para você.

— Estou gostando dessa mulher.

— Você sai com seu barco e volta para casa com um belo peixe que põe na churrasqueira. Você e a mulher jantam, depois sentam com os pés para cima e conversam. Às vezes param de falar para ouvir os sons do oceano. Depois disso, vocês vão para a praia com uma garrafa de vinho e se sentam em um cobertor para assistir ao pôr do sol. — Terminei e olhei para ele, esperando a reação. — Que tal?

Eu pensei que Jack acharia graça da minha história, mas ele me encarava com uma seriedade desconcertante.

— Fantástico. — E então ele ficou quieto, olhando para mim como se estivesse tentando adivinhar o truque de um mágico.

O garçom se aproximou de nós, descreveu os pratos do dia, anotou nosso pedido de bebidas e nos deixou com uma cesta de pães.

Estendendo a mão para o copo de água, Jack passou o polegar pela umidade condensada do lado de fora. Então ele me fitou como se estivesse aceitando um desafio.

— Minha vez — ele disse.

Eu sorri, achando graça.

— Você quer adivinhar meu dia perfeito? É muito fácil. Só precisaria ter cortinas blecaute, tampões de ouvido e doze horas de sono.

Mas ele me ignorou.

— É um belo dia de outono...

— Não existe outono no Texas. — Estiquei a mão para pegar um cubo de pão recheado com manjericão.

— Você está de férias. Em um lugar em que existe outono.

— Estou sozinha ou com Dane? — perguntei, mergulhando um canto do pão em um pratinho de azeite de oliva.

— Você está com um cara. Mas não é o Dane.

— Dane não faz parte do meu dia perfeito?

Jack meneou a cabeça lentamente, negando enquanto me observava.

— Um cara novo.

Dando uma mordida no pão denso e delicioso, decidi deixá-lo prosseguir.

— Por onde eu e o Cara Novo estamos viajando?

— Nova Inglaterra. Provavelmente New Hampshire.

Curiosa, pensei nisso.

— Nunca estive tão ao norte.

— Vocês estão hospedados em um hotel antigo, com varanda, lustres de cristal e jardins.

— Parece bonito — eu admiti.

— Você e o cara estão indo de carro até as montanhas para ver as folhas coloridas das árvores, e vocês encontram uma cidadezinha onde está acontecendo uma feira de artesanato. Vocês param e compram uns livros usados e empoeirados, uma pilha de enfeites de Natal feitos à mão e uma garrafa do mel mais autêntico. Vocês voltam para o hotel e tiram uma soneca com as janelas abertas.

— Ele gosta de sonecas?

— Normalmente, não. Mas ele faz uma exceção por você.

— Eu gosto desse cara. Então, o que acontece quando nós acordamos?

— Vocês se vestem para tomar drinques e jantar, e descem para o restaurante. Na mesa ao lado da de vocês tem um casal idoso que parece estar junto há pelo menos cinquenta anos. Você e o cara tentam adivinhar o segredo de um casamento tão longo. Ele diz que é muito sexo bom. Você diz que é estar com alguém que a faz rir todos os dias. Ele diz que pode fazer as duas coisas.

Não pude deixar de sorrir.

— Ele é bastante seguro de si, não?

— É, mas você gosta disso nele. Depois do jantar, vocês dois dançam ao som da orquestra presente.

— Ele sabe dançar?

Jack fez que sim com a cabeça.

— A mãe dele fez com que ele tivesse aulas quando estava na escola.

Eu me forcei a comer mais um pedaço do pão, mastigando devagar. Mas, por dentro, eu estava abalada, tomada de um desejo inesperado. Então, eu entendi o problema: ninguém que eu conhecia teria imaginado esse dia para mim.

Este é um homem que poderia partir meu coração, eu pensei.

— Parece divertido — eu disse, despreocupada, ocupando-me com Luke, ajeitando o tratorzinho. — Tudo bem, o que Gottler disse? Ou você falou com a secretária? Nós conseguimos uma reunião?

Jack sorriu diante da brusca mudança de assunto.

— Sexta-feira de manhã. Eu falei com a secretária dele. Quando mencionei a questão de contratos de manutenção, ela tentou me encaminhar para outro departamento. Então sugeri que era uma questão pessoal, que talvez eu quisesse entrar para a igreja.

Eu o fitei, cética.

— Mark Gottler concordaria em ter uma reunião particular com você na esperança de fazê-lo ingressar na congregação?

— Claro que concordaria. Sou um pecador conhecido, com um monte de dinheiro. Qualquer igreja me aceitaria.

Eu tive que rir.

— Você já não é membro de alguma igreja?

Jack meneou a cabeça.

— Meus pais eram de duas igrejas diferentes, de modo que fui criado como batista e metodista. O problema é que ainda hoje eu não sei se posso dançar em público. E durante algum tempo eu pensei que quaresma fosse um tipo de árvore.

— Eu sou agnóstica — eu disse. — Eu seria ateia, mas acredito em proteger minhas apostas.

— Eu gosto de igrejas pequenas.

Eu dei um olhar inocente para ele.

— Quer dizer que estar em um estúdio de TV com dez mil metros quadrados, telões, efeitos de som e iluminação integrados não faz você se sentir mais próximo de Deus?

— Não sei se devo levar uma pagã como você para a Verdade Eterna.
— Aposto que levo uma vida mais virtuosa que você.
— Primeiro, querida, isso não quer dizer muita coisa. Segundo, atingir um nível espiritual mais elevado é como melhorar sua nota de crédito. Você ganha muito mais pontos ao pecar e se arrepender do que se não tiver nenhum histórico de financiamento.

Estendendo a mão para Luke, brinquei com um dos pezinhos de meia.
— Por este bebê — afirmei —, eu faria qualquer coisa, inclusive mergulhar na fonte batismal.
— Vou me lembrar disso para quando precisar — Jack disse. — Por enquanto, pense em uma lista de coisas que Tara pode precisar, e vamos ver se conseguimos fazer Gottler aceitá-la na sexta.

A Irmandade da Verdade Eterna tinha um site na internet e uma página na Wikipédia. O pastor principal, Noah Cardiff, era um homem atraente, na faixa de 40 anos, casado, com cinco filhos. Sua esposa, Angelica, era uma mulher magra e charmosa, que usava sombra nos olhos que seria suficiente para cobrir o teto de um ônibus. Logo ficou evidente que a Verdade Eterna era mais um império do que uma igreja. De fato, o jornal *Houston Chronicle* a tinha chamado de "megaigreja", que possuía uma frota de jatos executivos, pista de pouso e imóveis que incluíam mansões, instalações esportivas e sua própria editora. Fiquei espantada de saber que a Verdade Eterna também possuía seu próprio campo de petróleo e gás, administrado por uma subsidiária chamada Petróleo Eterno Ltda. A igreja empregava mais de cinco mil pessoas e possuía um conselho administrativo composto por doze membros, dos quais cinco eram parentes de Cardiff.

Não consegui encontrar nenhum vídeo de Mark Gottler no YouTube, mas achei alguns de Noah Cardiff. Ele era carismático e charmoso, fazia algumas piadas autodepreciativas e garantia para sua congregação mundial todas as coisas boas que o Criador reservava para seus fiéis. Ele possuía um visual angelical, com cabelo preto, pele clara e olhos azuis. De fato, assistir ao vídeo no YouTube fez com que eu me sentisse tão bem que, se passassem uma cesta de donativos naquele momento, eu teria colocado vinte dólares nela. E se Cardiff exercia esse tipo de efeito em uma feminista agnóstica, não dava para imaginar o que um crente poderia ser levado a doar.

Na sexta-feira, a babá chegou às 9 horas. Seu nome era Teena e ela parecia amigável e competente. Foi Haven quem a indicou, disse que tinha feito um ótimo trabalho com seu sobrinho. Fiquei receosa em deixar Luke aos cuidados de outra pessoa – essa era a primeira vez que nos separávamos –, mas também fiquei aliviada por ter uma folga.

Conforme combinamos, encontrei Jack na recepção do térreo. Eu me atrasei alguns minutos, por ter me detido para dar instruções de último minuto para a Teena.

— Desculpe. — Eu apertei o passo ao me aproximar de Jack, que estava parado ao lado do balcão da recepção. — Não pretendia me atrasar.

— Está tudo bem — Jack disse. — Nós ainda temos muito... — Ele parou de falar quando olhou para mim, de boca aberta.

Constrangida, levantei a mão e mexi no cabelo, colocando uma mecha atrás da orelha. Eu vestia um terno preto justo, feito de lã fria, e calçava escarpins de salto alto com tiras delicadas que cruzavam na frente. Eu estava usando uma maquiagem leve; sombra castanha iluminadora nos olhos, rímel preto, um toque de blush rosado e brilho labial.

— Estou bem? — perguntei.

Jack assentiu em silêncio, o olhar vidrado.

Eu reprimi um sorriso ao perceber que ele nunca tinha me visto arrumada. E o terno me caía bem, com o corte valorizando minhas curvas.

— Achei que esta roupa seria mais adequada à igreja do que jeans e coturno.

Não tive certeza de que Jack me ouviu. Parecia que a cabeça dele estava pensando em algo totalmente diferente. Minha suspeita foi confirmada quando ele disse, entusiasmado:

— Você tem pernas incríveis.

— Obrigada. — Eu dei de ombros, modesta. — Eu faço ioga.

Isso pareceu disparar mais uma rodada de pensamentos. Pensei que Jack tivesse ficado um pouco corado, embora fosse difícil de ter certeza devido ao bronzeado dele.

— Imagino que você seja bem flexível — ele comentou, a voz parecendo um pouco tensa.

— Eu não era a mais flexível da minha turma — eu disse, antes de acrescentar, acanhada: —, mas consigo colocar os calcanhares atrás da cabeça. — Segurei um sorriso quando ouvi um chiado na respiração dele. Vendo que a SUV de Jack já estava parada na frente do prédio, passei por ele, que veio logo atrás de mim.

A Verdade Eterna ficava a apenas oito quilômetros de distância. Embora eu tivesse pesquisado na internet e visto imagens das instalações, arregalei os olhos, espantada, quando passamos pelo portão da frente. O edifício principal era do tamanho de um ginásio esportivo.

— Meu Deus — eu disse. — Quantas vagas de estacionamento tem aqui?

— Parece que, pelo menos, duas mil — Jack respondeu, ainda dirigindo.

— Bem-vindos à igreja do século 21 — murmurei, preparada para não gostar de nada da Verdade Eterna.

Quando nós entramos, fiquei espantada com a grandiosidade do lugar. O saguão era dominado por um telão gigantesco de LED que mostrava vídeos de famílias felizes fazendo piqueniques, passeando por locais ensolarados, pais balançando crianças em parquinhos, lavando o cachorro e famílias indo à igreja.

Estátuas de cinco metros de Jesus e dos apóstolos guardavam as entradas para uma praça de alimentação e um espaço de convivência fechado com vidro verde-esmeralda. Painéis de malaquita verde e madeira de cerejeira revestiam as paredes, e quilômetros quadrados de carpete imaculado cobriam o chão. A livraria do outro lado do saguão estava cheia de gente. Todo mundo parecia animado; as pessoas paravam para conversar e rir, enquanto música inspiradora envolvia a todos.

Eu tinha lido que a Verdade Eterna era tanto admirada quanto criticada por sua mensagem de saúde e riqueza. O Pastor Cardiff enfatizava, com frequência, que Deus queria que a congregação dele desfrutasse de prosperidade material além de desenvolvimento espiritual. Na verdade, ele insistia que as duas coisas andavam lado a lado. Se um dos membros da igreja passava por dificuldades financeiras, ele precisava rezar mais para ter sucesso. Dinheiro, ao que parecia, era uma recompensa pela fé.

Eu não sabia o bastante de teologia para participar de uma discussão, mas, por instinto, desconfiava de qualquer fé que fosse tão bem empacotada e vendida. Por outro lado... as pessoas pareciam felizes. Se a doutrina funcionava para elas, se satisfazia suas necessidades, será que eu tinha algum direito de questioná-las? Perplexa, parei ao lado de Jack quando um recepcionista sorridente se aproximou de nós.

Após uma breve consulta em voz baixa, o recepcionista nos conduziu, com serenidade, até uma escada rolante que ficava logo depois de imensas colunas de mármore. Subimos até um espaço arejado, iluminado pelo sol e cercado de vidro esmeralda e uma cornija de arenito com a inscrição: EU VIM PARA QUE TENHAM VIDA, E QUE A TENHAM COM ABUNDÂNCIA. JOÃO, 10:10

Uma secretária estava à nossa espera no alto da escada rolante. Ela nos conduziu até um escritório com uma espaçosa sala de reuniões, onde havia uma mesa com seis metros de comprimento, feita de madeiras exóticas e uma faixa de vidro colorido no centro.

— Uau! — eu exclamei, examinando as poltronas enormes de couro, a grande TV de tela plana, as conexões de dados para notebooks e os monitores individuais para videoconferência. — As instalações são impressionantes.

A secretária sorriu.

— Vou dizer ao Pastor Gottler que vocês chegaram.

Eu olhei para Jack, que estava apoiado na borda da mesa.

— Você acha que Jesus pregaria em um lugar destes? — perguntei assim que a secretária saiu.

— Não comece. — Ele me deu um olhar de advertência.

— De acordo com o que eu li, a mensagem da Verdade Eterna é que Deus quer que todos nós sejamos ricos e bem-sucedidos. Então eu acredito que você está um pouco mais perto do céu do que o resto de nós, Jack.

— Se você deseja blasfemar, Hannah, sou totalmente a favor. *Depois* que formos embora.

— Não consigo evitar. Alguma coisa neste lugar me incomoda. Você tem razão, parece a Disneylândia. E, na minha opinião, estão alimentando o rebanho com porcaria espiritual.

— Um pouco de porcaria nunca matou ninguém — Jack disse.

A porta foi aberta e um homem loiro e alto entrou na sala.

Mark Gottler era atraente e parecia envolto em um ar de nobreza. Ele era robusto, com as bochechas cheias, parecia ser apreciador da boa comida e estava bem-arrumado. Gottler tinha um aspecto de que estava acima do rebanho, de quem aceitava calmamente a reverência. Não dava para imaginá-lo à mercê das necessidades fisiológicas humanas.

Era *esse* o homem com quem minha irmã tinha transado?

Os olhos de Gottler eram da cor de caramelo. Ele olhou para Jack e foi até ele com a mão estendida.

— É ótimo vê-lo de novo, Jack. — Com sua mão livre, ele cobriu por um breve instante as mãos dadas, fazendo um aperto com as duas mãos. Podia-se tomar aquilo como um gesto controlador ou um excepcionalmente caloroso. A expressão agradável de Jack não mudou.

— Vejo que você trouxe uma amiga. — Gottler continuava com o sorriso quando estendeu a mão para mim. Eu a apertei e recebi o mesmo cumprimento com as duas mãos. Então me retraí, irritada.

— Meu nome é Hannah Varner — eu disse, antes que Jack pudesse nos apresentar. — Acho que você conhece minha irmã, Tara.

Gottler soltou minhas mãos para me encarar. O olhar gentil permaneceu intacto, mas o ar ficou frio o bastante para congelar vodca.

— Sim, eu conheço Tara — ele disse, abrindo um sorriso fraco. — Ela trabalhou no nosso departamento administrativo. Ouvi falar um pouco de você, Hannah. É uma colunista de fofocas, certo?

— Quase — respondi.

Gottler olhou para Jack, os olhos opacos.

— Fui levado a acreditar que você vinha me procurar em busca de aconselhamento.

— E vim — Jack disse, tranquilo, puxando uma cadeira de sob a mesa e gesticulando para eu me sentar. — Há um problema sobre o qual quero conversar com você. Só que o problema não é meu.

— Como você e a Srta. Varner se conhecem?

— Hannah é uma grande amiga minha.

Gottler olhou para mim.

— Sua irmã sabe que você está aqui?

Eu neguei com a cabeça, imaginando a frequência com que ele conversava com Tara. Por que um homem casado, com a profissão dele, assumiria aquele risco todo, tendo um caso com uma jovem instável e ainda a engravidando? Fiquei assustada ao perceber que dezenas de milhões de dólares, ou mais, estavam em risco por causa daquela situação. Um escândalo sexual seria um golpe enorme na igreja, para não dizer que significaria o fim da carreira de Mark Gottler.

— Eu disse para Hannah — Jack começou — que acreditava que você talvez tivesse alguma ideia de como nós poderíamos ajudar Tara. — Uma pausa proposital. — E o bebê. — Sentando-se na cadeira ao lado da minha, ele se recostou, à vontade. — Você já o viu?

— Receio que não. — Gottler foi até o outro lado da mesa de reuniões. Ele se demorou para se acomodar em uma poltrona. — A igreja faz o que pode por nossos irmãos e irmãs necessitados, Jack. Pode ser que, no futuro, eu tenha a chance de conversar pessoalmente com Tara sobre a assistência que poderemos fornecer a ela. Mas esse é um assunto particular. Acho que Tara gostaria de mantê-lo assim.

Não gostei nem um pouco de Mark Gottler. Não gostei da delicadeza dele, nem da autoconfiança presunçosa, nem do cabelo perfeito. Não gostei também do fato de ele ter sido pai e não se dar o trabalho de ver a criança.

Havia homens demais no mundo que conseguiram escapar à responsabilidade pelos filhos que geraram. Meu próprio pai era um deles.

— Como você sabe, Sr. Gottler — eu disse, serena —, minha irmã não está em posição de cuidar dos assuntos particulares dela. Tara está vulnerável. É fácil se aproveitar dela. E é por isso que eu mesma quis conversar com você.

O pastor sorriu para mim.

— Antes de nos aprofundarmos nesse assunto, vamos tirar um momento para orar.

— Não vejo por que... — eu comecei.

— Claro — Jack me interrompeu, empurrando minha perna debaixo da mesa. Ele me deu um olhar de advertência. *Cuidado, Hannah.*

Eu fiz uma careta e me contive, baixando a cabeça.

— Querido Pai celestial — Gottler começou —, Senhor do nosso coração, Doador de todas as coisas boas, nós oramos, hoje, por Sua paz. Pedimos que nos ajude a transformar quaisquer momentos de negatividade em oportunidades para encontrarmos o Seu caminho e resolver nossas diferenças...

A oração continuou e continuou, até eu chegar à conclusão de que Gottler ou estava enrolando, ou tentando nos impressionar com sua oratória. De qualquer modo, fiquei impaciente. Eu queria falar sobre Tara, queria que decisões fossem tomadas. Quando ergui a cabeça para espiar Gottler, descobri que ele fazia o mesmo comigo, avaliando a situação e eu como adversária. Mesmo assim, ele continuou falando:

— ...como Você criou o universo, Senhor, pode certamente fazer com que boas coisas aconteçam com nossa irmã Tara e...

— Ela é minha irmã, não sua — eu o interrompi. Os dois homens olharam, surpresos, para mim. Eu sabia que deveria ter mantido a boca fechada, mas não conseguia aguentar mais. Meus nervos estavam tensos como as cordas de um violino.

— Deixe o homem orar, Hannah — Jack murmurou. A mão dele pousou no alto das minhas costas e seu polegar massageou minha nuca. Fiquei rígida, mas em silêncio.

Eu entendi. Os rituais tinham que ser observados. Nós não conseguiríamos nada enfrentando o pastor. Eu baixei a cabeça e esperei enquanto ele continuava a oração. Ocupei-me fazendo inspirações profundas de ioga, de modo contínuo e relaxado. Eu sentia o polegar de Jack na minha nuca, fazendo círculos com uma pressão agradável. Gottler, enfim, encaminhou-se para a conclusão:

— Que Você nos conceda sabedoria e ouvidos atentos, Senhor Todo-Poderoso e Misericordioso. Amém.

— Amém — Jack e eu murmuramos juntos e levantamos a cabeça. Jack retirou a mão das minhas costas.

— Posso falar primeiro? — Jack pediu a Gottler, que aquiesceu.

Jack voltou seu olhar questionador para mim.

— Claro — murmurei, ácida. — Que vocês homens acertem tudo enquanto eu escuto.

— Não vejo necessidade de entrarmos nos detalhes da situação, Mark — Jack disse, relaxado e com a voz gentil. — Acho que todos nós sabemos o que está acontecendo. E também gostaríamos de manter tudo isso em particular, tanto quanto você.

— É bom saber — Gottler disse, com sinceridade inconfundível.

— Eu imagino que todos nós desejamos a mesma coisa — Jack continuou. — Que Tara e Luke fiquem amparados e que todos continuem a levar a vida.

— A igreja ajuda muita gente necessitada, Jack — Gottler disse, razoável. — Sinto dizer que existem muitas jovens na mesma situação de Tara. E nós fazemos todo o possível. Mas se ajudarmos Tara mais do que ajudamos as outras, receio que isso chame atenção indesejável para a situação.

— E quanto a um teste de paternidade ordenado pela justiça? — perguntei, rígida. — Isso também chamaria atenção, não acha? E que tal...

— Calma, querida — Jack murmurou. — Mark está querendo nos dizer algo. Dê uma chance a ele.

— Espero que queira, mesmo — eu retruquei —, porque pagar pelo tratamento de Tara na clínica é só o começo. Eu quero uma poupança para o bebê e quero...

— Srta. Varner — Gottler disse —, eu já tinha decidido oferecer um contrato de emprego para Tara. — Afrontado por meu escárnio evidente, ele acrescentou: — Com benefícios.

— Parece interessante — Jack comentou, segurando minha coxa debaixo da mesa e forçando-me a ficar quieta na poltrona. — Vamos ouvir o que ele tem a dizer. Continue, Mark... que tipo de benefícios? Estamos falando de algum tipo de auxílio-moradia?

— Com certeza isso pode ser arranjado — o pastor concedeu. — Leis tributárias federais permitem que ministérios forneçam alojamento para seus empregados, então, se Tara trabalhar para nós, isso não violaria quaisquer proibições de benefícios pessoais. — Gottler fez uma pausa, pensativo. — A igreja possui um rancho em Colleyville que inclui um condomínio fechado com dez casas. Todas são cercadas, têm piscina e ficam em um terreno de quatro mil metros quadrados. Tara e o bebê poderiam morar lá.

— Sozinhas? — eu perguntei. — Com contas, manutenção e taxas pagas?

— Possivelmente — ele concedeu.

— Por quanto tempo? — eu insisti.

Gottler ficou em silêncio. Era evidente que havia limites para o que a Verdade Eterna estava disposta a fazer por Tara Varner, ainda que um de seus principais pastores a tivesse engravidado. Por que eu precisava estar ali, arrancando de Mark Gottler algo que ele já deveria ter oferecido?

Meus pensamentos devem ter ficado visíveis no meu rosto, porque Jack interveio rapidamente:

— Não estamos interessados em soluções temporárias, Mark, já que o bebê agora é parte permanente da vida de Tara. Acho que nós vamos ter que criar algum tipo de contrato promissório, com garantias para ambas as partes. Nós podemos oferecer a garantia de que ninguém vai falar com a mídia, que a criança não será submetida a testes genéticos para determinação de paternidade... o que o deixar mais à vontade. Mas, em troca, Tara vai precisar de um carro, um pagamento mensal para despesas, seguro-saúde e talvez uma poupança para o bebê... — Jack fez um gesto para indicar que a lista era mais extensa do que ele estava disposto a falar.

Gottler fez um comentário sobre ter que conseguir autorização do conselho administrativo, e então Jack sorriu, dizendo não acreditar que Gottler fosse ter algum problema nessa instância. Durante os minutos seguintes, eu escutei, meio impressionada, meio enojada. Eles terminaram concordando que os dois lados deixariam seus advogados cuidarem dos detalhes.

— ...você tem que me dar um tempo para resolver isso — Gottler disse para Jack. — Vocês jogaram isso em cima de mim sem nenhum aviso.

— Sem nenhum aviso? — repeti, incrédula e ríspida. — Você teve nove meses para pensar nisso tudo. Não tinha lhe ocorrido até agora que você poderia ter que fazer algo por Luke?

— Luke — Gottler disse, parecendo estranhamente preocupado. — Esse é o nome dele? — Ele piscou algumas vezes. — Mas é claro.

— Por que esse "mas é claro"? — eu quis saber, mas ele só respondeu com um sorriso sem graça e um meneio de cabeça.

Jack me fez levantar junto com ele.

— Nós vamos deixar que você volte aos seus assuntos, Mark — ele disse. — Vamos ter esse cronograma em mente. E eu gostaria de ser informado assim que você conversar com os membros do conselho, como mencionou.

— Claro, Jack.

Gottler nos conduziu para fora da sala de reuniões e passamos por várias portas duplas, colunas, fotografias e placas. Eu fui lendo as placas enquanto caminhávamos, quando um grande arco de arenito sobre uma porta de castanheira preta com um vitral chamou minha atenção. Na pedra estava gravado: POIS PARA DEUS NADA SERÁ IMPOSSÍVEL. LUCAS, 1:37.

— Para onde dá essa porta? — perguntei.

— Para o meu escritório, na verdade. — Um homem, vindo de outra direção, tinha se aproximado da porta. Ele parou e se virou para nós, sorrindo.

— Pastor Cardiff — Gottler se apressou a dizer. — Estes são Jack Travis e a Srta. Hannah Varner.

Noah Cardiff apertou a mão de Jack.

— É um prazer, Sr. Travis. Tive a oportunidade de conhecer seu pai recentemente.

— Espero que não o tenha conhecido num dia ruim. — Jack sorriu.

— De modo nenhum. Ele é um cavalheiro fascinante. Das antigas. Tentei convencê-lo a comparecer a um dos meus cultos, mas ele disse que ainda não tinha terminado de pecar. Disse que me avisaria quando chegasse a hora.

Ele era deslumbrante. Um homem grande, embora não tão alto quanto Jack, com uma constituição mais esguia. Enquanto Jack parecia com um atleta e se movia como tal, Noah Cardiff possuía a graça de um bailarino. Era impressionante ver os dois lado a lado, Jack com sua atração sensual e mundana, e Cardiff, refinado e belo com austeridade.

O pastor tinha a pele clara, do tipo que corava com facilidade, e seu nariz era estreito, com a ponte alta. Seu sorriso era angelical e ligeiramente acanhado – o sorriso de um mortal com a consciência da fragilidade humana. Os olhos eram os de um santo, azul-claros e benevolentes, com uma expressão que fazia a pessoa se sentir, de algum modo, ungida.

Conforme ele se aproximou para apertar minha mão, senti os aromas de lavanda e especiarias.

— Srta. Varner, seja bem-vinda ao nosso local de devoção. Espero que sua reunião com o Pastor Gottler tenha transcorrido bem. — Pausando, ele deu um sorriso zombeteiro para Gottler. — Varner... nós não tivemos uma secretária...?

— Sim, a irmã dela, Tara, presta serviços para a igreja de tempos em tempos.

— Espero que ela esteja bem — Cardiff me disse. — Por favor, transmita-lhe meus cumprimentos.

Eu concordei, insegura.

Cardiff me encarou por um instante, parecendo ler meus pensamentos.

— Nós iremos orar por ela — ele murmurou. Com a mão graciosa, ele gesticulou para a placa sobre a porta de seu escritório. — Meu versículo favorito, do meu apóstolo favorito. É verdade, sabe. Nada é impossível para o Senhor.

— Por que o apóstolo Lucas é seu favorito? — perguntei.

— Entre outras coisas, porque Lucas, ou Luke, é o único discípulo que conta as parábolas do Bom Samaritano e do filho pródigo. — Cardiff sorriu para mim. — E ele é um forte apoiador do papel das mulheres na vida de Cristo. Por que você não vem a um de nossos cultos, Srta. Varner? Venha e traga seu amigo Jack.

Capítulo catorze

Quando Jack e eu saímos, repassei mentalmente a reunião. Massageei as têmporas, sentindo como se tiras de borracha tivessem sido amarradas, bem apertadas, em volta da minha cabeça.

Jack abriu a porta do SUV para mim e foi para o outro lado. Nós ficamos parados, com as portas abertas, deixando o calor escapar do interior do veículo antes de entrarmos.

— Não suporto esse Mark Gottler — eu disse.

— Sério? Nem deu para perceber.

— Enquanto ele falava, fiquei aturdida ao tomar consciência de que, diante de mim, estava o babaca hipócrita que tinha se aproveitado da minha irmã e que eu gostaria de... bem, não sei, dar um tiro nele ou algo assim... Mas em vez disso ficamos lá, negociando.

— Eu sei. Mas ele está assumindo a responsabilidade. Vamos dar algum crédito a ele por conta disso.

— Ele só está fazendo isso porque nós o estamos obrigando. — Eu franzi a testa. — Você não está do lado dele, está?

— Hannah, eu passei uma hora e quinze minutos com o pé no traseiro dele. Não, não estou do lado de Mark, só estou dizendo que a culpa por essa situação não é toda dele. Tudo bem, podemos entrar agora. — Jack ligou o carro. O ar-condicionado soprou, ineficaz, no calor escaldante.

Eu afivelei o cinto de segurança.

— Minha irmã está em uma clínica, vítima de um colapso nervoso após ser seduzida por um pastor casado. Será que você está insinuando que isso tudo é culpa *dela*?

— Estou dizendo que todos têm culpa. E Tara não foi seduzida. Ela é uma mulher adulta que usa o corpo para conseguir o que quer.

— Vindo de você, isso é um pouco hipócrita, não acha? — perguntei, ofendida.

— A verdade é esta, Hannah: sua irmã vai conseguir uma casa, um carro novo e uma mesada de quinze mil dólares por mês. Tudo isso apenas porque conseguiu engravidar de um cara com dinheiro. Mas não importa o quão bom seja o acordo que os advogados vão negociar, porque um dia ela vai ter que arrumar outro ricaço. O problema é que não vai ser tão fácil da próxima vez, porque ela vai estar mais velha.

— Por que você não pode acreditar que ela vai se casar? — eu perguntei, cada vez mais irritada.

— Ela não vai se conformar com um cara normal. Ela quer um ricaço. E ela não é do tipo com o qual eles se casam.

— É, sim. Ela é linda.

— Beleza é um ativo que perde valor. E é a única qualidade da Tara. Em termos financeiros, ela é um ativo para negociação imediata, não algo que se compra para manter a longo prazo.

Aquela avaliação franca me fez perder o fôlego.

— É dessa forma que os caras ricos pensam?

— A maioria de nós.

— Meu Deus. — Eu estava furiosa. — Você deve supor que toda mulher que conhece está de olho na sua carteira.

— Não. Mas vamos dizer que é fácil identificar as que me deixariam no mesmo instante que eu ficasse sem dinheiro.

— Não dou a mínima para seu dinheiro...

— Eu sei disso. É um dos motivos porque eu...

— ...e se você odeia tanto minha irmã, por que está se dando ao trabalho de ajudá-la?

— Eu não a odeio. Não mesmo. Só consigo ver como ela é. Estou fazendo tudo isso pelo Luke. E por você.

— Por mim? — A perplexidade fez com que eu esquecesse da raiva, e encarei Jack com os olhos arregalados.

— Não existem muitas coisas que eu não faria por você, Hannah — ele disse em voz baixa. — Ainda não percebeu?

Enquanto eu fiquei imóvel, em um silêncio atordoado, ele colocou o SUV em movimento.

Insatisfeita, irritada e praticamente assada – ia demorar até o ar-condicionado ter algum efeito no forno em que tinha se transformado o interior do carro –, eu fiquei quieta durante algum tempo. Eu via minha irmã de modo muito diferente de Jack. Eu a amava. Será que isso não me deixava enxergar a verdade? Será que Jack compreendia a situação melhor do que eu?

Ouvi meu telefone tocar. Enfiando a mão na bolsa, vasculhei lá dentro até encontrar o aparelho.

— É Dane — eu disse, abruptamente. Era raro ele me ligar durante o dia. — Você se importa se eu atender?

— Pode atender. — Jack continuou a dirigir de olho no tráfego. Veículos se amontoavam e paravam como células tentando passar por uma artéria bloqueada.

— Dane. Está tudo bem?

— Olá, querida. Tudo está ótimo. Como foi a reunião?

Contei um resumo para Dane, que escutou com uma compreensão reconfortante, sem fazer nenhuma das críticas que Jack tinha feito. Era um alívio conversar com alguém que não me irritava. Eu percebi que estava conseguindo relaxar, o ar-condicionado me soprava como um vento glacial.

— Ei, eu estava pensando — Dane disse. — Você quer companhia amanhã à noite? Vou até aí perto pegar um medidor de fluxo, em Katy, para um sistema que estamos construindo. Nós podemos sair para jantar e passar um tempo juntos. Assim eu posso conhecer esse cara com quem você tem passado tanto tempo. — Eu congelei até Dane acrescentar, rindo: — Mas não vou trocar a fralda dele.

Minha risada de resposta foi um pouco nervosa demais.

— Não precisa trocar nenhuma fralda. Sim, nós vamos adorar encontrar com você. Mal posso esperar.

— Ótimo, eu devo chegar amanhã entre 4 e 5 horas da tarde. Tchau, querida.

— Tchau, Dane.

Desligando o telefone, vi que tínhamos chegado ao 1800 Main e entrávamos na garagem subterrânea.

Jack encontrou um lugar perto dos elevadores e estacionou o SUV. Ele desligou o carro e me encarou no interior escuro.

— Dane vem me visitar amanhã — eu disse, tentando parecer despreocupada, mas só consegui mostrar nervosismo.

— Por quê? — A expressão de Jack era indecifrável.

— Ele vem pegar um equipamento em Katy. E, já que vai estar por perto, quer me ver.

— Onde ele vai ficar?

— Comigo, é claro.

Jack ficou em silêncio por um longo momento. Pode ter sido minha imaginação, mas pensei que a respiração dele ficou tensa.

— Eu consigo um quarto de hotel para ele — Jack disse, afinal. — Eu pago.

— Por que você... o quê?

— Não quero que ele passe a noite com você.

— Mas ele é meu... — eu parei de falar e o encarei, sem acreditar. — O que é isso? Jack, eu *moro* com ele.

— Não mora mais. Você mora aqui. E... — Uma pausa curta, cortante. — Eu não quero que você faça sexo com ele.

Primeiro eu fiquei mais perplexa do que brava. Jack parecia ter regredido a um modo primitivo que eu nunca tinha visto antes – certamente não em Dane. Esse Jack parecia possessivo, e o fato de querer opinar quando e com quem eu podia fazer sexo não era menos que assombroso.

— Isso não tem nada a ver com você — eu disse.

— Não vou ficar parado enquanto ele toma o que é meu.

— *Seu?* — Eu meneei a cabeça, soltando um som indefinido, algo entre uma risada e uma exclamação de protesto. Levei os dedos à frente da boca, onde ficaram suspensos como uma cortina de renda em frente a uma janela aberta. Foi um processo doloroso encontrar palavras suficientes para responder. — Jack, meu namorado está vindo me visitar. Talvez eu faça sexo com ele. Talvez não. Mas isso não é da sua conta. E não gosto desse tipo de joguinho. — Inspirei fundo e me vi repetindo: — Eu não gosto de joguinhos.

A voz de Jack estava suave, mas carregava um tom selvagem que pôs em pé todos os pelos do meu corpo.

— Não estou fazendo nenhum joguinho. Estou tentando lhe dizer como me sinto.

— Entendi. Agora eu preciso de espaço.

— Eu lhe dou todo o espaço que você quiser. Desde que ele também dê.

— O que isso significa?

— Não permita que ele fique naquele apartamento com você.

Eu estava recebendo ordens. Sendo controlada. Um pânico sufocante começou a tomar conta de mim e eu abri a porta do carro, precisando de ar.

— Pare com isso — eu disse, arfando de raiva. Desci do carro e fui na direção dos elevadores com Jack logo atrás.

Apertei o botão do elevador com tanta força que quase torci o dedo.

— É por isso que sempre vou escolher Dane ou alguém como ele, em vez de você. Eu *nunca* vou receber ordens sobre o que fazer. Sou uma mulher independente.

— Papo furado — eu o ouvi murmurar. A respiração dele não estava melhor que a minha.

Com raiva, eu me virei para encará-lo.

— O *quê?*

— Isso não tem porra nenhuma a ver com independência. Você está com medo porque sabe que se começar algo comigo, eu vou levá-la para um lugar ao qual você e Dane nunca foram. Ele não a apoia e já provou isso. Ele a deixou na mão e agora vai ser recompensado transando com você?

— Cale a boca! — Eu estava farta. E eu, que nunca bati em ninguém na vida, acertei o braço dele com minha bolsa pesada, uma hobo de couro, produzindo um baque alto, mas ele pareceu não notar.

A porta do elevador se abriu, jogando luz sobre o concreto e os ladrilhos. Nenhum de nós se moveu para entrar; só ficamos parados, olhando um para o outro enquanto a discussão ganhava força.

Pegando-me pelo punho, Jack me puxou para a parede ao lado do elevador, em um canto escuro cheirando a gás de escape e combustível.

— Eu quero você — ele murmurou. — Livre-se dele e fique comigo. O único risco é você perder alguém que já não tem. Ele não é o que você precisa, Hannah. Eu sou.

— Inacreditável... — eu disse, enojada.

— O que é inacreditável?

— Seu ego! Envolto em uma nuvem própria de antimatéria. Você é um buraco negro de... de arrogância!

Jack ficou me encarando em meio às sombras, então ele desviou o rosto e eu pensei ter visto o branco de um sorriso.

— Você está se *divertindo*? — eu perguntei. — O que há de tão engraçado?

— Eu estava pensando que, se o sexo com você for um décimo da diversão que é discutir com você, vou ser um homem feliz.

— Você nunca vai descobrir. Você...

Ele me beijou.

Fiquei tão furiosa que tentei acertá-lo de novo com a bolsa, mas ela caiu no chão e eu perdi o equilíbrio nos meus saltos altos. Jack me segurou e continuou me beijando, abrindo minha boca com a dele... Eu senti o gosto quente e doce de seu hálito mentolado... Eu senti o gosto de Jack.

Desesperada, eu me perguntei por que não era assim com Dane. Mas o modo como a boca de Jack tomava a minha, a articulação úmida de cada beijo, cada impacto suculento... tudo isso era bom demais para eu resistir. Ele me puxou para perto lentamente com a língua. Quando mais fundo ele ia, mais eu desmoronava de encontro a ele, meu corpo inteiro saturado de desejo.

As mãos dele passearam por cima do meu terno preto, acariciando-me, agarrando-me de leve. Minha pele ferveu debaixo da camada delicada de lã.

Jack levou os dedos até meu rosto, puxando meu cabelo para trás, e senti um tremor em sua mão, a vibração de um desejo intenso. Segurando-me pela nuca, ele enfiou os dedos no meu cabelo e me beijou. Eu tremi ao sentir a mão livre dele soltando os três fechos cobertos de tecido que prendiam a frente do meu paletó. Este se abriu, revelando a camisete cor de creme sustentada por duas tiras fininhas.

Jack murmurou algo; uma imprecação ou oração, e levou a mão por baixo da camisete, encontrando a pele macia da minha cintura. Nós dois tremíamos, a essa altura, envolvidos demais, famintos demais para parar. Ele puxou o tecido para cima, revelando uma área particular que cintilou, branca, nas sombras. Ele baixou a cabeça na direção do seio, sua boca procurando o bico. Inspirei fundo quando senti o deslizar sinuoso da língua dele, um puxão firme e molhado. Cada carícia mandava um raio de prazer para o fundo do meu abdome. Fervendo, recostei a cabeça na parede dura e fria, meus quadris se contorcendo para a frente.

Jack se endireitou e tomou minha boca de forma agressiva, sua mão deslizando por cima do meu seio. Beijos longos e eróticos... mordidas e lambidas... até eu estar embriagada com as sensações. Meus braços se curvaram ao redor do pescoço dele, puxando sua cabeça com mais força para a minha, e ele aceitou a oferta com um som baixo e selvagem. Eu nunca tinha sentido uma excitação tão desesperada, querendo mais, querendo dizer para ele fazer *o que quiser, qualquer coisa, não ligo, mas faça já*. Eu passei a mão pela frente do corpo dele, pelos músculos poderosos cobertos pelo terno elegante, e isso me excitou ainda mais, pensar no que havia debaixo daquelas camadas.

Ele agarrou minha saia e a puxou bruscamente, e eu arfei ao sentir o ar nas minhas pernas, o frio contra o calor torturante da minha pele e dos meus nervos. Ele passou a mão por dentro do elástico da minha calcinha, procurando entre minhas coxas, minha parte sensível úmida, se abrindo para a invasão de seus dedos. Senti a respiração dele no meu pescoço, os músculos brutais de seus braços se contraindo sob a minha mão. Ele enfiou um dedo em mim, depois outro. Fechei os olhos, ficando fraca enquanto o polegar dele deslizava delicadamente sobre meu clitóris, e seus dedos iam fundo com perícia. A cada investida, as juntas dos dedos dele atingiam um lugar enlouquecedor lá dentro. O prazer era desorientador... debilitante... incapacitante.

Pela primeira vez na vida, eu quis algo mais do que segurança. Eu quis Jack com uma intensidade que ia além da opção ou da razão. Eu tateei o cinto dele, o zíper, o botão, abrindo suas calças. Eu o segurei, imenso e ereto.

Retirando os dedos, Jack tirou minha saia e calcinha do caminho. Ele me levantou com uma facilidade chocante. A noção do quanto ele era forte enviou uma torrente de excitação por todo meu corpo. Abandonada, envolvi o pescoço dele com meus braços e deitei a cabeça em seu ombro. *Sim. Sim.* Ele entrou em mim e eu me contorci ao redor de sua espessura impossível. Beijando meu pescoço, ele murmurou para que eu relaxasse, que ele cuidaria de mim, que eu só o deixasse fazer aquilo, que só o deixasse entrar... Ele deslizou meu peso para baixo até que a ponta dos meus pés tocou o chão e uma força deliciosa e inexorável me abriu.

Era arrebatadoramente erótico fazer sexo vestida, empalada daquele modo, choramingando dentro da boca faminta dele. Jack determinava a cadência das investidas e cada vez que ele ia fundo, meus músculos se crispavam com o prazer daquilo, contraindo-se desamparados, recebendo-o mais e mais. Eu tive espasmos enquanto cavalgava naquele calor, meus membros se apertaram ao redor daquele corpo grande e firme até a pura plenitude das sensações me jogar em um orgasmo intenso, quase insuportável. Jack tomou meu grito engasgado em sua boca, abafando os sons que eu produzi. Ele investiu fundo, parou e estremeceu, perdendo a respiração ao encontrar seu próprio clímax.

Um longo tempo se passou antes que qualquer um de nós se movesse. Eu estava agarrada nele, nossos sexos conectados em sua umidade, minha cabeça abandonada sobre o ombro dele. Eu me sentia drogada. Eu sabia que muito em breve, quando minha cabeça voltasse a funcionar, eu iria sentir certas coisas que queria evitar. Começando com vergonha. Havia tantas coisas erradas no que tínhamos feito que eu estava assombrada.

A pior parte era como aquilo tinha sido bom, e continuava sendo, com o corpo dele no meu, seus braços firmes ao meu redor.

Uma das mãos de Jack apertou minha cabeça com mais força em seu ombro, como se ele estivesse tentando me proteger de algo. Ouvi uma imprecação abafada.

— Nós acabamos de transar na garagem — eu disse, com a voz fraca.

— Eu sei, querida — ele sussurrou. Jack começou a se mover, tirando-me de cima dele, e eu soltei um som de incômodo. Eu estava molhada, um pouco dolorida e todos os meus músculos tremiam. Encostada na parede, deixei que ele recolocasse minhas roupas no lugar e abotoasse meu paletó. Depois de arrumar as próprias roupas, ele encontrou minha bolsa e me devolveu. Eu não consegui olhar para ele, nem mesmo quando pegou minha cabeça entre as mãos.

— Hannah. — O hálito dele, misturado à essência salgada do sexo e da pele quente, produziam um aroma erótico sublime. Eu queria mais dele.

Essa percepção levou lágrimas de frustração aos meus olhos. — Eu vou levar você para o meu apartamento — Jack murmurou. — Vamos tomar um banho e...

— Não, eu... eu preciso ficar sozinha.

— Coração. Eu não queria que acontecesse desse jeito. Venha para minha cama. Me deixe fazer amor com você do modo certo.

— Não é necessário.

— É sim. Claro que é — a voz dele estava baixa e urgente. — Por favor, Hannah. Não foi assim que eu planejei nossa primeira vez. Eu posso fazer com que isso fique tão melhor para você. Eu posso...

Eu toquei os lábios dele com meus dedos. A respiração dele estava escaldante e suave. Eu ia falar, mas a porta do elevador se abriu com um apito. Pulei ao ouvir o som. Um homem saiu e foi até seu carro, os passos ressoando ocos no concreto.

Esperei até o carro sair da garagem para começar a falar.

— Escute-me — eu disse, hesitante. — Se o que eu quero, ou o modo como me sinto, significa algo para você... tem que me dar um pouco de espaço. Neste momento, eu atingi o limite do que aguento suportar. Esta é a primeira vez em que faço sexo com alguém além de Dane. Eu preciso de um tempo para pensar. — Hesitante, estendi a mão para tocar o queixo firme dele. — Você não precisa me mostrar mais nenhum efeito especial — acrescentei. — Na verdade, pensar nisso é um pouco assustador.

— Hannah...

— Você tem que me dar espaço — insisti. — Eu lhe aviso quando, ou se, estiver pronta para mais. Até lá... Não quero ver você nem ouvi-lo. A pessoa que preciso ver neste momento é Dane. A pessoa com quem preciso tomar decisões agora é Dane. Se houver espaço para você na minha vida depois disso, vai ser o primeiro a saber.

Eu era, provavelmente, a primeira mulher a falar dessa maneira com Jack Travis. Mas esse era o único modo que eu sabia lidar com ele. Pois eu tinha certeza de que, do contrário, estaria nua na cama dele em menos de quinze minutos.

Jack me pegou pelo punho, afastando minha mão que acariciava seu rosto, e me encarou com um olhar penetrante e raivoso.

— Droga. — Ele me puxou para seus braços e me manteve perto de seu corpo, respirando com dificuldade. — Eu tenho umas dez coisas que queria falar para você neste momento. Mas pelo menos nove delas me fariam parecer um psicopata.

Apesar da seriedade da situação, eu quase sorri.

— Qual é a décima? — perguntei com o rosto baixo.

Ele hesitou, refletindo sobre o que dizer.

— Deixe para lá — ele grunhiu. — Essa também me faria parecer um psicopata.

Levando-me até o elevador, ele apertou o botão. Nós subimos em silêncio. Jack pôs as mãos nos meus ombros, na minha cintura, nos meus quadris, como se não conseguisse evitar de me tocar. Eu queria me virar para ele e deixá-lo me abraçar, e subir até o apartamento dele. Em vez disso eu saí do elevador quando chegamos ao sexto andar, e Jack me seguiu.

— Você não precisa me acompanhar até a porta — eu disse.

Ele fez uma careta e me seguiu até chegarmos ao apartamento. Eu estava para digitar a senha no teclado quando Jack me segurou pelos ombros e me virou para ele. O modo como ele me encarou fez cada centímetro visível da minha pele corar. Ele levou a mão até minha nuca.

— Jack...

Então ele me beijou abruptamente. Meus lábios se entreabriram diante da pressão exigente. Foi um beijo lascivo, escaldante, de derreter o cérebro... não que tivesse sobrado muito para derreter. Eu o empurrei, tentando interromper aquilo, mas ele continuou até eu amolecer de encontro a ele. Só então ele recuou e olhou para mim com desejo e um lampejo de triunfo masculino.

Ele parecia sentir que tinha provado alguma coisa.

Passou pela minha cabeça que todo aquele acontecimento tinha sido um modo de marcar território. "Homens são como cachorros", Stacy gostava de dizer. E ela normalmente gostava de acrescentar que, como os cachorros, homens também ocupavam espaço demais na cama e sempre tentavam alcançar a virilha.

De algum modo, eu consegui digitar a senha correta no teclado e entrar no apartamento.

— Hannah...

— A propósito, eu tomo pílula — eu disse.

Antes que ele pudesse responder, eu fechei a porta com firmeza na cara dele.

— Oi, Hannah — disse Teena, a babá, com empolgação. — Como foi sua reunião?

— Foi ótima. Como está o Luke?

— Limpo e alimentado. Acabei de colocá-lo no berço.

O móbile girava devagar, ursos e potes de mel circulando em um ritmo preguiçoso.

— Algum problema enquanto estive fora? — perguntei.

— Bem, ele ficou um pouco agitado depois que você saiu, mas logo se acalmou. — Teena riu. — Os garotos não gostam de ver a mamãe sair sem eles.

Meu coração descompassou. *Mamãe*. Pensei em corrigi-la, mas o esforço não pareceu valer a pena. Eu paguei pelo trabalho de Teena e a acompanhei até a porta. Depois fui tomar um banho.

A água quente me acalmou e relaxou, diminuindo minhas dores e meus tremores. Mas não fez nada com a minha culpa. Pela primeira vez eu senti o remorso duplo por ter traído alguém... Remorso por ter cometido a traição, em primeiro lugar, e também por ter gostado tanto.

Suspirando, enrolei meu cabelo com uma toalha, vesti um robe e fui ver Luke. O móbile tinha parado e estava tudo quieto.

Indo na ponta dos pés até o lado do berço, eu espiei lá dentro, imaginando que o bebê estaria dormindo. Mas Luke me encarou daquele jeito tranquilo dele.

— Você não dormiu ainda, Luke? — sussurrei. — O que está esperando?

No instante em que ele me viu, começou a se agitar e sua boca se curvou em um sorriso de bebê.

O primeiro sorriso dele.

Fiquei pasma com aquela reação espontânea dele ao me ver. *É você. Eu estava esperando você*. E senti uma dor deliciosa que viajou até o fundo da minha alma, que me fez esquecer de tudo, exceto daquele momento. Eu tinha conquistado aquele sorriso. Eu queria conquistar mais um milhão de sorrisos. Sem pensar, eu me debrucei sobre Luke e o tirei do berço, derramando beijos naquele rostinho quente e na boquinha sorridente. Inspirei seu cheiro inocente de talco e fraldas.

Eu nunca tinha sentido tanta felicidade.

— Olhe só para você — murmurei, encostando o nariz no pescoço dele. — Olhe só para esse sorriso. Oh, você é o garoto mais amado, o bebê mais querido...

Meu garoto. Meu Luke.

Capítulo quinze

— Uau — Dane disse quando entrou no apartamento, depois de um abraço demorado à porta. Ele observou a decoração profissional, as janelas enormes com a vista espetacular, e deu um assobio de aprovação.

— É bem legal, não é? — perguntei com um sorriso.

Dane estava o mesmo de sempre, caloroso, tranquilo e atraente. Ele era mais baixo e magro do que Jack, e como resultado nós nos encaixávamos perfeitamente quando nos abraçávamos. Vê-lo fez com que eu me lembrasse, no mesmo instante, de todas as razões pelas quais eu tinha começado a namorar com ele. Dane era o homem que me conhecia melhor do que ninguém, que nunca me deixava insegura. É raro encontrar durante a vida alguém que temos certeza de que nunca irá nos magoar, nem nos deixar confusos com manipulação moral. Dane fazia parte desse grupo de pessoas.

Mostrei Luke para ele, que admirou o bebê com atenção, observando quando o coloquei no balancinho. Pendurei um móbile com brinquedos coloridos para Luke ficar olhando e fui me sentar ao lado de Dane no sofá.

— Eu não tinha ideia de que você era tão boa com bebês — Dane disse.

— E não sou. — Peguei a mão de Luke e mostrei como empurrar um cachorrinho de plástico de um lado para outro do aro. Luke deu um puxão e grunhiu. — Mas estou ficando boa com esse aqui. Ele está me treinando.

— Você está diferente — Dane notou, recuando para o canto do sofá para poder me olhar melhor.

— Estou cansada — concordei, com a voz triste. — São as olheiras.

— Não, nada disso. Você está ótima. Tem um... brilho nos olhos.

— Obrigada. — Eu ri. — Não consigo imaginar por quê. É provável que seja felicidade por ver você. Senti sua falta, Dane.

— Também senti sua falta. — Ele estendeu a mão e me puxou sobre ele, até eu estar meio deitada, o cabelo caindo no rosto dele. Os dois botões superiores da camisa de cânhamo dele estavam abertos, revelando seu peito liso e dourado. Senti um cheiro familiar e pungente de limpeza, do desodorante de sal mineral que ele usava. Afetuosamente, aproximei-me para beijar aqueles lábios que eu tinha beijado milhares de vezes. Mas o contato suave não trouxe a mesma doçura e o mesmo conforto que costumava trazer. Na verdade, causou uma coceira, uma aversão estranha.

Afastei a cabeça. Dane me puxou para mais perto, e isso me fez sentir um arrepio, algo *des*conhecido, nem um pouco agradável. Como era possível?

Com essa sensação, eu fiquei rígida e Dane soltou os braços, me encarando com curiosidade.

— O que foi, nada na frente do bebê?

Eu me afastei dele, confusa.

— Acho que é isso. Eu... — Minha garganta apertou. Pisquei repetidas vezes, sentindo os olhos arderem. — Eu tenho que lhe contar uma coisa — eu disse, rouca.

— Tudo bem. — O tom dele era delicadamente encorajador.

Eu precisava contar o que tinha feito com Jack? Como poderia explicar aquilo? Sem saber o que fazer, fiquei sentada, olhando para ele. Pareceu que todos os poros do meu corpo passaram por um congelamento e descongelamento rápido, produzindo uma camada desconfortável de suor. A expressão de Dane mudou.

— Querida — ele murmurou —, eu sei ler nas entrelinhas. E não pude deixar de reparar que, sempre que nos falamos, o nome de outra pessoa fica aparecendo na conversa. Então, vou começar para você... "Dane, ultimamente tenho passado muito tempo com Jack Travis..."

— Eu tenho passado muito tempo com Jack Travis — repeti e algumas lágrimas correram.

Dane parecia paciente e nem um pouco surpreso. Ele pegou uma das minhas mãos e a segurou.

— Conte-me. Eu posso ser seu amigo, Hannah.

— Pode? — Eu funguei.

— Eu sempre fui seu amigo.

Eu levantei em um salto e fui até a cozinha pegar uma toalha de papel, depois voltei assoando o nariz. Empurrei a cadeirinha de balanço de Luke até ela começar o movimento, e o bebê olhou com atenção para os brinquedos que se agitavam no aro.

— Está tudo bem, Luke — eu disse para o bebê, embora ele ignorasse minha crise emocional. — Adultos também choram às vezes. É um processo muito natural e n-normal.

— Eu acho que ele está lidando bem com isso — Dane disse, olhando para meu rosto aflito com um sorriso torto. — Vem cá, vamos conversar.

Sentei ao lado dele e soltei um suspiro trêmulo.

— Eu queria que você tivesse a capacidade de ler a mente. Eu queria que você soubesse de tudo, mas que eu não precisasse lhe contar. Porque existem certas coisas que eu não queria ter que dizer em voz alta.

— Não existe nada que não possa me contar, e você sabe disso.

— Eu sei, mas nunca tive que explicar meu envolvimento com outro cara. Eu me sinto tão culpada, mas consigo aguentar.

— Seu limite de culpa sempre foi muito baixo — ele disse, gentil.

— É errado eu querer Jack, e é uma burrice, mas não consigo parar com isso. Eu sinto tanto, Dane. Eu sinto mais do que poderia imaginar...

— Espere. Antes que você continue... não precisa se desculpar. Acima de tudo, não se desculpe por seus sentimentos. Os sentimentos nunca estão errados, pois são só isso. Agora, conte-me.

Eu não contei tudo para Dane, é claro. Mas eu disse o suficiente para ele entender que minha forma de levar a vida, muito bem pensada, com todo cuidado, estava se desfazendo. E que eu estava ficando obsessivamente atraída por um homem pelo qual nunca deveria ter sentido atração. Estava perdida, sem saber o porquê.

— Jack é inteligente — eu disse. — Mas ele pode ser grosseiro. E é um machão tradicional. Ele é o típico atleta de colégio pelo qual todas as garotas suspiram, e que eu sempre detestei.

— Eu também.

— Mas Jack às vezes me surpreende com um comentário ou uma reflexão que acertam em cheio. E ele é honesto, curioso, falante e possivelmente a pessoa menos tímida que já conheci. Ele me faz rir e diz que preciso ser mais espontânea.

— Nisso ele tem razão.

— Bem, existe lugar e hora para espontaneidade. E esta não é a fase da minha vida que posso pensar em me divertir. Eu tenho muitas responsabilidades.

— O que ele pensa do bebê?

— Jack gosta dele. Ele gosta de crianças.

— Sendo um sujeito tradicional, ele provavelmente quer ter uma família — Dane comentou, observando-me com atenção.

— Eu já contei para o Jack como me sinto a respeito de casamento e família. Então ele sabe que isso nunca vai acontecer comigo. Eu acho que a atração que ele sente vem do fato de eu ser uma novidade. Eu o atraio, principalmente, porque não estou correndo atrás dele.

— Você atrai todo mundo, Hannah. Você é uma mulher linda.

— Mesmo? — Olhei para ele com um sorriso tímido. — Você nunca me disse isso.

— Não sou bom nesse tipo de coisa — Dane admitiu. — Mas você é linda. Do tipo bibliotecária gostosa.

Meu sorriso ficou ácido.

— Obrigada. Acho que isso atrai o Jack.

— O que você tem em comum com esse cara?

— Não muito. Dá para dizer que somos completamente opostos. Mas você sabe o que mais me atrai, e que é esquisito? A conversa.

— Conversa sobre o quê?

— Sobre qualquer coisa — eu disse, sincera. — Nós começamos a conversar e é como sexo, uma troca ininterrupta. Estamos os dois *lá*, você entende o que eu quero dizer? Nós ficamos nos provocando. E algumas conversas parecem acontecer em vários níveis diferentes ao mesmo tempo. Mas mesmo quando discordamos de algo, existe um tipo estranho de harmonia. Uma conexão.

Dane me encarou, pensativo.

— Então, se a conversa parece sexo, como é o sexo?

— Eu...

Eu abri e fechei a boca. Atormentada, considerei várias formas de explicar que até então nós só tínhamos feito o que poderia ser descrito como um ótimo beijo de boa-noite e uma rapidinha na garagem. E que as duas coisas tinham sido espetaculares. Não, não havia palavras.

— Informação confidencial — eu disse, envergonhada.

Por um momento nós ficamos em silêncio, os dois surpresos por eu estar escondendo algo, quando sempre contei tudo para Dane, sem reservas. Nosso relacionamento sempre foi completamente transparente. Isso era novidade, esse conceito de que havia uma parte da minha vida que Dane não podia remexer à vontade.

— Você não está bravo? — perguntei. — Nem com ciúme?

— Talvez com ciúme — Dane admitiu lentamente, como se isso fosse uma surpresa para ele. — Mas bravo, não. Nem possessivo. Porque a verdade é esta: eu não quero um relacionamento tradicional e nunca vou querer. Mas se você quiser explorar isso com Travis, explore. Você não precisa de permissão, pois não tenho o poder para lhe dar. E você vai fazer isso de qualquer modo.

Não pude deixar de refletir sobre a diferença entre Dane e Jack, que era infinitamente mais exigente e possessivo. Muito mais difícil de lidar. Um tremor de inquietude me sacudiu.

— Para ser honesta — sussurrei —, não me sinto tão segura com ele como me sinto com você.

— Eu sei.

A sombra de um sorriso tocou meus lábios.

— Como você sabe?

— Pense de onde vem a segurança, Hannah.

— Da confiança?

— Sim, em parte. Mas também da ausência de risco. — Ele tirou um fio de cabelo colado na minha bochecha molhada e o prendeu atrás da orelha. — Talvez você precise se arriscar. Talvez você precise estar com alguém que a provoque um pouco.

Eu me arrastei até ele e deitei minha cabeça em seu peito. Ficamos assim durante algum tempo, parados a não ser pelo suspiro eventual. Nós dois ficamos quietos, reconhecendo que algo terminava e outro começava.

Dane tocou meu queixo, levantou meu rosto e me beijou com delicadeza. Só então eu compreendi que Dane tinha sido sempre um amigo com quem eu fazia sexo, e como isso era totalmente diferente de se ter um amante que podia ser um amigo.

— Ei — Dane disse suavemente. — Você acha que devemos fazer mais uma vez, pelos velhos tempos? Como uma despedida? Um *bon voyage*?

Olhei para ele com um sorriso triste.

— Em vez disso, posso apenas acertar você com uma garrafa de champanhe?

— Minha nossa, vamos pelo menos beber uma garrafa antes — ele disse e eu me levantei para pegar as bebidas de que tanto precisávamos.

Tentei ligar para Jack no dia seguinte. Depois de deixar duas mensagens na caixa postal do celular, percebi que ele não estava com pressa de me ligar. Isso me preocupou e aborreceu.

— Eu sabia que alguma coisa estava acontecendo — Haven disse quando telefonei para ela à tarde. — Jack está com o humor péssimo. Na verdade, todo mundo do escritório ficou aliviado quando ele saiu para inspecionar o canteiro de obras de um projeto que está administrando. Do contrário, acho que a Helen, secretária dele, acabaria jogando a máquina de plastificar na cabeça dele.

— Eu tive que resolver algumas coisas quando Dane veio me visitar — eu disse. — Então pedi um pouco de espaço para o Jack. Acho que ele não aceitou muito bem.

A voz de Haven soou divertida.

— Não, acho que não mesmo. Mas nunca tive a impressão de que ele é bom em conseguir recuar quando quer algo.

— Bem, ele está recuando bastante agora — eu disse, amarga. — Ele não retornou minhas ligações.

— Hannah, é provável que eu não devesse meter meu nariz nos assuntos do Jack, ainda mais porque eu sempre fico possessa quando ele faz isso comigo...

— Continue — eu disse. — Estou pedindo a sua opinião. Não é meter o nariz quando alguém a convida a participar.

— Muito bem — Haven disse, alegre. — Eu acho que Jack está tão confuso que não sabe o que fazer. Ele não está acostumado a sentir ciúme de ninguém. Jack sempre está tranquilo, sempre por cima, e acho que você o acertou de jeito. E, eu preciso falar, estou adorando.

— Por quê? — perguntei, zonza de esperança e nervosismo.

— Eu sempre vi Jack sair com mulheres do tipo herdeira, modelos ou atrizes de miolo mole. E acho que é porque ele sempre quis evitar *isso*... estar completamente maluco por alguém e vulnerável. Os homens Travis *detestam* essa sensação. Mas eu acho que um pouco de sofrimento pode fazer bem para Jack... abalá-lo de um modo positivo.

— Posso lhe contar algo confidencial?

— Sim, o quê?

— Jack fez um escândalo porque Dane ia ficar no meu apartamento. Ele queria que Dane ficasse em um hotel.

— Bem, isso é bobagem. Você viveu com Dane durante anos. Se quisesse fazer sexo com ele, não faria muita diferença se ele estivesse no seu apartamento ou em um hotel.

— Eu sei. Mas Dane ficou no meu apartamento, noite passada. E estou imaginando se Jack pode ter descoberto.

Haven riu.

— Hannah, nada acontece neste prédio que Jack não fique sabendo. É provável que ele tenha pedido à recepção que o informasse no exato momento em que Dane fosse embora.

— Eu não fiz sexo com Dane — eu disse, na defensiva.

— Você não tem que me explicar nada.

— Foi terrível. Dane começou dormindo no sofá, mas o choro do bebê o manteve acordado, até que eu, afinal, mandei Dane para o quarto e fiquei no sofá. Posso dizer, com toda certeza, que depois da noite passada Dane nunca vai querer se reproduzir por vontade própria. E agora ele fugiu de volta para Austin, e Jack, ao que parece, não fala mais comigo.

Haven soltou uma risada.

— Pobre Hannah. Meu palpite é que Jack esteja tentando entender qual deve ser a próxima jogada.

— Se você tiver chance, pode pedir para ele me ligar?

— Não, tive uma ideia melhor. O aniversário do meu pai é amanhã à noite. A mulher que ele está namorando, Vivian, vai dar uma festa para ele na casa da família em River Oaks. Todos os Travis vão estar lá, incluindo Jack, meus outros irmãos e minha cunhada. Venha comigo e Hardy.

— Não vou dar uma de penetra na festa da sua família — eu disse, pouco à vontade.

— Você vai ser minha convidada. Mas, mesmo que não fosse, metade de Houston vai de penetra.

— Não tenho presente para seu pai.

— Vivian pediu que, em vez de presentes, todos fizessem doações para as instituições de caridade favoritas do meu pai. Vou lhe dar uma lista e você pode doar pela internet, se quiser.

— Tem certeza de que está tudo bem? — Eu estava morrendo de vontade de ir a essa festa. Estava muito curiosa para conhecer o resto da família de Jack e ver a casa em que ele tinha crescido.

— Tenho. A festa é semicasual. Você tem um vestidinho legal para usar?

— Tenho um vestido azul-claro transpassado.

— Ótimo. Essa é a cor favorita dele. Oh, Hannah, vai ser tão divertido.

— Para você, talvez — eu disse, taciturna.

River Oaks era o único bairro de Houston em que era concebível que Churchill Travis morasse, pois não dava para ser mais chique que isso. Localizado no centro geográfico de Houston, era uma das comunidades mais ricas do país. De acordo com Haven, placas de "vende-se" não eram permitidas em River Oaks. Quando uma casa ficava disponível, normalmente recebia diversas ofertas e era vendida em poucos dias. Advogados, empresários, operadores de fundos de investimentos, cirurgiões e celebridades esportivas tinham escolhido viver no paraíso sombreado de pinheiros e carvalhos, perto da Galleria, da Universidade Rice e das melhores escolas particulares do Texas.

Algumas das casas em River Oaks têm mais de três mil metros quadrados, mas a mansão Travis era, de certa forma, pequena em sua categoria, com mil e duzentos. Ela era agraciada, contudo, com a vista da cidade, estando localizada em uma elevação na margem do rio. Ao passarmos por jardins viçosos e esplanadas, tudo iluminado pela luz dourada do pôr do sol, arregalei os olhos diante das fileiras de casas neogeorgianas, coloniais, vilas toscanas e *châteaux* franceses. Parecia não existir um estilo arquitetônico típico de Houston, mas sim um catálogo de épocas e lugares, feito através de construções grandiosas.

— Você vai adorar a festa, Hannah — Haven disse, virando-se no banco da frente da Mercedes de Hardy. — Vivian sabe dar ótimas festas; a comida e a música são sempre fantásticas. Que eu saiba, ela só teve um fracasso, mas que foi tão épico que acabou sendo meio descolado.

— Por que foi um fracasso?

— Bem, Peter Jackson era um dos convidados ilustres, então Vivian fez uma homenagem ao Senhor dos Anéis. Ela escavou todo o quintal dos fundos e reconstruiu com formações de rochas e quedas d'água.

— Isso não parece tão ruim — comentei.

— Não, a parte ruim foi que Vivian contratou um grupo de escoteiros locais para se vestirem de hobbits e ficarem andando pela festa. Eles espalharam pelos por toda casa e papai teve alergia. Ele reclamou por semanas. — Haven fez uma pausa. — Mas tenho certeza de que ela não vai fazer nada assim hoje.

— Comece a beber assim que chegar lá — Hardy me aconselhou.

A mansão Travis, uma estrutura majestosa em pedra, ocupava um lote de doze mil metros quadrados. Nós passamos por portões de ferro abertos e nos aproximamos do estacionamento, repleto de veículos caros. Uma garagem imensa, com portas de vidro operadas por controle remoto, exibia um Bentley, uma Mercedes e um Shelby Cobra, além de pelos menos outros sete carros. Aquilo parecia uma máquina dos deuses. Manobristas de paletó branco estacionavam os carros reluzentes em lugares bem demarcados, com o cuidado de pais que colocam seus filhos amados para dormir.

Fiquei um pouco atordoada ao acompanhar Haven e Hardy pela trilha até chegarmos à turba agitada e resplandecente. Música tocada ao vivo preenchia o ar, com uma barulhenta seção de metais acompanhando um cantor de uma banda conhecida que vinha sendo festejado por seu papel coadjuvante em um filme de Spielberg. O cantor, ainda na faixa dos 20 anos, entoava "Steppin' Out With My Baby" em um ritmo terno.

Senti como se estivesse entrando em uma realidade alternativa. Talvez um set de filmagem. A cena era linda, mas parecia bizarro que existissem pessoas vivendo daquele modo, que esse excesso todo fosse lugar-comum para elas.

— Eu já estive em festas antes... — comecei, mas fiquei quieta, com medo de parecer caipira.

Hardy olhou para mim, seus olhos azuis cintilando de diversão.

— Eu entendo. — Percebi que ele entendia mesmo que, embora tudo aquilo fosse bastante familiar para Haven, devia ser algo muito exótico para o garoto criado em um estacionamento de trailers na zona leste de Houston.

Eles formavam um casal interessante; Hardy tão grande, com seu jeito de garoto do interior, Haven pequena e sofisticada. Com toda aquela diferença de tamanho, contudo, eles pareciam combinar muito bem. Qualquer observador de fora não podia deixar de reparar na química que existia entre os dois, uma admiração entusiasmada da inteligência um do outro, uma consciência mutuamente provocativa. Mas também muito carinho. Eu notei isso pela forma como Hardy olhava para Haven quando ela estava com a atenção em outra coisa. Ele parecia querer carregá-la para longe dali e guardá-la toda para si. Eu invejei a capacidade que eles pareciam ter de serem tão próximos e, mesmo assim, não se sentirem aprisionados ou sufocados.

— Vamos primeiro tirar meu pai do caminho — Haven disse, conduzindo-nos para dentro da casa. Ela estava espetacular em um vestido curto feito de organza enrugada, cor de bronze, e com uma saia justa em um estilo que só poderia ser usado por uma mulher extremamente magra.

— Você acha que Jack já está aqui? — perguntei.

— Não, ele nunca chega cedo às festas.

— Você contou para ele que tinha me convidado?

Haven negou com a cabeça.

— Não tive como. Ele ficou fora de alcance a maior parte do dia.

Jack tinha me ligado pela manhã, mas eu estava no chuveiro e deixei a secretária atender. Ele deixou uma mensagem breve, dizendo que estava em uma reunião em Woodlands, ao norte de Houston, e ficaria fora a maior parte do dia. Quando retornei a ligação, caí na caixa postal. Não deixei mensagem, acreditando que precisava me vingar depois de ele ter evitado minhas ligações no dia anterior.

Demoramos um pouco para abrirmos caminho em meio ao circuito completo das salas. Haven e Hardy conheciam todos os presentes. Um garçom veio com uma bandeja de champanhe em copos gelados. Eu peguei um e bebi agradecida, o líquido borbulhante fazendo cócegas na minha língua. Parada ao lado de uma pintura original da Frida Kahlo, observei o ambiente enquanto Haven se livrava habilmente de uma mulher que estava decidida a fazê-la entrar na Sociedade Orquidário de Houston.

A idade dos convidados abrangia uma ampla variedade. Todas as mulheres estavam perfeitamente maquiadas e calçavam saltos impossivelmente altos. Os homens estavam bem-arrumados, vestidos com esmero. Fiquei feliz de estar usando meu melhor vestido, um azul-pálido de malha, que transpassava à frente dos seios em um V que valorizava meu corpo. Era um vestido simples, clássico, me fazia parecer voluptuosa, com a barra na altura dos joelhos, mostrando minhas pernas. Eu calçava sandálias prateadas de saltos altos, que me deixaram preocupada, pensando que eram exageradas, até eu ver o que as outras mulheres presentes estavam usando. A definição de semicasual em Houston parecia incluir uma quantidade generosa de joias e acessórios, em contraste com o semicasual de Austin, que sugeria, basicamente, vestir camisa e sapatos.

Eu tinha aplicado mais maquiagem que de costume. Nos olhos, fiz um esfumado com sombra cinza e passei duas camadas de rímel. Meus lábios estavam cobertos por um gloss cor-de-rosa, em um tom delicado. E consegui elaborar um penteado que deixou meu cabelo com mais movimento, podia senti-lo batendo nas bochechas toda vez que virava a cabeça. Não teve necessidade de blush – minhas faces estavam naturalmente coradas, com a intensidade de um toque febril.

Eu sabia que alguma coisa iria acontecer naquela noite; algo muito bom ou muito ruim.

— Ele está lá fora — Hardy relatou a Haven, que gesticulou para que eu os acompanhasse.

— Jack? — perguntei, perplexa.

— Não, meu pai. — Haven sorriu e fez uma cara cômica. — Venha, você vai conhecer alguns Travis.

Nós abrimos caminho até um vasto gramado nos fundos da casa. As árvores tinham recebido uma teia de luzes brancas; toldos cintilantes se estendiam, altos, sobre uma pista de dança lotada. Havia convidados sentados às mesas e rodeando bancadas repletas de comida. Fiquei impressionada com a visão do bolo de aniversário, arrumado em sua própria mesa – uma criação de chocolate com 1,20 m de altura, decorado com laços e borboletas de pasta americana.

— Uau. Isso é que eu chamo de bolo de aniversário. Você acha que alguém vai pular aí de dentro? — eu observei, me dirigindo a um homem mais velho que tinha acabado de se afastar de um grupo.

— Espero que não — ele respondeu com a voz rascante. — A pessoa pode pegar fogo, com todas essas velas.

— É mesmo — eu ri. — E toda essa cobertura ia fazer uma sujeira na hora das acrobacias. — Virando para ele, estendi minha mão. — Hannah

Varner, de Austin. Você é amigo dos Travis? Deixe para lá, é claro que sim. Eles não convidariam um dos inimigos, não é?

Ele sorriu ao apertar minha mão. Seus dentes eram de um tom de branco bem-cuidado, que eu sempre achava um pouco assustador em alguém dessa idade.

— Eles convidariam *principalmente* um dos inimigos. — Ele era um velho bem-apessoado, não muito mais alto do que eu, com o cabelo grisalho curto e a pele curtida pelo sol. Havia tanto carisma nele que parecia ter sido passado como filtro solar.

Fitando seus olhos, fui capturada pela cor deles, o tom meio amargo do chocolate venezuelano. Encarando aqueles olhos familiares, eu soube muito bem quem ele era.

— Feliz aniversário, Sr. Travis — eu disse com um sorriso envergonhado.

— Obrigado, Srta. Varner.

— Pode me chamar de Hannah, por favor. Acho que eu invadir sua festa permite que nos tratemos pelo primeiro nome, não?

Churchill Travis continuou sorrindo.

— Você é muito mais bonita que os penetras de sempre, Hannah. Fique comigo e eu garanto que ninguém irá jogá-la na rua.

Que cachorrão. Eu sorri.

— Obrigada, Sr. Travis.

— Churchill.

Haven se aproximou do pai e ficou na ponta dos pés para beijá-lo.

— Feliz aniversário, pai. Eu estava cumprimentando a Vivian pelo trabalho maravilhoso que fez na festa. Estou vendo que já conheceu Hannah. Mas não pode ficar com ela. É do Jack.

Uma voz nova entrou na conversa:

— Jack não precisa de mais uma. Eu fico com ela.

Eu me virei para o homem que falou atrás de mim. Fiquei assustada ao ver uma versão mais nova e mais magra de Jack, ainda na casa dos vinte e poucos anos.

— Joe Travis — ele disse, apertando minha mão com firmeza. Ele era quase uma cabeça mais alto do que o pai. Joe ainda não tinha chegado à masculinidade madura de seu irmão mais velho, mas era charmoso e chamava a atenção... e sabia disso.

— Não confie nele, Hannah — Haven disse, severa. — Joe é fotógrafo. Ele começou tirando fotos constrangedoras da família... eu de lingerie, por exemplo..., para depois nos extorquir em troca dos negativos.

Hardy ouviu o último comentário ao se juntar ao grupo.

— Você ainda tem algum desses negativos? — ele perguntou para Joe e Haven lhe deu uma cotovelada.

Joe, que continuava segurando minha mão, me deu um olhar cheio de sentimento.

— Estou aqui sozinho. Minha namorada me deixou para trabalhar em um hotel nos Alpes franceses.

— Joe, seu patife — Haven falou para o irmão. — Nem pense em cantar a namorada do Jack.

— Não sou namorada dele — eu me apressei em dizer.

Joe deu um olhar de triunfo para a irmã.

— Parece que ela está no mercado.

Hardy interrompeu a discussão dos irmãos entregando para Churchill Travis uma carteira de couro dupla para charutos.

— Feliz aniversário, Sr. Travis.

— Obrigado, Hardy. — Abrindo a carteira, Travis tirou um dos charutos e o cheirou, emitindo um som de prazer.

— Tem uma caixa cheia deles para o senhor dentro de casa — Hardy lhe disse.

— Cohíbas? — Sr. Travis perguntou, inalando a fragrância como se fosse o melhor dos perfumes.

Hardy não admitiu a ilegalidade, apenas fitou o sogro com um brilho maroto nos olhos azuis.

— Tudo que eu sei é que vieram com embalagem de Honduras. Não posso ser responsabilizado pelo que veio dentro.

Com certeza são charutos cubanos contrabandeados, eu pensei, lembrando que a importação de produtos cubanos continuava proibida.

Com serenidade, Churchill Travis guardou a carteira de charutos dentro do paletó.

— Vamos fumá-los mais tarde na varanda, Hardy.

— Sim, senhor.

Olhando por trás do ombro de Joe, enxerguei alguém parado junto a uma das portas duplas abertas e senti um aperto no coração. Era Jack, o corpo atlético envergando camisa de malha e calça pretas. Ele estava atraente e parecia pronto para cometer algum crime usando alta tecnologia. Embora sua postura parecesse relaxada, a linha escura e tensa de seu corpo marcava a cena reluzente da festa como um rasgo em uma fotografia brilhante de revista.

A boca de Jack revelava certa tensão enquanto ele conversava com a mulher parada ao seu lado. Eu me senti um pouco nauseada ao observar os dois juntos. Ela era uma das mulheres mais lindas que eu já tinha visto, com longo cabelo cor de creme e o rosto esculpido de uma deusa das telas de pintura, para não falar do corpo superesguio exibido dentro de um vestidinho preto. Eles pareciam estar juntos.

— Lá está Jack — disse Joe após seguir meu olhar.

— Ele trouxe companhia — eu consegui dizer.

— Não trouxe, não. Essa é Ashley Everman. Ela é casada. Mas corre para o Jack como um leopardo sempre que o vê.

— Foi ela quem partiu o coração dele? — eu sussurrei.

Joe baixou a cabeça.

— Rã-rã — ele também sussurrou. — E ela está tendo problemas com Peter, o marido. Isso vai dar divórcio. Bem feito para eles, pelo que fizeram com Jack.

— Você acha que ele...

— Não — Joe respondeu antes que eu terminasse. — Jack não a aceitaria nem pintada de ouro, querida. Você não tem concorrência.

Eu ia reclamar, dizer que não estava concorrendo a nada, mas nesse momento Jack ergueu os olhos e me viu. Eu nem consegui respirar. Os olhos escuros dele se abriram mais. Seu olhar desceu lentamente até minhas sandálias prateadas e voltaram para cima. Endireitando-se, ele tirou a mão do bolso e começou a vir em minha direção.

Parecendo incomodada, Ashley Everson segurou o braço dele e disse algo. Jack parou para responder.

— Hannah. — A voz de Haven chamou minha atenção.

Alguém mais tinha se juntado ao grupo, outro homem de cabelo escuro que só podia ser mais um Travis. O filho mais velho, Gage. Embora carregasse a marca do pai, ele não parecia tanto com os outros dois filhos. Não havia nada de caubói nele... suas feições eram refinadas e reservadas, sua beleza quase exuberante. Seus olhos não eram cor de café, mas de um cinza-claro incomum, da cor do gelo-seco, com bordas escuras. Quando ele sorriu, senti como se tivesse sido perdoada por alguma coisa.

— Gage Travis — ele se apresentou e pôs o braço ao redor de uma mulher que se aproximou dele. — Minha mulher, Liberty.

Ela era linda, com rosto oval perfeito e sorriso fácil, e a pele, um caramelo claro e brilhante. Quando ela se inclinou à frente para me cumprimentar, seu cabelo preto fluiu ao redor de seus ombros como líquido.

— Prazer em conhecê-la, Hannah — ela disse. — Eu soube que está namorando o Jack.

Eu não queria, de modo nenhum, me apresentar como namorada do Jack.

— Nós não estamos namorando, na verdade — eu disse, constrangida. — Quero dizer, ele é um cara ótimo, mas eu não diria que... você sabe, nós só nos conhecemos há algumas semanas, então eu não diria que estamos *juntos* de algum modo, mas...

— Estamos juntos — ouvi Jack dizer atrás de mim, a voz baixa mas firme.

Eu me virei para ele, meu pulso disparado.

Um braço forte deslizou pelas minhas costas. Jack baixou a cabeça e seus lábios roçaram meu rosto em um beijo social. Nada demais, apenas dois amigos se encontrando. Mas então ele se abaixou mais e colocou um beijo breve e sensual na lateral do meu pescoço. Aquilo foi indizivelmente pessoal, uma declaração de intimidade.

Estupefata pela atitude de Jack na frente dos olhares de toda família, eu senti que ficava pálida, depois vermelha, meu rosto mudando de cor como um letreiro de néon na vitrine de uma lanchonete. Abalada, vi Haven e Liberty trocarem um olhar rápido, mas significativo.

Mantendo um braço ao meu redor, Jack estendeu a mão para cumprimentar o pai.

— Feliz aniversário, pai. Eu trouxe um presente para você. Deixei lá dentro. — Ele apontou para a casa.

O patriarca dos Travis olhou para nós de forma curiosa antes de falar:

— Sabe qual presente eu quero? Que vocês se aquietem e casem. E que me deem netos.

Jack recebeu essa chocante falta de tato do pai com uma tranquilidade que revelou que esse tipo de reclamação não era novidade.

— Você já tem um neto — Jack observou, calmo.

— Eu gostaria de ter mais antes de partir.

— Quando está planejando partir, pai? — Jack perguntou, irônico.

— Só quero dizer que não estou ficando mais jovem. E se vocês querem que a próxima geração de Travis tenham minha influência, é bom começarem a trabalhar.

— Minha nossa, pai — Joe disse. — Se Jack trabalhasse mais nesse departamento, você teria que andar por aí distribuindo senhas...

— Joe... — Gage murmurou, e isso foi suficiente para fazer o irmão mais novo ficar quieto.

Churchill lançou um olhar de aprovação para mim.

— Talvez você seja a mulher que vai fazer Jack sossegar, Hannah.

— Não sou o tipo de mulher que sonha em se casar — eu disse.

Churchill levantou a sobrancelhas como se nunca tivesse ouvido uma mulher dizer isso.

— Por que não?

— Para começar, estou muito focada na minha carreira.

— Que pena — Jack disse. — A primeira exigência para casar um Travis é desistir de seus sonhos.

Eu ri. A expressão de Jack se suavizou quando ele olhou para mim e passou o dedo por uma mecha do meu cabelo claro que tinha caído sobre meu rosto.

— Você quer dançar — ele murmurou — ou prefere ficar aqui para continuar a ser interrogada? — Sem esperar resposta, ele começou a me puxar.

— Eu não estava interrogando ninguém — Churchill protestou. — Só estava conversando.

Jack parou e deu um olhar irônico para o pai.

— Só é uma conversa quando mais de uma pessoa fala, pai. — Enquanto me puxava, Jack disse: — Sinto muito.

— Pelo seu pai? Não, você não precisa se desculpar. Eu gostei dele. — Olhei, então, para o perfil de Jack. Essa era uma versão dele que eu ainda não tinha visto. Ele sempre parecia ter uma atitude do tipo "dane-se", um ar de quem não leva nada muito a sério. Mas isso tinha sumido. Nesse momento, ele estava bravo até a medula dos ossos. Alguma coisa estava muito séria.

Nós chegamos à pista de dança e Jack me pegou nos braços com um movimento natural e experiente. A banda tocava "Song for You", como se todos estivessem tendo o mesmo longo sonho, em ritmo de blues. O ombro de Jack era duro debaixo da minha mão, e seus braços firmes, enquanto me conduzia sem hesitar. Ele era um dançarino muito bom, com movimentos fluidos, mas não pretensiosos. Eu desejei poder dizer à mãe dele que aquelas aulas de dança, tão distantes no tempo, tinham valido a pena.

Eu me concentrei em relaxar e acompanhá-lo, e mantive o olhar no lugar em que o colarinho da camisa estava aberto. O ponto mais baixo da abertura sugeria uma camada hipnotizadora de pelo peitoral.

— Dane passou a noite com você — Jack disse, sem emoção.

Eu me senti aliviada por ele começar assim, tão franco, ansioso para resolver tudo.

— Ele dormiu no apartamento, sim — eu disse. — Embora ninguém tenha dormido muito. Sabe, o... *ai!*

Jack tinha parado, de repente, e eu trombei de frente com ele. Encarando-o, percebi a conclusão que ele tinha tirado.

— Por causa do bebê — eu me apressei em dizer. — Luke não parava de chorar. Eu fiquei no sofá e Dane no quarto. Jack, você está machucando a minha mão.

Ele aliviou o aperto no mesmo instante e tentou controlar a respiração. Nós voltamos a dançar por um minuto inteiro antes de ele conseguir fazer a pergunta:

— Você fez sexo com ele?

— Não.

Jack assentiu brevemente, mas seu rosto continuou amarrado, rígido, como se fosse de cerâmica queimada.

— Chega de Dane — ele acabou dizendo, com uma determinação irritante.

Eu tentei ser engraçada.

— Não entendi se isso significa que você não quer mais que eu o veja ou se está planejando matá-lo.

— Significa que se você não obedecer à primeira alternativa, é provável que a segunda aconteça.

Achei graça, mas não demonstrei. E tomei consciência de um novo tipo de poder – o poder da sedução sobre alguém que era mais forte, mais experiente, mais imprevisível e mais cheio de testosterona do que qualquer outro homem que eu tinha conhecido antes. Era como estar sentada atrás do volante para testar um carro de corrida. Assustador e empolgante ao mesmo tempo, principalmente para alguém que nunca tinha gostado de dirigir em alta velocidade.

— Você fala muito, Jack Travis. Por que não me leva para casa e prova todo esse falatório com um pouco de ação?

Ele semicerrou os olhos para mim. Nenhum de nós dois conseguiu acreditar que eu tinha acabado de falar aquilo.

E, pela expressão nos olhos dele, ficou claro que eu iria receber toda a ação que poderia aguentar.

············· Capítulo dezesseis ·············

A música fluía como vidro derretido, uma versão lenta de "Moondance". Jack me puxou para perto até eu sentir a respiração dele na minha têmpora e as coxas dele roçando nas minhas. Ele conduzia e eu o seguia às cegas, um pouco instável, como se estivéssemos no deque de um navio, e não em terra firme. Mas ele me segurava com firmeza e equilibrava cada oscilação sutil minha. Eu respirava fundo, e inspirei a riqueza de aromas que emanava dele. Uma leve névoa de perspiração me envolveu toda de uma vez, como se minha pele estivesse ganhando vida.

A música terminou. Os aplausos e o início da próxima, mais animada, foram invasivos. Foi como ser acordada com um borrifo de água fria no rosto. Piscando, acompanhei Jack em meio à pista lotada. Nós éramos obrigados a parar com frequência para falar com os conhecidos de Jack. Ele conhecia todo mundo. E se revelou sendo muito mais apto que eu para colocar uma máscara social amigável. Mas eu senti a tensão feroz em seu braço enquanto ele me guiava pela multidão, encontrando aberturas estreitas entre espaços desocupados, através dos quais podíamos passar.

As velinhas do bolo de aniversário estavam acesas e a banda acompanhou os convidados em uma versão vacilante, mas vigorosa, de "Feliz Aniversário". Fatias de bolo recheado de ganache, geleia e chantili foram sendo passadas. Eu só consegui comer um bocado; o recheio gorduroso grudou na minha garganta. Depois que eu o empurrei com alguns goles de champanhe, meu estado de espírito ficou leve e animado com a mistura de açúcar e álcool. Segui Jack, despreocupada, segurando em sua mão.

Paramos para nos despedir de Churchill e sua namorada Vivian, vimos Joe em um canto com uma garota que parecia estar com muita pena da história da namorada que foi para a França, e acenei para Haven e Hardy, que estavam do outro lado da sala.

— Eu acho que nós deveríamos dar a eles algum tipo de desculpa por estarmos saindo tão cedo — eu disse para Jack. — Dizer que eu preciso ver como está o bebê ou...

— Eles sabem por que estamos saindo.

Não conversamos muito no caminho de volta ao 1800 Main. Nossos sentimentos mútuos estavam à flor da pele. Eu ainda não conhecia Jack o suficiente para me sentir à vontade com ele. Nosso relacionamento precisava se desenvolver.

Mas eu contei para ele sobre a conversa que tive com Dane, e Jack escutou com atenção. Percebi que, embora Jack compreendesse o ponto de vista de Dane, em um nível visceral, ele não o entendia.

— Ele deveria ter lutado por você — Jack disse. — Deveria querer acabar comigo.

— O que isso teria conseguido? — perguntei. — Em última análise, a escolha é minha, não?

— Sim, a escolha é sua. Mas isso não muda o fato de que ele deveria ter vindo atrás de mim como um maldito bárbaro, por eu ter tomado a mulher dele.

— Você não me *tomou* — eu protestei.

Ele me deu um olhar cheio de significado.

— Ainda.

E meu coração deu um solavanco e entrou em um ritmo assustador.

Nós subimos até o apartamento dele, que eu ainda não conhecia. Ficava vários andares acima do meu, com janelas grandes que se abriam para uma vista de Houston, cujas luzes cintilavam como diamantes espalhados sobre veludo.

— A que horas você disse para a babá que estaria de volta? — Jack perguntou enquanto eu examinava o apartamento. Tinha um estilo minimalista, com móveis de couro escuro, algumas peças de arte gráfica, uns toques de decô, tecidos em tons de chocolate, creme e azul.

— Eu disse em torno de 11 horas. — Toquei a borda de uma tigela de vidro azul com o desenho de um vórtice. Meus dedos estavam visivelmente trêmulos. — Você tem um belo apartamento.

Vindo por trás de mim, Jack tocou meus ombros com as palmas, que deslizou até meus braços, e o calor de suas mãos fez minha pele fria formigar de um jeito agradável. Ele pegou uma das minhas mãos. Dobrando meus dedos gelados dentro dos seus, Jack baixou a boca até a curva vulnerável do meu pescoço. Havia uma promessa sensual no modo como seus lábios tocaram minha pele.

Ele continuou a me beijar ali, procurando o lugar mais sensível, e quando encontrou, eu encostei meu corpo no dele por instinto.

— Jack... Você não continua bravo porque Dane dormiu aqui, continua?

A mão dele deslizou pela frente do meu corpo, mapeando cada curva e plano, parando a cada mínima reação minha. Arqueei o corpo com tensão e prazer. Vagamente, percebi que ele estava reunindo informações, registrando todos os pulsos e tremores nos lugares em que eu era mais sensível.

— Na verdade, Hannah... toda vez que penso nisso, tenho vontade de dobrar um pé de cabra ao meio.

— Mas nada aconteceu — protestei.

— Essa é a única razão de eu não ter ido atrás de Dane para acabar com a raça dele.

Eu não sabia se aquela demonstração de macheza era pura bravata ou se Jack estava falando sério. Eu tentei falar em um tom irônico, o que foi difícil quando senti a ponta dos dedos dele entrando no meu decote.

— Você não vai querer descontar em mim, vai?

— Receio que sim. — A respiração de Jack ficou entrecortada quando ele descobriu que eu não estava usando sutiã. — Esta noite você vai pagar, olhos azuis. — Com uma lentidão indecente, a mão dele deslizou sobre a forma arredondada e fria do meu seio. Eu apoiei o corpo no dele, equilibrando-me no salto das minhas sandálias prateadas. O bico do meu seio ficou preso entre os dedos dele e Jack o acariciou suavemente, seu polegar fazendo com que ficasse ereto e teso.

Ele me virou para ficarmos de frente um para o outro.

— Linda — ele sussurrou. Suas mãos desceram mais, seguindo a costura do meu vestido. Com a expressão intensa, ele semicerrou os cílios, que projetaram sombras em suas faces, e então suspirou uma palavra com tanta suavidade que eu quase não a ouvi: — Minha.

Hipnotizada, encarei aqueles olhos escuros e fiz um movimento negativo com a cabeça.

— Sim — Jack insistiu e trouxe a boca até a minha. Reagi com desamparo, agarrando a frente da camisa dele com as mãos. Jack enroscou os dedos no meu cabelo, acomodando-se à curva da minha cabeça, e se concentrou na minha boca, encontrando ângulos mais profundos, sabores mais íntimos, até meu corpo todo estar irradiando calor.

Segurando minha mão, Jack me puxou até o quarto. Ele apertou um interruptor e um brilho discreto iluminou o quarto a partir de uma fonte impossível de identificar. Eu estava aérea demais para reparar em qualquer coisa do ambiente, a não ser que a cama era grande e estava coberta por um edredom âmbar e metros quadrados de lençóis brancos.

Eu pigarreei e tentei parecer despreocupada, como se tudo aquilo não fosse nada de mais.

— Eu não mereço nem uma música romântica e sedutora?
Jack meneou a cabeça.
— Eu geralmente faço isso *a cappella*.
— Você quer dizer desacompanhado?
— Não, não tenho feito isto desacompanhado desde os 14 anos.

Minha risada forçada foi interrompida por uma exclamação quando Jack estendeu as mãos e puxou, com delicadeza, os pequenos fechos que mantinham a frente do meu vestido fechada, que se dividiu em duas, caindo para os lados, revelando por completo meus seios e minha calcinha branca de seda.

— Olhe só para você — ele sussurrou. — É um crime que você use roupas. — Ele afastou as alças dos meus ombros até o vestido cair no chão. Parada ali, de saltos altos e calcinha, uma onda de rubor me tomou dos pés à cabeça.

Desajeitada devido ao meu sentimento de urgência, puxei a camisa preta dele, e Jack me ajudou a tirá-la. O peito dele era forte e definido; os grandes músculos intercalados por alguns menores. Hesitante, toquei os pelos ásperos de seu peito, passando os dedos no meio deles. A sensação foi enlouquecedora. Eu deixei que ele me puxasse para mais perto, Jack passou os braços ao meu redor e minhas mãos deslizaram até as costas dele. O toque dos pelos nos meus seios, os beijos demorados e deliciosos, tudo me preencheu de excitação.

Sentindo o modo como moldei meu corpo ao dele, com meus quadris aninhando sua ereção, Jack me fez recuar com uma risada abafada.

— Ainda não.

— Eu preciso de você — eu disse, vermelha e trêmula. Isso era algo que eu nunca tinha dito a um homem. E enquanto eu falava, lembrei do que Jack tinha me dito na garagem: *Você está com medo porque sabe que se começar algo comigo, eu vou levá-la para um lugar ao qual você e Dane nunca foram*. Era verdade. Totalmente verdade. Eu estava para deixar Jack se aproximar mais do que no sentido físico. O tamanho do risco que eu estava para assumir me deixava morta de medo.

Sentindo as reverberações do meu pânico, Jack me puxou entre suas coxas e me abraçou junto ao peito. Ele me segurou sem dizer nada, com paciência infinita.

— Eu acho... — consegui dizer, enfim — que não me sinto assim tão segura.

— Provavelmente porque não está. — Jack enganchou seus dedos nas laterais da minha calcinha e a puxou para baixo. — Mas dentro de alguns minutos, querida, você não vai dar a mínima.

Sentindo-me atordoada, deixei que ele tirasse minha calcinha e obedeci ao comando para me sentar na beira da cama. Estendi a mão para uma das sandálias prateadas.

— Não — Jack murmurou, agachando-se à minha frente. Ele abriu minhas coxas com as mãos, seu rosto cheio de intensidade.

Tentei fechar as pernas.

— A luz — eu disse, envergonhada. Mas Jack me segurou como eu estava, e apesar da minha objeção, ele se inclinou para frente e colou a boca em mim, *lá*, em um beijo investigativo. Em questão de segundos eu estava gemendo, paralisada com o prazer que vinha e se espalhava a cada toque sedoso de sua língua. Aquilo foi crescendo até o desejo ficar insuportável, então eu apertei a cabeça dele contra mim. Ele pegou meus punhos e os colocou ao lado do meu corpo, segurando-os ali.

Aberta e presa nas garras dele, soltei gritinhos abafados enquanto ele lambia, mordia e comia minha doçura, e as sensações foram crescendo até meus músculos internos começarem a se contrair frenética e involuntariamente.

Jack recuou, deixando que eu ficasse me debatendo. Eu estava fraca, desesperada, com o pulso em um ritmo brutal. Quando ele se levantou entre as minhas coxas, eu estendi as mãos até a calça dele, para abri-la. Mas minhas mãos estavam desajeitadas como se eu estivesse usando luvas de lã.

Jack estava muito excitado, sua ereção rígida e vermelha. Eu o toquei, maravilhada, e segurei o peso pulsátil, minha respiração na cabeça inchada. Ele ficou imóvel e ouvi um gemido tênue. Jack tolerou meu toque cuidadoso, a sucção quente da minha boca enquanto eu tentava provar o máximo possível dele. Mas em questão de segundos ele me afastou.

— Não... — ele murmurou. — Não posso. Estou perto demais. Estou... espere, Hannah...

Tirando o resto das roupas, ele se juntou a mim na cama, puxando-me para o centro do colchão. Jack demorou minutos intermináveis para tirar meus sapatos desafivelando as tiras, quando teria bastado puxá-las dos pés. E então ele estava em mim de novo, a boca nos meus seios, uma de suas coxas empurrando, insistente, as minhas. Eu levei minha mão até a superfície quente e tensa de suas costas. A boca dele encontrou a minha e eu fiquei entregue, gemendo sem resistência. Abraçando-me com firmeza, ele nos virou de lado e suas mãos se aventuraram por todo meu corpo.

Nossos corpos entrelaçados foram virando lentamente pela cama larga. O modo como tocávamos e massageávamos um ao outro parecia uma luta sensual; eu tentando fazê-lo entrar em mim e Jack resistindo. Ele demorou, me provocou e atormentou minha pele dolorida até eu implorar, em um sussurro rouco, que ele me possuísse. Eu estava pronta. *Agora, agora...*

Ele me virou de costas e abriu minhas pernas. Eu obedeci com um grunhido ansioso, inclinando os quadris.

Jack entrou em mim e o mundo inteiro pareceu parar enquanto eu sentia o movimento lento e grosso. Agarrei os ombros dele, minhas unhas arranhando sua pele. Indo mais fundo no meu corpo que se encolhia, Jack murmurou que teria cuidado e pediu para que eu apenas relaxasse... e ele foi mais fundo e esperou. Eu senti minha carne ceder aos poucos.

O rosto dele estava bem acima do meu, seus olhos pretos e brilhantes como o fogo dos infernos. Ele afastou o cabelo da minha testa.

— Você vai ter que se acostumar comigo — ele sussurrou. Eu anuí como se estivesse em um transe.

Seus lábios tomaram os meus. Ele se movimentou devagar dentro do aperto molhado do meu corpo, gentil do modo como só um homem grande conseguia ser. Ele prestava atenção em cada respiração minha e em cada batida do meu coração, procurando o ângulo certo, o movimento perfeito. Quando encontrou, eu gritei, entregue.

Jack quase ronronou de satisfação.

— Você gosta assim, Hannah?

— Sim! Sim! — Eu agarrei as costas de Jack, meus quadris arqueando contra o peso dele. Jack era sólido, pesado e me empalava com estocadas disciplinadas. Eu comecei a me debater debaixo dele, desejando mais rapidez, mais força. Uma risada abafada ecoou por baixo da respiração ruidosa dele. Jack me prendeu e me forçou a aceitar seu ritmo. Depois do que pareceu uma eternidade, senti que eu relaxava e me abandonava ao prazer. Minha cabeça tombou para trás quando ele passou o braço pela minha nuca e sua boca vagou pelo meu pescoço.

Ele arremetia em um ritmo incansável, entrando e recuando, a fricção escorregadia, doce e carnal. Eu cheguei ao alto de um cume excruciante, então tudo começou a se fragmentar e eu gozei com espasmos arrebatadores, cravando os joelhos nos quadris dele. Ele continuou firme até as últimas ondas passarem por mim, então deu estocadas finais até chegar ao seu clímax.

Depois, eu fiquei deitada, trêmula, nos braços dele, sentindo o calor escorregadio entre minhas coxas. Eu virei meu rosto para o peito de Jack, deleitando-me na pelagem macia. Eu senti o corpo pesado de satisfação, macio como uma fruta que amadureceu até o ponto máximo de doçura.

— Descanse — Jack murmurou, puxando as cobertas sobre meus ombros nus.

— Não posso — murmurei. — Preciso descer. A babá...
Ele beijou o topo da minha cabeça. Sua voz era uma carícia aveludada.
— Só por alguns minutos. Vou tomar conta de você.
Aninhando-me nele, adormeci agradecida.

Algum tempo depois, eu pisquei e me mexi, em meio a um sonho consciente de que alguma coisa tinha mudado. Eu. Sentia-me insegura, enfraquecida, mas, por mais estranho que pareça, era uma boa sensação.

Jack estava apoiado em um cotovelo, encarando-me com uma intensidade surpreendente. Um de seus dedos veio acompanhar a borda dos meus lábios sorridentes.

— Essa foi a melhor da minha vida, Hannah. Nem existe um segundo lugar.

Fechei os olhos enquanto ele passava o dedo pelas minhas sobrancelhas, e eu refleti que a diferença entre sexo bom e sexo de enlouquecer foi a qualidade da atenção que nunca recebi de Dane. Jack esteve completamente absorvido por mim, concentrado nas minhas reações. Mesmo depois, ele me tocava como se o contato entre nossos corpos possuísse uma linguagem toda própria. Os dedos dele, continuando a carícia, desceram até o meu pescoço.

— Sua pele é tão macia — ele sussurrou. — E seu cabelo é tão sedoso. Eu adoro sentir você... adoro o modo como se move... — O polegar dele desceu pela borda do meu maxilar. — Eu quero que você confie em mim, Hannah. Eu quero você inteira. Algum dia você vai se soltar comigo.

Virei meu rosto para a mão de Jack, dando um beijo na lateral de sua palma. Eu entendi o que ele estava falando, o que ele queria, mas não sabia como dizer para ele que isso era impossível. Eu nunca conseguiria me soltar por inteiro ao fazer amor – havia um núcleo protegido na minha personalidade que ninguém jamais conseguiria alcançar.

— Eu acabei de fazer sexo com a luz acesa — eu disse. — Pelo amor de Deus, isso não é suficiente?

Ele riu e me beijou.

Mesmo saciada como eu estava, a fricção da boca dele na minha foi suficiente para me acender de novo. Colocando a palma das mãos nos ângulos de seus ombros, acompanhei a elevação e as curvas daqueles músculos poderosos.

— Eu vi você com Ashley na festa — eu disse, a voz equilibrada. — Ela é muito linda.

Jack retorceu a boca em um sorriso sem graça.

— Essa beleza vai sumindo quando você a conhece melhor.

— Do que vocês dois estavam falando?

— Ela está se queixando para todo mundo dos problemas que está tendo com Pete.

— O marido dela? Ele estava lá?

— Estava. Eles pareciam estar fazendo o possível para evitar um ao outro.

— Eu me pergunto se ela está sendo infiel — pensei em voz alta.

— Não seria de se estranhar — Jack disse, seco.

— Isso é triste. Mas justifica o que eu sempre pensei sobre casamento: não dá para prometer amar uma pessoa para sempre, porque tudo muda.

— Nem tudo. — Jack se recostou nos travesseiros e eu me espreguicei de encontro a ele, aninhando minha cabeça na curva de seu ombro.

— Você acha que ela amava você? — perguntei. — Quero dizer, amava de verdade?

Ele suspirou, tenso.

— Eu não sei se existia algum amor da parte dela. — Ele fez uma pausa. — Se existia, eu o arruinei.

— Você arruinou? — Eu senti que esse era um território que devia ser explorado com cuidado, que resquícios de sofrimento ou arrependimento ainda faziam parte da paisagem. — Como você teria feito isso?

— Quando Ashley me deixou pelo Pete, ela disse... — Jack se interrompeu, a respiração irregular.

Eu subi em cima dele, deitando sobre aquele peito duro e peludo.

— Confiança é uma via de mão dupla, Jack. — Eu estendi as mãos para seu cabelo desgrenhado e passei meus dedos pelos fios, carinhosamente. — Você pode me dizer.

Jack desviou o olhar, mostrando-me seu perfil duro e perfeito como o rosto gravado em uma moeda recém-cunhada.

— Ela disse que eu queria demais. Era exigente demais. Carente.

— Oh. — Eu sabia que, para um homem com o orgulho de Jack, essa era a pior coisa que uma mulher poderia dizer. — Você era mesmo? — perguntei com franqueza. — Ou Ashley estava só tentando pôr em você a culpa por ela tê-lo traído? Porque eu nunca fui fã do tipo de defesa: "olhe o que você me fez fazer".

Senti a tensão escapar do corpo dele.

— Com certeza Ashley nunca assumiu a responsabilidade por nada. Mas a verdade é que eu, provavelmente, era um pé no saco. Eu não faço nada pela metade, nem me apaixonar. — Ele fez uma pausa. — Eu tenho um lado possessivo.

Ele parecia acreditar que estava me contando uma novidade. Eu mordi o lábio para não rir.

— Não brinca — eu disse. — O bom, Jack, é que eu não tenho dificuldade em dizer para você quais são meus limites.

— Já notei isso.

Ficamos nos encarando até que sorrisos surgiram em ambos os rostos.

— Então — eu comecei —, depois que Ashley o traiu, você passou os anos seguintes transando com todas as mulheres que apareciam na sua frente, para mostrar o que ela tinha perdido.

— Não, isso não tem nada a ver com Ashley. Eu apenas gosto de sexo. — A mão dele deslizou até o meu traseiro.

— Ah, sério? — Eu rolei para longe dele, rindo, e saltei da cama. — Preciso de um banho.

Jack me seguiu.

Parei, de repente, ao apertar o interruptor do banheiro, um espaço imaculado e bem-iluminado, com armários contemporâneos e pias de pedra modernas. Mas foi o chuveiro que me deixou sem fala; um ambiente constituído de vidro, ardósia e granito, com fileiras de botões, válvulas, mostradores e termostatos.

— Por que tem um lava-rápido no seu banheiro? — perguntei.

Jack passou por mim, abriu a porta de vidro e entrou. Enquanto ele virava a válvula e ajustava a temperatura nas telas digitais, jatos começaram a esguichar de todos os lugares concebíveis e vapor se formou em nuvens brancas. Três jatos de chuva vinham do teto.

— Você não vai entrar? — a voz de Jack soou em meio ao barulho de cascata.

Fui até a porta de vidro e olhei para dentro. Jack era uma visão magnífica, todo bronzeado e esguio, com um véu de água cintilando sobre sua pele. A barriga dele era um verdadeiro tanquinho, e suas costas eram definidas e maravilhosas.

— Detesto ser eu a lhe dizer isso — comecei —, mas você precisa começar a se exercitar. Um homem da sua idade não deveria se acomodar.

Ele riu e gesticulou para que eu entrasse. Eu me aventurei no turbilhão de jatos, recebendo calor de todas as direções.

— Estou me afogando — eu disse, lutando com a água, e ele me tirou debaixo de um jato direto.

— Eu me pergunto quanta água estamos gastando.

— Sabe, Hannah, você não é a primeira mulher que entra neste chuveiro comigo...

— Estou chocada — eu disse e me encostei nele, que ensaboava minhas costas.

— ...mas com certeza você é a primeira que se preocupa com a quantidade de água que estamos gastando.

— E você sabe quanta água seria?

— Uns quarenta litros por minuto, mais ou menos.

— Oh, meu Deus. *Rápido*. Não podemos ficar aqui por muito tempo. Isso vai acabar com o equilíbrio de todo sistema ecológico.

— Estamos em Houston, Hannah. O sistema ecológico não vai nem perceber. — Ignorando meus protestos, Jack lavou meu corpo e meu cabelo. A sensação era tão boa que eu apenas fechei a boca e fiquei parada, deixando que as mãos fortes e hábeis dele passeassem por mim, enquanto eu respirava o ar carregado de vapor. Depois foi a minha vez, e eu passei os dedos pelo peito ensaboado, desenhando as maravilhosas texturas masculinas de seu corpo.

Havia uma sensação de irrealidade naquilo tudo, na luz difusa e na água que escorria por nossa pele, na sensualidade franca que não dava espaço para a vergonha. A boca dele desceu sobre a minha com beijos intensos e molhados, e sua mão escorregou por entre minhas coxas, seus dedos longos brincando delicadamente. Arfando, apertei o rosto contra o ombro dele.

— Na primeira vez que eu a vi — Jack murmurou junto ao meu cabelo ensopado —, achei você tão fofa, que mal consegui me segurar.

— Fofa?

— De um jeito sexy.

— Eu achei que você era sexy de um jeito bruto. Você não... — Fiz uma pausa, minha visão perdendo o foco quando os dedos dele entraram em mim. — Você não faz meu tipo.

Senti que a boca dele se abria em um sorriso junto ao meu cabelo.

— Sério? Porque neste momento parece que meu tipo está funcionando com você. — Ele levantou um dos meus joelhos até apoiar meu pé no banco do chuveiro. Eu me segurei nele, fraca de desejo. Ele apertou o corpo contra o meu, dos pés à cabeça, e o desejo subiu como eletricidade entre nós. Cuidadoso e decidido, ele me abriu com carícias, posicionou-se e entrou fundo. Com as mãos, ele agarrou meu traseiro e o apertou com os dedos. Por um momento ficamos assim, meu corpo imóvel, preenchido e possuído.

Arregalei os olhos para o rosto molhado dele. Não havia pressa na busca de uma satisfação rápida, mas a vontade de me descobrir devagar. Minha carne latejava ao redor dele, que me mantinha firme enquanto começava um ritmo lento e cadenciado. Senti como se eu fosse o único ponto fixo do universo.

A cada investida dele, eu estremecia, agarrada em seus ombros, e ele me puxava para mais perto. O prazer acumulado pareceu dissolver meus ossos. Senti a língua dele lamber o calor da névoa quente em meu pescoço, minha orelha. Eu me contorcia, meu corpo escorregadio preso nos membros dele, que não paravam de se mover.

Mas, sem aviso, ele interrompeu o ritmo e saiu de mim, deixando-me confusa e trêmula.

— Não — eu disse, ofegante, tentando segurá-lo. — Espere, eu não... Jack...

Ele virou a válvula e a água parou de cair.

— Eu não tinha terminado — reclamei quando ele se voltou para mim.

Jack teve a ousadia de sorrir. Pegando meus ombros, ele me tirou do chuveiro.

— Eu também não.

— Então por que parou? — Eu me desculpei por choramingar. Qualquer mulher teria choramingado nessa situação.

Ele pegou uma toalha branca felpuda e começou a me secar rapidamente.

— Porque você é perigosa quando se trata de fazer sexo em pé. Seus músculos das pernas não aguentam.

— Eu continuava de pé!

— Por pouco. — Ele secou meu cabelo com a toalha e pegou outra para se secar. — Aceite, Hannah, você se dá melhor na horizontal. — Jogando a toalha de lado, ele me puxou para o quarto. Em questão de segundos, ele me jogou na cama, como se eu não pesasse nada. Soltei um gritinho de surpresa quando quiquei no colchão. — O que você está fazendo?

— Apressando isto. Faltam vinte minutos para as onze.

Franzi a testa e tirei uma mecha de cabelo úmido do meu rosto.

— Vamos esperar até termos mais tempo.

Mas logo me vi coberta por 90 kg de homem excitado, louco por diversão.

— Não posso descer desse jeito — Jack disse.

— Que pena — eu disse, de cara fechada. — Você pode esperar ou fazer *a cappella*.

— Hannah — ele tentou persuadi-la —, vamos terminar o que começamos no chuveiro.

— Você devia ter terminado lá.

— Eu não queria que você caísse e batesse a cabeça. Não existe muito prazer no pronto-socorro.

Eu ri e Jack apertou o rosto no meu seio. A respiração dele esquentou o bico intumescido. Lentamente, ele abriu a boca sobre a pele rosada, que rodeou com a língua. Deslizando meus braços ao redor do pescoço dele, beijei as mechas grossas e úmidas de seu cabelo. Ele tirou a boca e pegou o mamilo entre os dedos, apertando com delicadeza enquanto movia a boca na direção do outro seio. Meus quadris se arquearam, procurando o corpo dele. Em questão de segundos eu estava ardendo. Ele me saboreou como se eu fosse um banquete suntuoso, mordendo, lambendo e beijando, me levantando e erguendo como se para garantir que não tinha perdido nada. Eu estava de bruços, agarrando o edredom âmbar, quando ele me segurou pelos quadris e os levantou.

— Tudo bem assim? — ouvi-o sussurrar.

— Tudo — eu disse, ofegante. — Nossa, tudo bem.

O peso eletrizante dele baixou sobre mim por trás, e ele empurrou minhas pernas tensas. Eu gemi com a penetração firme enquanto ele deslizava com facilidade pela minha umidade. Sua mão deslizou por baixo de mim, seus dedos encontrando o lugar exato em que eu precisava deles.

Pega deliciosamente entre o corpo e a mão dele, eu empurrei o quadril para cima, convidativa, e ele foi tão fundo quanto eu aguentava. Sua boca desceu nas minhas costas, beijando o alto da minha coluna. Ele esperou até que eu empurrasse de novo antes de investir. Percebi que Jack estava deixando que eu estabelecesse o ritmo, cada movimento dele um contraponto aos meus. Eu me arqueava e arfava ao recebê-lo, trabalhá-lo, sentindo-o enfiar cada vez mais fundo, enquanto seus dedos me provocavam e encantavam. As sensações fluíram juntas até eu não conseguir mais reconhecer qual vinha de onde. Agarrei os punhos firmes dele, um segurando meu ombro, o outro enfiado entre minhas coxas, e os segurei ali enquanto eu mergulhava... O clímax foi intenso e abundante, e sempre que eu pensava que estava acabando, produzia mais uma contração voluptuosa. Senti Jack estremecer e seu calor me inundou em pulsos violentos.

Quando ele finalmente recuperou o fôlego, murmurou algumas imprecações. Tive que abafar uma risada trêmula nas cobertas, porque eu o compreendi. Parecia que, de algum modo, algo tão comum tinha sido reinventado, transformando nós dois ao mesmo tempo.

🛒

Nós nos vestimos às pressas e descemos para o meu apartamento. Jack deu dinheiro extra para a babá, que fingiu não notar como estávamos desgrenhados. Depois de ver Luke, que estava dormindo, eu disse a Jack que ele podia passar a noite comigo, só que provavelmente o bebê o acordaria.

— Sem problema — Jack respondeu, chutando os sapatos para longe. — Eu não pretendia dormir mesmo. — Ele tirou a calça jeans e a camiseta, deitou na cama e ficou me observando tirar a roupa e vestir o pijama. — Você não precisa disso.

Eu sorri ao vê-lo recostado na cabeceira de metal, todo à vontade com as mãos atrás da cabeça. Ele era musculoso e bronzeado, uma masculinidade que não combinava com o tecido rendado e cheio de babados das cobertas.

— Não gosto de dormir nua — eu disse.
— Por quê? É um visual que fica bem em você.
— Eu gosto de estar preparada.
— Para quê?
— Se houver alguma emergência... um incêndio ou algo assim...
— Jesus, Hannah. — Ele começou a rir. — Pense desta forma: dormir nua é melhor para o meio ambiente.
— Oh, fique quieto.
— Vamos lá, Hannah. Adote o estilo ecológico de dormir.

Ignorando-o, entrei na cama usando uma camiseta de algodão e shorts com estampa de pinguins. Estendi a mão para o criado-mudo e apaguei o abajur.

Um momento de silêncio, então ouvi um murmúrio lascivo.
— Eu gosto dos seus pinguins.

Eu me aninhei nele, que acomodou os joelhos atrás dos meus.
— Imagino que suas ficantes normalmente não usam shorts para dormir — eu disse.
— Não. — A mão de Jack pousou no meu quadril. — Quando usam alguma coisa, em geral é algum tipo de camisola transparente.
— Para mim, não parece fazer sentido. — Eu bocejei, relaxando no calor do corpo dele. — Mas posso vestir uma, algum dia, se você quiser.
— Não sei. — Jack pareceu refletir por alguns instantes, sua mão desenhando círculos no meu traseiro. — Estou gostando destes pinguins.

Meu Deus, pensei, *eu amo conversar com você*. Mas fiquei quieta, porque eu nunca usava a palavra "amor" com um homem.

Capítulo dezessete

Acordei sozinha e preocupada; sentei na cama e esfreguei os olhos. A fonte da minha preocupação era o brilho intenso de sol que transpassava pelas cortinas. Eu não tinha ouvido o bebê.

Luke nunca dormiu tanto.

Agitada, pulei da cama e voei para a sala de estar, parando de repente, como um personagem de desenho animado que se detém diante do precipício.

Havia uma caneca de café pela metade sobre a mesa. Jack estava no sofá, vestindo suas calça jeans e camiseta, com Luke acomodado em seu peito. Os dois assistiam ao noticiário.

— Você está com ele — eu disse, perplexa.

— Pensei que deveria deixar você dormir. — Os olhos dele passearam pelo meu corpo. — Eu exigi muito de você na noite passada.

Eu me debrucei sobre os dois, beijando Luke e tirando um sorriso desdentado dele.

Luke tinha acordado uma vez no meio da noite e Jack insistiu em levantar comigo. Enquanto eu trocava a fralda, ele aqueceu a mamadeira e ficou conosco até Luke terminar de mamar.

Nós voltamos para a cama e Jack me abraçou e acariciou habilmente. Ele deslizou pelo meu corpo, os lábios entreabertos, usando a língua para longos minutos de refinada tortura. Ele me levantou e virou de um lado para outro, e fizemos sexo em posições que eu não julgava possíveis. Como acabei descobrindo, Jack era um amante atlético e muito criativo, e só depois de muita insistência minha ele parou. Exausta e saciada, eu dormi sem me mexer pelo resto da noite.

— Eu não dormia até tão tarde há séculos — eu disse para Jack com sinceridade. — Essa foi a melhor coisa que você poderia ter feito por mim.

— Eu fui me servir de café. — Tenho atraso crônico de sono. Não consigo expressar como foi esta noite foi boa.

— O sono ou o sexo?

Eu sorri.

— O sexo, claro... mas por uma margem apertada.

— Que tal fazer sua mãe lhe dar uma ajuda com o bebê?

Eu coloquei leite no café.

— É provável que eu consiga convencê-la, principalmente se for no dia certo e não interferir com qualquer outra coisa dela. Mas a quantidade de gratidão que precisa ser demonstrada para minha mãe, para algo assim, é exaustiva. Quero dizer, você se torna devedor dela para *sempre*. E tem mais... eu não confio em deixar Luke sozinho com ela.

Jack me observou com atenção enquanto eu voltava para o sofá.

— Você acha que ela pode machucar o Luke?

— Ah, fisicamente, não. Mamãe nunca bateu em mim ou Tara, nem chegou perto disso. Mas ela era dramática e gritava demais. É por isso que eu, até hoje, não aguento vozes elevadas. Não quero que ela faça isso com Luke. E, basicamente, se eu não quero ficar sozinha com ela, não imagino porque sujeitaria Luke a essa provação. — Coloquei minha caneca na mesa de centro e estendi os braços para o bebê. — Venha cá, meu garoto — eu murmurei, aconchegando aquele corpinho quente e agitado no meu peito. Eu olhei para Jack. — Com que frequência você levanta a voz?

— Só em jogos de futebol. Não, isso não é verdade. Eu também grito com os empreiteiros. — Ele se inclinou e me beijou na testa, apoiando a mão de leve na minha cabeça. — Você tem planos para hoje?

— Não.

— Quer passar o dia comigo?

Concordei no mesmo instante.

— Eu quero levar você e Luke para o lago Conroe — Jack disse. — Eu tenho um barco lá. Vou ligar para a equipe marítima, para eles prepararem o almoço para nós.

— Não tem problema levar o Luke para andar de barco? — perguntei, insegura.

— Ele vai estar em segurança na cabine. E quando estiver no convés, nós colocamos um colete salva-vidas nele.

— Tem do tamanho dele?

— Nós conseguimos um.

O lago Conroe ficava sessenta quilômetros ao norte da região metropolitana de Houston, e era conhecido como o parque de diversões de Houston. Ele tinha pouco mais de trinta quilômetros de comprimento, e a forma parecida com a de um escorpião, quando observado do céu, com um terço de suas margens envolvidas pela Floresta Nacional Sam Houston. O restante da área abrigava condomínios residenciais exclusivos, além de quase duas dúzias de campos de golfe. Eu mesma nunca tinha estado em Conroe, mas sabia dos pores do sol magníficos, que pareciam aquarelas, dos *resorts* e restaurantes de luxo e de sua reputação mundial como local de pesca esportiva.

— Eu não tenho nenhuma experiência com barcos ou pesca — eu disse para Jack durante a viagem. — Então vou ajudar o máximo que puder, mas só quero ter certeza de que você entende que sou deficiente em flutuabilidade.

Jack sorriu, acomodando o celular em um dos suportes de copo entre os assentos frontais do SUV. Usando óculos escuros estilo aviador, sem aro, shorts náuticos e uma camisa polo branca limpa, ele irradiava uma vitalidade sexy.

— Existem ajudantes para nos auxiliar a zarpar. Seu único trabalho vai ser se divertir.

— Isso eu sei fazer. — Eu me sentia alegre, animada por uma sensação ansiosa de felicidade que nunca tinha experimentado antes. Eu até achava difícil ficar parada no banco do carro. Estava agitada como uma criança no último dia de aula, faltando cinco minutos para as férias de verão começarem. Pela primeira vez em toda minha vida, não havia outro lugar em que eu gostaria de estar ou outra pessoa com quem eu quisesse ficar. Eu me virei para olhar a cadeirinha do Luke, que estava virada para trás.

— Eu preciso ver como ele está — eu disse, levando a mão ao fecho do cinto.

— Ele está bem — Jack disse, segurando minha mão. — Chega de ficar se arrastando para lá e para cá, Hannah. Quero que você fique em segurança, de cinto.

— Não gosto de não poder ver como ele está.

— Por que você não vira a cadeirinha pra frente?

— Ele tem que ter pelo menos um ano pra isso. — Parte da minha felicidade apagou. — E não vou estar mais com ele quando acontecer.

— Você teve notícias da Tara?

Neguei com a cabeça.

— Vou telefonar para ela amanhã. Além de saber como ela está, também quero contar para ela do Luke. — Fiz uma pausa para refletir. — Tenho que admitir, porém, que estou surpresa pelo pouco interesse que ela parece demonstrar pelo filho. Quero dizer, ela só quer saber se ele está bem, mas todos os detalhes – como está comendo e dormindo, quanto tempo mantém a cabeça erguida, todo esse tipo de coisa – parecem não preocupar minha irmã.

— Ela demonstrou algum interesse por bebês antes do Luke?
— Deus, não. Nenhuma de nós demonstrou. Eu sempre achei uma chatice infernal quando as outras pessoas ficavam falando de seus bebês. Mas é diferente quando se trata do *seu*.
— Talvez Tara não tenha ficado com ele tempo suficiente para criar laços.
— Pode ser. Mas no segundo dia em que estava tomando conta dele, eu já comecei a... — eu me interrompi e fiquei corada.

Jack olhou brevemente para mim, seus olhos ocultos pelas lentes escuras dos óculos de sol. Sua voz soou delicada:
— Começou a amá-lo?
— Sim.

O polegar dele massageou carinhosamente as costas da minha mão.
— Por que isso a deixa envergonhada?
— Não é vergonha, é só que... não é fácil para mim falar desse tipo de coisa.
— Você escreve a respeito o tempo todo.
— Sim, mas quando não envolve meus sentimentos.
— Você acha que amor é uma armadilha?
— Ah, armadilha, não. Mas atrapalha algumas coisas.
— O que o amor atrapalha, Hannah? — ele perguntou e sorriu.
— Quando eu terminei com o Dane, por exemplo. Teria sido uma complicação enorme se tivéssemos chegado ao ponto de dizer um para o outro que nos amávamos. Mas como não dissemos, a separação foi muito mais fácil.
— Você vai ter que se separar do Luke em algum momento — Jack disse. — Talvez não devesse ter dito isso para ele.
— Ele é um *bebê* — respondi, indignada. — Ele precisa ouvir isso de alguém. Você gostaria de ter chegado nesse mundo sem que ninguém dissesse que o ama?
— Meus pais nunca disseram. Eles acreditavam que não se devia gastar as palavras.
— Mas você não concorda com isso?
— Não. Se o sentimento está lá, você pode muito bem admitir. Dizer as palavras ou não dizer, não muda nada.

Era um dia quente e abafado. O píer estava fervilhando, com as docas castigadas pelo sol, rangendo debaixo do peso de centenas de pés. Havia garotos de shorts, mas sem camisa, garotas usando maiôs artesanais, homens vestindo camisetas com frases como "Cale a boca e pesque" ou "Tá nervoso?

Vai pescar!". Homens mais velhos usavam shorts de poliéster e camisas cubanas, com bordados nos dois lados do peito, enquanto as mulheres mais velhas usavam shorts-saia, camisas tropicais coloridas e chapéus de aba larga. Algumas senhoras de cabelo armado usavam viseiras, o que fazia seus cabelos parecerem pequenos cogumelos.

O aroma de água e alga pairava no ar, acompanhado dos cheiros de cerveja, diesel, iscas e protetor solar de coco. Um cachorro que não parecia pertencer a ninguém trotava da marina às docas sem parar.

Assim que entramos no píer, um ajudante vestido de vermelho e branco apareceu para nos receber, entusiasmado. Ele disse para Jack que o barco estava abastecido e limpo, a bateria carregada, com bebidas e comidas embarcadas, tudo pronto para partir.

— E quanto ao colete salva-vidas para bebê? — Jack perguntou, e o ajudante respondeu que tinham encontrado um e que já estava a bordo.

Na popa do barco de Jack estava inscrito o nome "Última Tentativa". A embarcação era branca, duas vezes maior do que eu tinha imaginado, com pelo menos doze metros, e estava lustrosa como se tivesse acabado de sair da loja. Jack me ajudou a subir pela porta de popa e me levou para um passeio pelo barco. Havia duas cabines com banheiros, uma cozinha completa, equipada com fogão, forno, geladeira e pia, uma sala de estar decorada com madeira reluzente e tecidos macios, onde havia uma TV de tela plana.

— Meu Deus — eu disse, estupefata. — Quando você disse que tinha uma cabine, pensei em uma sala com duas cadeiras e janelas de vinil. Isto aqui é um *iate*, Jack.

— É mais o que chamam de iate de bolso. Um barquinho para se divertir.

— Isso é ridículo. Pode-se ter um relógio de bolso, mas não dá para colocar um iate no bolso.

— Vamos deixar a discussão sobre o que existe nos meus bolsos para mais tarde — Jack disse. — É melhor você ver se o colete salva-vidas serve no Luke.

Em velocidade de cruzeiro, o passeio era silencioso e tranquilo, com o casco do "Última Tentativa" abrindo caminho nas águas azul-escuras. Eu me acomodei no *flybridge*, um dos dois pontos de controle do barco, sentada em um grande banco acolchoado ao lado da cadeira do capitão. Luke estava empacotado em um colete azul de náilon com um imenso colar flutuador. Ou aquilo era mais confortável do que parecia ou o bebê estava distraído com os novos sons e sensações de estar em um barco, porque estava surpreendentemente calmo. Segurando o bebê no colo, estendi as pernas sobre o banco.

Jack nos levou para um passeio pelo lago, apontando casas, ilhotas, uma águia caçando bagres. Enquanto isso, eu bebericava uma taça de vinho branco gelado com gosto de pera. Fui tomada pelo tipo de tranquilidade e indolência que só podia vir de estar em um barco num dia de sol, com ar úmido e saudável nos pulmões e a brisa quente soprando continuamente em nós.

Ancoramos em uma enseada cuja praia ficava à sombra dos pinheiros abundantes, em uma área do lago ainda não construída. Abri uma cesta de piquenique enorme, onde encontrei um pote de mel cristalizado, baguetes branquinhas e crocantes, discos de queijo de cabra e um pedaço de queijo Humboldt com uma fina camada de cinzas vulcânicas, potes de salada, pedaços de sanduíches gourmet e cookies do tamanho de calotas de carro. Nós comemos devagar e esvaziamos a garrafa de vinho. Então eu dei de mamar ao Luke e o troquei.

— Ele está pronto para uma soneca — eu disse, embalando o bebê sonolento. Nós o levamos para dentro da cabine com ar-condicionado até um dos quartos no convés inferior. Eu o deitei com cuidado no meio da cama dupla. Luke piscou, olhando para mim, e seus olhos ficavam mais tempo fechados a cada piscada, até que finalmente ele adormeceu.

— Bons sonhos, Luke — sussurrei, beijando sua cabeça.

Endireitando-me, alonguei as costas e olhei para Jack, que esperava junto à porta. Ele estava com o ombro apoiado na parede e as mãos nos bolsos.

— Venha cá — ele murmurou. O som da voz dele no escuro fez minha pele arrepiar de um modo agradável.

Ele me levou para a outra cabine, que estava fresca e na sombra, com o aroma de madeira encerada, ozônio e um leve toque de diesel.

— Eu mereço uma soneca? — perguntei, tirando os tênis e subindo na cama.

— Você merece o que quiser, olhos azuis.

Nós deitamos de lado, de frente um para o outro, a pele emanando calor, retendo o sabor do sal à medida em que nosso suor secava. Jack me encarava com intensidade. Sua mão veio até o lado do meu rosto, a ponta de seu dedo médio acompanhando minha sobrancelha, o alto da maçã do rosto. Ele me tocava com absoluta concentração, como um explorador que tivesse descoberto um artefato raro e frágil. Lembrando da paciência diabólica daquelas mãos, de todas as formas íntimas como ele tinha me tocado na noite anterior, eu corei na semiescuridão.

— Eu quero você — sussurrei.

Todos os meus sentidos se aguçaram conforme Jack foi me despindo lentamente. Ele cobriu o bico ereto do meu seio com a boca, sua língua um redemoinho estonteante. A mão dele desceu até a parte de baixo das minhas costas, encontrando as reentrâncias sensíveis da minha coluna, acariciando-me até eu começar a soltar faíscas.

Jack tirou as próprias roupas, exibindo o corpo esguio e incrível de tão forte. Ele foi me colocando em posições reveladoras, cada uma mais exposta e vulnerável que a anterior, explorando-me com suas mãos e boca até me deixar com a respiração entrecortada. Prendendo meus punhos ao colchão, ele me encarou. Eu gemi e inclinei os quadris para cima, esperando, tensa, os braços forçando contra as mãos dele.

Soltei uma exclamação quando senti a penetração volumosa e dura, seu corpo deslizando sobre o meu, de modo que eu era acariciada por dentro e por fora. Músculos duros sobre curvas pálidas, calor contra frieza. Cada investida transformava a pele em sensações abrasadoras. Jack ficou imóvel, ofegante, tentando conter o clímax, demorar mais. Soltando meus punhos, ele entrelaçou seus dedos aos meus com uma demora dolorosa.

Eu ergui o corpo ao encontro dele, querendo continuar, e ele inspirou fundo, tentando se segurar. Mas eu continuei o movimento, empurrando-o, até ele perder todo controle e começar a se mexer, com estocadas fundas e regulares, tomando meus soluços em sua boca, como se pudesse saboreá-los. Como eu não podia abraçá-lo com meus braços, usei as pernas, passando-as pelas costas dele. Jack rilhou os dentes e mergulhou em mim, sem parar, alimentando as sensações, levando-me a espasmos longos e deliciosos. Então ele se permitiu gozar também, rugindo de prazer contra meu pescoço.

Depois ficamos deitados juntos, as pernas enroscadas, minha cabeça descansando no ombro dele. Que estranho era ficar deitada assim com um homem que não era Dane. Mais estranho ainda que parecesse tão natural. Pensei no que Dane tinha me dito, que embora ele não quisesse um relacionamento tradicional, eu podia querer tentar isso com Jack.

— Jack — comecei, sonolenta.

— Sim? — A mão dele passou pelos meus cabelos.

— Nós estamos tendo um relacionamento tradicional?

— Diferente do que você tinha com Dane? Sim, eu diria que estamos.

— Então... é do tipo exclusivo? Só entre nós dois?

Jack hesitou antes de responder.

— Isso é o que eu quero — ele disse, afinal. — E quanto a você?
— Eu fico um pouco receosa por estarmos indo tão rápido.
— O que seus instintos lhe dizem?
— Meus instintos e eu não estamos nos falando há algum tempo.

Ele sorriu.

— Os meus estão quase sempre certos. E estão me dizendo que isso aqui é bom. — Jack passou a ponta dos dedos pelas vértebras da minha coluna, causando arrepios na minha pele. — Vamos tentar só eu e você. Sem outras pessoas, sem distrações. Vamos ver como isso é. Tudo bem?

— Tudo. — Eu bocejei. — Mas só para sermos claros, não quero um relacionamento sério. Eu sei que isso não tem futuro.

— Durma, agora — ele sussurrou, puxando as cobertas sobre meus ombros.

Eu não conseguia mais manter os olhos abertos.

— Durmo, mas você ouviu que...

— Eu ouvi. — E ele me abraçou enquanto eu dormia.

Meu estado de espírito tranquilo foi abalado assim que voltamos ao 1800 Main e eu escutei as mensagens da secretária eletrônica. Tara tinha ligado três vezes, parecendo cada vez mais agitada ao pedir para que eu retornasse as ligações sem me importar com a hora.

— Deve ser a respeito de nosso encontro com Mark Gottler — eu disse para Jack, desanimada, enquanto ele colocava o bebê-conforto sobre o sofá e pegava Luke no colo. — Sobre o contrato promissório. Tenho certeza. Eu desconfiei que Gottler diria algo para ela.

— Você contou para sua irmã que nós falamos com ele?

— Não. Eu não queria que Tara se preocupasse com isso. Ela está tentando colocar as ideias no lugar... está vulnerável... se Gottler deixá-la nervosa com isso, eu acabo com ele.

— Ligue para ela agora e descubra — Jack disse, calmo, levando Luke para o trocador.

— Ele está com a fralda suja? Eu cuido disso.

— Ligue para sua irmã, querida. Acredite em mim, se eu consigo eviscerar um cervo em campo aberto, posso lidar com uma fralda suja.

Eu dei um olhar de gratidão para ele e liguei para Tara.

Minha irmã atendeu no segundo toque.

— Alô?

— Tara, sou eu. Acabei de ouvir sua mensagem. Como estão as coisas?

— Tudo estava ótimo até Mark me ligar dizendo o que você aprontou.

— O tom de voz dela foi como vidro quebrando.

Eu inspirei fundo.

— Sinto muito que ele tenha preocupado você com isso.

— Em primeiro lugar, você deveria se desculpar por ter ido atrás dele! Você sabia que não devia, ou teria me avisado antes. O que está havendo, Hannah? E por que está enfiando Jack Travis nos meus assuntos?

— Ele é um amigo. Jack foi comigo, para me dar apoio.

— É uma pena que você tenha gastado o tempo dele e o seu. Porque tudo isso não vai servir de *nada*. Não vou assinar nenhum contrato. E não preciso da sua ajuda, principalmente desse tipo de ajuda. Você sabe o quanto me constrangeu? Você sabe o que está em jogo? Você vai arruinar a minha vida se não ficar quieta e cuidar da sua!

Fiquei em silêncio, tentando controlar minha respiração. Tara, quando ficava brava, parecia demais com nossa mãe.

— Eu não vou arruinar nada — eu disse, afinal. — Só estou fazendo o que você pediu: tomando conta do Luke. E estou tentando garantir que vocês consigam a ajuda a que têm direito.

— Mark já prometeu me ajudar. Não havia necessidade de envolver advogados!

Eu estava perplexa diante da ingenuidade dela.

— Quanta fé você tem na palavra de um homem que trai a esposa?

Ouvi uma exclamação de ultraje.

— Isso não é da sua conta. Trata-se da *minha vida*. Não quero que você fale com Mark nunca mais. Você não entende nada dessa situação.

— Eu entendo muito mais do que você — respondi, amarga. — Escute, Tara... você precisa se proteger. Você precisa da garantia de que ele vai te ajudar. O Mark por acaso lhe contou o que estamos negociando?

— Não e não quero saber. Eu sei o que ele me prometeu e isso é o bastante. Qualquer contrato que você me der, vou rasgar e jogar fora.

— Posso apenas lhe contar algumas das coisas que conversamos?

— *Não*. Não estou interessada em nada do que você tem para me dizer. Quando eu, finalmente, estou conseguindo o que eu quero, pela primeira vez na vida, você aparece me julgando, interferindo e estragando tudo. Como a nossa mãe.

— Eu não sou como a mamãe — respondi, me encolhendo.

— Sim, você é! Você é invejosa como ela... Tem inveja de mim porque sou mais bonita e tive um bebê. E tenho um namorado rico.

Foi então que descobri que a gente enxerga tudo vermelho mesmo, quando se está furiosa o bastante.

— Cresça, Tara — eu estrilei.

Clique.

Silêncio.

Eu olhei para o telefone mudo na minha mão e deixei a cabeça tombar, completamente derrotada.

— Jack.

— Sim?

— Eu acabei de dizer para minha irmã, que está em uma clínica psiquiátrica, crescer.

Ele voltou para perto de mim, com o bebê dentro de uma fralda limpa. A voz dele estava leve e divertida.

— Eu ouvi.

Levantei meus olhos derrotados para ele.

— Você tem o número do Mark Gottler? Preciso ligar para ele.

— Está bem aqui no meu celular. Pode usar. — Jack me observou por um instante. — Você pode me deixar cuidar disso? — ele murmurou. — Posso fazer isso por você?

Pensei na oferta, sabendo que, mesmo que eu pudesse lidar com Gottler sozinha, aquele era exatamente o tipo de coisa em que Jack era bom. E naquele momento, toda ajuda era apreciada. Eu concordei.

Ele me entregou Luke e foi até a mesa onde tinha deixado a carteira, as chaves e o celular. Em menos de dois minutos, ele estava com Gottler no telefone.

— Ei, Mark. Como você está? Ótimo. É, as coisas vão bem, mas estamos com um problema aqui e precisamos acertar isso. Hannah acabou de falar com a Tara... sobre a reunião que fizemos, o contrato... isso. Hannah não ficou feliz com isso, Mark. Para lhe dizer a verdade, eu também não. Acho que eu devia ter deixado claro que isso era confidencial. Mas eu não esperava que você fosse sair por aí falando a respeito. — Ele fez uma pausa para escutar. — Eu sei por que você fez isso, Mark. — O tom dele era calmo, mas irritado. — E agora essas duas irmãs estão furiosas, parecem dois gatos dentro de uma banheira. Não importa o que Tara diga neste momento, ela não está em condições de tomar esse tipo de decisão. Você não precisa se preocupar se ela vai assinar ou não o contrato. Quando meu advogado enviar para você, mande seus garotos darem uma olhada, assine essa porra e mande de volta para mim. — Jack escutou por um instante. — Porque Hannah me pediu para cuidar disso, esse é o motivo. Eu não sei como você costuma lidar com essas coisas... Sim, é isso mesmo que estou sugerindo... O fato, Mark, é que eu estou nessa para garantir que Tara e Luke recebam tudo a que têm direito. Eu quero que eles tenham o que nós conversamos a respeito e concordamos. E você sabe o que significa, em Houston, faltar com a palavra dada a um Travis. Não, é claro que não é uma ameaça. Eu nos considero amigos, e sei que você não vai desistir de fazer o que é certo. Então vamos deixar claro o que vai acontecer nos próximos meses: você não vai mais incomodar Tara com essas coisas. Nós vamos assinar esse contrato, e se causar mais problemas para o nosso lado, garanto que você vai ter problemas ainda maiores. E não quero acreditar que vamos precisar chegar a isso. Da próxima vez que você quiser falar disso, ligue para mim ou Hannah. Tara está fora das negociações até melhorar o bastante para sair da clínica. Ótimo. Eu também acho. — Ele escutou por cerca de meio minuto, pareceu satisfeito e se despediu, desligando o telefone com um gesto decidido.

Olhando para mim, ele arqueou uma sobrancelha.

— Obrigada, Jack — eu disse, a voz baixa, sentindo o aperto em meu peito diminuir. — Você acha que ele prestou atenção?

— Ah, prestou. — Eu me sentei no sofá e Jack se aproximou de mim, agachou-se e me encarou. — Vai ficar tudo bem — ele murmurou. — Não perca nem um minuto se preocupando com isso.

— Tudo bem. — Eu estendi a mão e toquei as camadas de cabelo escuro dele. Eu me senti envergonhada de um modo estranho quando perguntei: — Você quer passar a noite comigo ou prefere...

— Quero.

Um sorriso torto se espalhou pelo meu rosto.

— Você não quer algum tempo para pensar nisso?

— Tudo bem. — Ele apertou os olhos, como se estivesse refletindo, e, uma fração de segundo depois, concluiu: — Quero passar a noite com você.

Capítulo dezoito

Durante o mês seguinte nós passamos todas as noites e todos os fins de semana juntos. E ainda assim parecia que eu não o via o suficiente.

Havia momentos em que eu mal conseguia me reconhecer, rindo e brincando como a criança que nunca fui. Nós fomos a um bar com música country e Jack me levou para a pista de dança, cujo piso tinha resíduos de cerveja e tequila, e me ensinou a dança típica.

Outro dia nós fomos a um borboletário, onde centenas de asas coloridas esvoaçaram ao nosso redor como confete.

— Ela acha que você é uma flor — Jack sussurrou no meu ouvido quando uma das borboletas pousou no meu ombro.

Ele levou Luke e eu a uma feira de produtores, onde me comprou uma cesta enorme de sabonetes artesanais e dois baldes de peras que derretiam na boca. Deixamos um dos baldes na casa do pai dele, onde ficamos por cerca de uma hora, e fomos ver, no jardim dos fundos, um buraco de golfe que tinha acabado de ser instalado.

Ao descobrir que eu nunca tinha jogado golfe, Churchill me deu uma aula improvisada. E quando eu disse que não precisava aprender mais uma coisa na qual eu seria ruim, Churchill disse que golfe era uma das duas coisas na vida possíveis de se apreciar mesmo sendo ruim. Antes que eu pudesse perguntar qual era a outra coisa, Jack meneou a cabeça, grunhiu e me arrastou de lá. Mas não antes de seu pai fazê-lo prometer que me levaria de novo em breve.

Havia eventos de gala, quando Jack e eu íamos a um jantar beneficente para a Sinfonia de Houston, ou à inauguração de uma galeria de arte, ou quando fomos jantar em um restaurante chique instalado em uma construção reformada, que tinha sido uma igreja na década de 1920. Eu me divertia, mas também me irritava com as reações das outras mulheres a Jack, com o modo como o rodeavam e flertavam com ele. Jack era gentil, mas reservado, o que só parecia encorajá-las. E então percebi que Jack não era o único possessivo.

Eu adorava as tardes dos fins de semana, quando eu contratava uma babá para ficar com Luke e subia até o apartamento de Jack. Nós ficávamos deitados durante horas, conversando ou fazendo sexo, às vezes ao mesmo tempo. Como amante, Jack era criativo e habilidoso, levando-me a níveis inéditos de prazer, com cuidado e atenção. Dia após dia eu sentia que estava mudando de maneiras que não conseguia entender. Nós estávamos ficando muito íntimos, eu compreendia disso, mas não sabia o que fazer para impedir.

Eu me peguei contando sobre todo meu passado para ele, coisas que antes tinha confidenciado apenas a Dane, lembranças ainda dolorosas o bastante para fazer meus olhos lacrimejarem e minha voz falhar. Em vez de dizer algo filosófico ou sábio, Jack simplesmente me abraçava, oferecendo-me seu corpo como consolo. Era do que eu mais precisava. Mas com frequência eu sentia a tensão de desejos conflitantes quando estava com Jack. Eu estava extremamente atraída por ele, mas ainda assim me esforçava para manter qualquer barreira que conseguisse, ainda que frágil. E ele era muito inteligente, inteligente demais para me pressionar. O que ele fazia era me seduzir constantemente, com gentileza e vigor, com sexo, charme e paciência infinita.

Um dia, Jack levou Luke e eu à casa de Gage e Liberty, no subdistrito de Tanglewood, para uma tarde tranquila na piscina. Ele me explicou que teria que passar parte do tempo ajudando o irmão a fazer um barco de quatro metros que Gage estava construindo na garagem. Tudo começou como um projeto de Carrington, a irmã de 10 anos de Liberty, que esta criou desde o nascimento. Gage estava ajudando a garota a fazer o barco, mas os dois precisavam de mais alguém para terminar o trabalho.

Tanglewood ficava na região da Galleria, com lotes residenciais em geral menores do que River Oaks. Sua principal avenida era marcada pelos carvalhos e pelas calçadas largas com bancos. Gage e Liberty tinham comprado uma propriedade em ruínas, uma das últimas casas em estilo rancho dos anos 1950, que demoliram e em cujo lugar construíram uma mansão em estilo europeu, com revestimento em gesso e arenito e telhado de ardósia preta. O hall de entrada tinha pé direito duplo, com uma escadaria em curva com balaustrada de ferro forjado, que continuava no balcão circular do segundo andar. Tudo era sereno, com texturas que combinavam, e envelhecido, como se a casa tivesse sido construída há séculos.

Liberty nos recebeu na porta, o cabelo puxado para trás em um rabo de cavalo, o corpo esguio, mas curvilíneo, dentro de um maiô preto e shorts jeans rasgado. Ela usava chinelos decorados com flores de lantejoulas. Liberty possuía uma característica interessante, que eu só consigo descrever como uma aparência saudável, belos olhos claros e um tipo de gentileza sincera e sexy.

— Adorei os chinelos — eu disse.

Liberty me abraçou como se eu fosse uma velha amiga da família.

— Minha irmã, Carrington, fez para mim no acampamento de verão. Você ainda não a conheceu. — Ela ficou na ponta dos pés para beijar o rosto de Jack. — Oi, sumido. Não o temos visto muito ultimamente.

Com Luke apoiado no ombro, ele sorriu para Liberty.

— Tenho andado ocupado.

— Ora, isso é bom. Qualquer coisa que o mantenha afastado de confusão é ótima. — Ela pegou o bebê dos braços dele e o abraçou. — A gente esquece como eles são pequeninos no começo. Ele é um amor, Hannah.

— Obrigada. — Eu senti uma espécie de orgulho, como se Luke fosse meu próprio filho e não de Tara.

Então, duas pessoas apareceram no hall... o marido alto e moreno de Liberty, Gage, e uma garotinha loira, com cerca de 10 ou 11 anos. Carrington não se parecia em nada com Liberty, o que me levou a concluir que eram meias-irmãs.

— Jack! — ela exclamou, correndo na direção dele com suas pernas magricelas e as tranças esvoaçantes. — Meu *tio favorito*!

— Eu já falei que vou ajudar com o barco — Jack disse, fingindo enfado, quando ela o abraçou.

— É divertido, Jack! Gage martelou o dedo e soltou um palavrão, e me deixou usar a furadeira sem fio, e eu preguei as tábuas da lateral...

— Furadeira sem fio? — Liberty repetiu, dando um olhar misto de preocupação e repreensão para o marido.

— Ela mandou bem. — Gage sorriu e pegou minha mão. — Olá, Hannah. Vejo que seu gosto por homens não melhorou.

— Não acredite em nada que ele lhe contar, Hannah — Jack disse. — Eu sou e sempre fui um anjo.

Gage bufou.

Liberty estava tentando observar a mão de Gage.

— Que dedo você machucou?

— Não foi nada. — Gage mostrou o polegar para ela, que franziu a testa ao examinar o lugar, na unha, em que começava a aparecer um hematoma. Fiquei emocionada com o modo como a expressão dele mudou ao ver a cabeça da mulher abaixada sobre sua mão, o modo como os olhos dele ficaram ternos.

Segurando a mão dele na sua, Liberty olhou para a irmãzinha.

— Carrington, esta é a Srta. Varner.

A garota apertou minha mão e sorriu, revelando dois dentes tortos. Ela tinha pele de porcelana e olhos azul-celeste, além de linhas rosadas quase imperceptíveis na ponte do nariz e na testa, como se tivesse usado uma máscara.

— Por favor, pode me chamar de Hannah. — Eu olhei para Liberty e acrescentei: — A propósito, ela estava usando óculos de proteção.

— Como você sabe? — Carrington perguntou, impressionada e confusa. Antes que eu pudesse responder, ela avistou Luke. — Oh, ele é tão fofo! Posso segurar? Sou muito boa para segurar bebês. Eu ajudo com Matthew o tempo todo.

— Talvez mais tarde, quando estiver sentada — Jack disse. — Agora nós temos um trabalho a fazer. Vamos dar uma olhada no barco.

— Tá bom. Está na garagem. — Ela pegou a mão do tio e o puxou, ansiosa.

Jack resistiu por um instante, olhando para mim.

— Tudo bem você ficar na piscina com a Liberty?

— É tudo que eu quero.

Liberty me conduziu por dentro da casa até os fundos. Ela carregou Luke, falando com ele enquanto eu a seguia com a sacola de fraldas.

— Onde está Matthew? — perguntei.

— Hoje ele tirou a soneca mais cedo. A babá vai trazê-lo, quando ele acordar.

Nós passamos por uma cozinha maravilhosa, que parecia ter saído de um *château* rústico francês. Uma porta dupla dava acesso a uma área cercada nos fundos, com gramado, leitos de flores e um deque com churrasqueira. A principal atração do quintal de dois mil metros quadrados era uma piscina de pedra e azulejo constituída de duas piscinas interligadas, uma rasa, outra funda.

A lagoa rasa terminava em uma praia de areia branca, com uma palmeira de verdade plantada no centro.

— Areia havaiana — Liberty disse, rindo ao notar meu interesse. — Você precisava ter visto quando escolhemos a areia. O paisagista deve ter trazido umas vinte amostras, enquanto Gage e Carrington tentavam imaginar qual delas dava para fazer os melhores castelos de areia.

— Você está me dizendo que trouxeram a areia do Havaí?

— Sim. Um contêiner. O cuidador da piscina tem vontade de nos matar toda semana. Mas Gage achou que seria divertido para Carrington ter sua própria praia. Ele faz qualquer coisa por ela. Tome, segure o bebê que eu vou ligar os nebulizadores.

— Nebulizadores?

Liberty foi ligar um interruptor perto da churrasqueira, o que ativou jatos que estavam escondidos no deque e criaram uma leve névoa refrescante ao redor da piscina.

Eu fiquei assombrada.

— Isso é incrível — eu disse. — Por favor, não me entenda mal, mas sua vida é irreal, Liberty.

— Eu sei. — Ela fez uma careta. — Não foi assim que eu cresci, pode acreditar.

Nós nos acomodamos em duas poltronas com almofadas junto à piscina, e Liberty ajustou o guarda-sol para proteger Luke, que estava no meu colo.

— Como você conheceu Gage? — eu perguntei. Embora Jack tivesse me contado que Churchill, o pai deles, tinha apresentado Liberty à família, eu não sabia dos detalhes.

— Churchill cortava o cabelo no salão em que eu trabalhava e nós ficamos amigos. Eu fui a manicure dele durante algum tempo. — Liberty me observava com um toque de malícia nos olhos, e percebi que estava observando minha reação. Sem dúvida muita gente imaginaria muita coisa baseada nessa informação.

Eu decidi ser direta.

— Houve algum envolvimento entre vocês dois?

Liberty sorriu e negou com a cabeça.

— Eu amei Churchill de imediato, mas não de um jeito romântico.

— Ele era uma figura paterna, então.

— Sim. Meu pai morreu quando eu era muito jovem. Acho que sempre senti falta de algo nesse sentido. Depois que nos conhecíamos há alguns anos, Churchill me contratou como assistente pessoal, e foi assim que conheci o resto da família. — Ela riu. — Eu me dei bem com todo mundo, a não ser Gage, que era um babaca arrogante. — Uma pausa. — Mas muito sexy.

— Tenho que admitir — comecei, sorrindo —, os homens Travis possuem um belo DNA.

— A família Travis é... incomum — Liberty disse, tirando os chinelos e esticando as pernas bronzeadas e reluzentes. — São todos muito determinados. Intensos. Jack é o mais fácil de lidar, pelo menos por fora. Ele é um tipo de balança de família, mantém tudo em equilíbrio. Mas também sabe ser teimoso. Ele faz as coisas do jeito dele e bate de frente com Churchill quando necessário. — Ela fez uma pausa. — A esta altura você já deve ter percebido que Churchill não é o tipo de pai fácil de se conviver.

— Eu percebi que ele tem grandes expectativas com os filhos — comentei.

— Sim, e tem ideias rígidas de como eles devem viver, que escolhas têm que fazer, e fica furioso ou decepcionado quando não fazem as coisas do jeito dele. Mas Churchill a respeita se você mantiver sua posição diante dele. E ele pode ser inacreditavelmente carinhoso e compreensivo. Acho que quanto mais você o conhecer, mais vai gostar dele.

Estiquei as pernas e observei minhas unhas do pé, que não estavam pintadas.

— Você não precisa me convencer a gostar do Churchill ou dos outros Travis, Liberty. Eu já gosto. Mas este relacionamento entre mim e Jack não tem futuro. Não vai durar.

Liberty arregalou os olhos verdes.

— Hannah... espero que você não deixe a reputação do Jack atrapalhar a relação de vocês dois. Eu ouvi algumas histórias das aventuras dele por Houston. Mas acredito que ele já se divertiu bastante e está pronto para criar raízes.

— Não é isso que... — comecei, mas ela me interrompeu, com boa fé.

— Jack é um dos sujeitos mais amorosos e leais que você poderia conhecer. Acho que é difícil, para ele, encontrar uma mulher que consiga enxergar além do dinheiro e do nome Travis, que o queira por quem ele é. E Jack precisa de alguém que seja forte e inteligente para lidar com ele. Ele seria infeliz com uma mulher passiva.

— E quanto a Ashley Everson? — Eu não podia deixar de perguntar. — Que tipo de mulher ela é?

Liberty franziu o nariz.

— Eu não a suporto. Ela é o tipo de mulher que não tem amigas. Diz que se dá melhor com os homens. O que você pensa de uma mulher que não consegue ser amiga das outras?

— Que ela é competitiva. Ou insegura.

— No caso de Ashley, provavelmente as duas coisas.

— Por que você acha que ela largou o Jack?

— Eu não o conhecia na época, mas Gage disse que o problema de Ashley é que ela não consegue ficar com nenhum homem por muito tempo. Depois que ela conquista o cara, fica entediada e quer seguir em frente.

Na opinião de Gage, Ashley nunca pretendeu se casar com Pete. Ela já teria se divorciado dele se não tivesse ficado grávida.

— Não sei como Jack foi se apaixonar por ela — eu resmunguei.

— Ashley se dá bem com os homens. Ela sabe tudo de futebol. Ela caça e pesca, xinga e conta piadas sujas. Acima disso tudo, ela parece uma *top model*. Os homens a adoram. — Ela torceu a boca. — E tenho certeza de que deve ser ótima na cama.

— Agora *eu* não a suporto — eu disse.

Liberty riu.

— Ashley não é concorrente para você, Hannah.

— Não estou concorrendo por Jack — eu disse. — Ele já sabe que não tenho interesse em me casar. Nunca. — Eu vi Liberty arregalar os olhos. — Isso não tem nada a ver com o quão maravilhoso ele é — eu continuei. — Tenho muitas razões para ser assim. — Eu dei um sorriso envergonhado. — E me desculpe se pareço estar na defensiva. Dizer para uma pessoa casada que não pretendo me casar é como agitar uma bandeira vermelha para um touro.

Em vez de parecer ofendida ou de tentar debater o assunto, Liberty concordou, pensativa.

— Deve ser frustrante — ela refletiu. — É difícil nadar contra a maré.

Gostei dela ainda mais, pela pronta aceitação dos meus sentimentos.

— Essa era uma das coisas boas no meu ex-namorado, Dane — eu disse. — Ele também não queria se casar. Era um relacionamento bem confortável.

— Por que você terminou com ele? Foi por causa do bebê?

— Na verdade, não. — Eu puxei um brinquedo da bolsa de fraldas, uma lagarta musical para dar para o Luke brincar. — Analisando o que aconteceu, acho que não havia muita coisa para manter Dane e eu juntos. Mesmo depois de todos esses anos de namoro. E quando eu conheci o Jack, teve alguma coisa nele... — Eu parei de falar, consciente de que, apesar de todo meu vocabulário, não havia como descrever como e por que eu fui tão cativada por Jack Travis. Olhei para Luke e acariciei a penugem preta em sua cabeça. — Ei, Luke. Por que nós estamos com Jack? — perguntei para ele, que me devolveu o mesmo olhar de dúvida.

— Eu sei, pode acreditar. — Liberty riu com delicadeza. — Mesmo quando eu não suportava Gage, parecia que a temperatura da sala subia uns cem graus quando ele entrava.

— Sim, essa é a parte divertida, a atração. Mas não vejo o relacionamento durando para sempre.

— Por que não? — Liberty parecia intrigada, de fato.

Porque eu perco todo mundo que amo, cedo ou tarde. Eu não podia dizer isso em voz alta. Embora tivesse uma potente lógica interna para mim, eu sabia que faria me parecer louca. Eu não sabia explicar como a coisa que eu mais desejava, um relacionamento intenso com Jack, era o que eu mais temia. Não era um medo racional, é claro... era puramente visceral, o que fazia com que fosse ainda mais difícil enfrentá-lo.

Eu dei de ombros e dei um sorri sem graça.

— Acho que sou apenas a novidade do mês, no que diz respeito ao Jack.

— Você é a primeira mulher que ele traz para conhecer a família — Liberty disse em voz baixa. — Com Jack as coisas podem ficar sérias bem depressa, Hannah.

Enquanto eu embalava Luke e lutava com meus pensamentos, fiquei aliviada ao ver a babá de Liberty aparecer com um menino robusto e lindo. O garoto usava uma sunga de banho e uma camiseta com desenho de lagostas.

— Matthew, querido... — Liberty levantou e foi pegá-lo, cobrindo-o de beijos. — Você tirou uma soneca gostosa? Agora quer brincar com a mamãe? Uma amiga está nos visitando e trouxe o bebezinho dela. Você quer conhecer o amiguinho?

Ele reagiu com um sorriso encantador e conversou com a mãe usando frases incompreensíveis, com os braços gorduchos enrolados no pescoço dela. Depois de nos observar com muita atenção, Matthew decidiu que brincar na areia seria muito mais interessante que observar o bebê. Liberty tirou os shorts, ficando só de maiô, e levou o filho até a borda da água, onde se sentaram e começaram a encher um balde de areia.

— Hannah, venha pôr as pernas na água — ela chamou. — Está ótima.

Eu vestia uma regata estampada com uma bermuda combinando, mas tinha levado traje de banho.

— Só me dê um minuto para eu me trocar — eu disse, tirando o maiô da sacola de fraldas.

— Claro. Ah, esta é a nossa babá, Maria... deixe o Luke com ela enquanto você se troca.

— Tudo bem? — perguntei para Maria, que se aproximou sorrindo.

— Claro, não tem problema — ela respondeu.

— Obrigada.

— Tem um banheiro para hóspedes perto da cozinha — Liberty me informou. — Ou, se precisar de mais espaço, pode usar qualquer um dos quartos do andar de cima.

— Certo. — Entrei na casa, apreciando o frescor da cozinha, e encontrei o banheiro com paredes listradas de tons terrosos, pia de pedra e um espelho de moldura preta. Coloquei meu maiô cor-de-rosa em estilo retrô e saí descalça. Passando pela cozinha, carregando minhas roupas, ouvi vozes... uma delas era o murmúrio grave de Jack. As vozes eram acompanhadas pelo barulho de martelos e serra, além do eventual guincho de uma furadeira.

Segui o som até uma porta entreaberta que dava para uma garagem espaçosa, onde um grande exaustor fazia o ar quente circular. O espaço estava muito bem iluminado pela claridade do dia que entrava pelo portão aberto da garagem. Empurrando um pouco mais a porta eu vi, sem ser vista, Jack, Gage e Carrington trabalhando no barco de madeira, que estava apoiado em cavaletes acolchoados.

Por causa do calor, tanto Jack quanto Gage tinham tirado a camisa. Eu me perguntei, ironicamente, quantas mulheres pagariam um bom dinheiro para ver dois irmãos Travis vestindo apenas calças jeans, exibindo os torsos bronzeados com seus músculos definidos e poderosos. Com meu olhar preso às costas suadas de Jack, veio-me à mente uma lembrança recente das minhas mãos ansiosas agarrando aqueles músculos rígidos dos dois lados da coluna dele, e senti uma sensação agradável passar por mim.

Carrington estava ocupada passando uma camada grossa de cola em uma das últimas três tábuas que seriam presas à lateral do barco para criar a borda. Eu tive que sorrir ao ver Gage agachado ao lado dela, murmurando instruções, segurando uma das tranças que corria o risco de ser arrastada na cola.

— ...e então, no recreio — a garotinha dizia, apertando um imenso frasco de cola com as duas mãos —, Caleb não deixava ninguém brincar com a bola de basquete, então Katie e eu fomos contar para a professora.

— Que bom — Gage disse. — Aqui, ponha mais cola na beirada. É melhor exagerar do que não pôr o suficiente.

— Desse jeito?

— Perfeito.

— E então — Carrington continuou —, a professora disse que estava na vez de outras pessoas brincarem com a bola e fez Caleb escrever uma redação sobre dividir as coisas.

— Isso deu jeito nele? — Jack perguntou.

— Não — Carrington respondeu, revoltada. — Ele continua sendo o garoto mais irritante que existe.

— Todos eles são, querida — Jack disse.

— Eu contei para ele que você ia me levar para pescar — Carrington continuou, indignada —, e sabe o que ele disse?

— Que garotas não sabem pescar? — Jack arriscou.

— Como você sabe? — ela perguntou, estupefata.

— Porque eu também já fui um garoto irritante, e isso, provavelmente, é o que eu teria dito. Mas eu estaria errado, porque as garotas sabem pescar muito bem.

— Tem certeza disso, tio Jack?

— É claro que... espere um instante. — Juntos, Jack e Gage levantaram as tábuas de madeira unidas e as encaixaram na borda do barco.

— Querida — Gage murmurou para Carrington —, por favor, me traga aquele balde de grampos que está ali. — Com cuidado, ele colocou os grampos ao longo da borda, parando para ajustar as tábuas quando necessário.

— O que você ia dizer, tio Jack? — Carrington quis saber, entregando para ele toalhas de papel para absorver o excesso de cola.

— Eu ia perguntar para você, quem é o maior entendido em pesca nesta família?

— Você.

— Isso mesmo. E quem é o maior especialista em mulheres?

— O tio Joe — ela respondeu, rindo.

— *Joe?* — ele repetiu, fingindo estar ofendido.

— Faça a vontade dele, Carrington — Gage disse. — Do contrário, vamos ficar aqui o dia todo.

— *Você* é o especialista em mulheres — Carrington disse para Jack, prontamente.

— Isso mesmo. Então posso lhe afirmar que mulheres estão entre os melhores pescadores do mundo.

— Por quê?

— Elas são mais pacientes, não desistem facilmente. Elas tendem a pescar com mais cuidado e conseguem encontrar os pontos em que os peixes se escondem entre as rochas e a vegetação aquática. Nós, homens, costumamos ignorar esses pontos, mas as mulheres sempre os encontram.

Enquanto Jack falava, Carrington me viu parada na porta e me deu um sorriso.

— Você vai levar a Srta. Hannah para pescar? — ela perguntou para Jack, que tinha pegado uma plaina e aparava as arestas na borda do barco.

— Se ela quiser — ele respondeu.

— Será que ela vai pescar *você*, tio Jack? — Carrington perguntou, malandra.

— Ela já me pescou, querida. — Ao ouvir a risadinha da sobrinha, Jack parou de aplainar, acompanhou o olhar dela e me viu parada ali. Um sorriso se espalhou lentamente pelo rosto dele, e seus olhos faiscaram quando ele reparou no meu maiô cor-de-rosa e nas minhas pernas nuas. Largando a plaina, ele murmurou para o irmão e a sobrinha: — Com licença, preciso falar de uma coisa com a Srta. Hannah.

— Não precisa, não — protestei. — Eu só queria dar uma olhada no barco. É lindo, Carrington. De que cor você vai pintar?

— Rosa, como seu maiô — ela disse, alegre.

Jack se aproximou de mim, mas eu recuei alguns passos.

— Não o leve embora ainda, Hannah — Gage pediu. — Nós ainda precisamos prender a borda do outro lado.

— Pode deixar, não vou levar. Eu... Jack, volte já para o trabalho. — Mas ele não parou, vindo na minha direção, e eu fugi para a cozinha. — Me deixe em paz, você está todo suado! — Em alguns instantes eu me vi presa junto ao balcão da cozinha, com as mãos dele dos meus lados, apoiadas na borda de granito.

— Você gosta quando estou suado — ele murmurou, as pernas vestidas de jeans prendendo as minhas.

Afastei o corpo para evitar contato com o peito suado dele.

— Se eu pesquei você — eu disse, ainda rindo —, vou jogar de volta.

— A gente só joga de volta os pequenos, querida. Os grandes a gente guarda. Agora me dê um beijo.

Eu tentei parar de sorrir por tempo suficiente para atender ao pedido dele. Os lábios dele estavam quentes ao tocarem nos meus, e o beijo, erótico em sua carícia suave.

🍼

Depois que os construtores navais terminaram de colar e pregar as bordas, foram se refrescar na piscina, e nós passamos o resto da tarde relaxando e nadando. O almoço foi servido, grandes travessas de folhas verdes com frango grelhado, uvas vermelhas e nozes, e tomamos uma garrafa de burgundy, um vinho branco francês da região de Borgonha. A babá levou as crianças para dentro da casa, para tirá-las do sol, enquanto Gage, Liberty, Jack e eu comíamos em uma mesa debaixo de um guarda-sol.

— Vou fazer um brinde especial — Gage disse, erguendo sua taça. Nós paramos e olhamos para ele. — A Haven e Hardy — ele continuou —, que a esta altura já são Sr. e Sra. Cates. — Ele sorriu e todos nós o encaramos, surpresos.

— Eles se casaram? — Liberty perguntou.

— Pensei que iam passar o fim de semana no México — Jack disse, parecendo dividido entre alegria e aborrecimento. — Eles não me disseram nada a respeito de se casarem.

— Eles fizeram uma cerimônia particular em Playa del Carmen — Gage explicou e Liberty riu.

— Como eles podem ter se casado sem nós? Não acredito que eles queriam se casar com privacidade. — Ela fez uma careta para Gage. — E você não me contou nada! Há quanto tempo sabia? — A felicidade dela era evidente, apesar de tudo.

— Desde ontem — Gate disse. — Eles não queriam um espetáculo. Mas pretendem fazer uma grande festa quando voltarem, para comemorar, o que, eu disse para Haven, acho uma ótima ideia.

— Eu acho fantástico — Jack disse, erguendo a taça para o casal ausente. — Depois de tudo que Haven passou, ela merece o casamento que quiser. — Ele tomou um gole do vinho. — Papai já sabe?

— Ainda não — Gage disse, torcendo a boca. — Acho que vou ter que contar... mas ele não vai gostar.

— Ele aprova o Hardy, não? — perguntei, um pouco preocupada.

— Aprova, ele já abençoou os dois — Gage disse. — Mas nosso pai nunca perde a oportunidade de transformar um evento familiar em um grande circo. Ele quer estar no controle de tudo.

Eu concordei, entendendo logo por que Haven e Hardy não queriam que o casamento fosse uma grande produção. Por mais que fossem um casal amigável e acolhedor, eles queriam proteger sua vida particular. Os sentimentos eram importantes demais, para eles, para que os exibissem em público.

Todos nós brindamos aos recém-casados e conversamos por alguns minutos sobre Playa del Carmen, que, aparentemente, era conhecida pelas praias e pela pesca, e atraía muito menos turistas que Cancún.

— Você já esteve no México, Hannah? — Liberty perguntou.

— Ainda não. Mas tenho vontade de ir.

— Deveríamos ir um fim de semana desses. Nós quatro e as crianças — Liberty falou para Gage. — Parece que é um lugar bom para famílias.

— Claro, podemos usar um dos aviões — Gage respondeu, tranquilo. — Você tem passaporte, Hannah?

— Ainda não. — Eu arregalei os olhos. — Os Travis têm um avião?

— Dois jatos — Jack disse. Um sorriso tocou os lábios dele quando viu minha expressão. Ele pegou minha mão e brincou com ela. Eu pensei que a essa altura já devia estar acostumada com o pequeno choque que me atingia sempre que era lembrada que os Travis viviam em uma estratosfera financeira. — Gage — Jack disse para o irmão, ainda olhando para mim. — Acho que a menção a aviões particulares está assustando Hannah. Você pode dizer para ela que sou um cara normal?

— Ele é o cara mais normal da família Travis — Liberty me disse, seus olhos verdes cintilando.

Não pude deixar de rir diante daquele adjetivo.

Liberty sorriu e eu percebi que ela compreendia como eu me sentia. *Está tudo bem*, o sorriso empático dela parecia dizer. *Você vai ficar bem.* Ela ergueu a taça outra vez.

— Eu também tenho notícias para dar... embora não seja uma surpresa para Gage. — Ela olhou para mim e Jack. — Adivinhem.

— Você está grávida? — Jack perguntou.

Liberty negou com a cabeça e seu sorriso aumentou.

— Vou abrir meu próprio salão. Estou pensando nisso há algum tempo... e pensei que, antes de termos outro filho, eu gostaria de fazer isso. Será um lugar pequeno e exclusivo, com poucos funcionários.

— É maravilhoso! — eu exclamei, batendo minha taça na dela.

— Parabéns, Liberty. — Jack estendeu seu copo de vinho e se juntou ao brinde. — Como vai ser o nome do salão?

— Não decidi ainda. Carrington quer chamá-lo de *Anjo de Cabelos Longos* ou *Cabeleira Cabeluda*... mas eu disse que nós precisamos de algo com mais classe.

— Tesouro de Tesouras — eu sugeri.

— Tchau, Perucas — Jack arriscou.

Liberty cobriu as orelhas.

— Assim eu vou à falência na primeira semana.

Jack ergueu as sobrancelhas, irônico.

— A grande questão é: como nosso pai vai conseguir mais netos? Afinal, esse é o trabalho de uma mulher Travis, não é? Você está desperdiçando seus melhores anos de reprodução, Liberty.

— Fique quieto — Gage disse para o irmão. — Nós estamos começando a pôr o sono em dia, com Matthew ficando mais velho. Não estou pronto para passar de novo por isso tudo.

— Vocês não terão apoio deste lado da mesa — Jack disse. — Hannah está passando por tudo isso... as noites sem dormir, as fraldas... por um filho que nem é dela.

— Mas eu sinto como se fosse meu — eu disse sem pensar, e os dedos de Jack apertaram os meus, como se estivesse me protegendo.

Ficamos em silêncio, então, exceto pelo jato discreto dos nebulizadores e do chape-chape da cascata.

— Quanto tempo você ainda tem com o bebê, Hannah? — Liberty perguntou.

— Cerca de um mês. — Com a mão livre, peguei minha taça e a esvaziei. Normalmente, eu teria aberto um grande sorriso falso e mudado de assunto. Mas em companhia de ouvintes amistosos, com Jack ao meu lado, acabei dizendo o que eu realmente pensava. — Vou sentir falta dele. Vai ser difícil. E tem começado a me incomodar o fato de que Luke nem vai se lembrar do tempo que passou comigo. Os primeiros três meses de sua vida. Ele não vai saber de nada do que eu fiz por ele... Não vou ser diferente para ele. Não serei mais do que qualquer estranho na rua.

— Você não vai vê-lo, depois que Tara o pegar? — Gage perguntou.

— Não sei. É provável que pouco.

— Ele vai lembrar, bem no fundo — Jack disse, procurando ser gentil.

E fitando seu olhar escuro e penetrante, encontrei consolo.

Capítulo dezenove

Luke estava deitado no chão do meu apartamento, no meio de um *baby gym*, um centro de atividades para bebês com uma colcha com dois arcos cruzados de onde ficavam pendurados brinquedos sonoros, pássaros e borboletas que giravam, folhas para o bebê amassar e música eletrônica alegre. Ele adorava aquilo tanto quanto eu adorava observá-lo. Com dois meses, ele já ria, sorria, fazia barulhos e conseguia levantar a cabeça e o peito.

Jack jazia ao lado dele, relaxado e estendendo o braço para mexer nos brinquedos ou apertar os botões para fazer tocar novas músicas.

— Eu queria ter um destes — ele disse. — Com latas de cerveja, charutos cubanos e aquela calcinha preta que você usou na noite de sábado.

Eu, que estava guardando a louça na cozinha, parei no lugar.

— Você tirou a minha calcinha com tanta rapidez que eu pensei que não tivesse reparado nela.

— Eu tinha passado um jantar de duas horas olhando para você naquele vestido decotado. Teve sorte de eu não ter te atacado na garagem, de novo.

Eu mordi o canto da boca, escondendo um sorriso, e fiquei na ponta dos pés para colocar uma jarra de vidro em uma prateleira alta.

— É, bom... em geral eu gosto de um pouco mais de preliminares do que o som das chaves do carro tilintando e um ou dois beijos... — Eu me assustei quando senti Jack atrás de mim, tão silencioso e ágil para se aproximar que nem percebi quando entrou na cozinha. A jarra balançou na minha mão e Jack estendeu a dele para colocá-la na prateleira em segurança.

Senti a boca dele na minha orelha.

— Eu fiz gostoso para você, não fiz?

— Fez. — Eu dei uma risada gutural quando os braços dele se fecharam ao redor do meu corpo. — Não estou dizendo que fui prejudicada. Só estou dizendo... que você não perdeu tempo em partir para o ataque... — as palavras se dissolveram em um suspiro quando eu o senti morder e lamber meu pescoço, sua língua desenhando um redemoinho suave que evocava memórias escaldantes. Meus óculos escorregaram pelo nariz e eu empurrei a armação de volta ao lugar. Um dos braços de Jack me enlaçou abaixo dos seios, enquanto sua mão livre deslizou por baixo da cintura dos meus shorts.

— Você quer preliminares, Hannah? — Os quadris dele me pressionaram por trás e eu senti o tamanho e a dureza dele através das nossas roupas.

Baixei as pálpebras e agarrei a borda do balcão da cozinha enquanto as mãos dele passeavam pelo meu corpo.

— O bebê — eu disse, ofegante.

— Ele não vai ligar. Está se distraindo com os brinquedos.

Rindo, eu empurrei as mãos dele.

— Me deixa terminar a louça.

Jack puxou meus quadris de encontro aos dele, querendo me provocar. Mas fomos interrompidos pelo toque estridente do telefone.

— Fique quieto — eu sibilei para Jack e atendi a ligação. — Alô?

— Hannah, sou eu. — A voz, baixa e constrangida, era da minha prima Liza. — Estou ligando para te alertar. Me desculpe.

Fiquei rígida e Jack parou de mover as mãos pelo meu corpo.

— Que tipo de alerta? — perguntei.

— Sua mãe está indo visitar você. Ela vai chegar dentro de quinze minutos a meia hora. Talvez antes, se o tráfego estiver bom.

— Não está, não — eu disse, empalidecendo. — Eu não a convidei. Ela não sabe onde eu moro.

— Eu contei para ela — Liza disse, a voz cheia de culpa.

— *Por quê?* — eu lamentei. — Que razão você poderia ter para fazer isso comigo?

— Não pude evitar. Ela me ligou, toda agitada, porque tinha acabado de conversar com Tara por telefone, e Tara contou para ela que achava que estava rolando alguma coisa entre você e Jack Travis. E agora as duas querem saber o que está acontecendo.

— Eu não devo explicações para nenhuma das duas — explodi, ficando vermelha. — Estou cansada, Liza. Estou cansada de ter que resolver as confusões da Tara. E eu gostaria que minha mãe estivesse tão preocupada com o neto como está com minha vida sexual! — Tarde demais, percebi o deslize e cobri a boca com a mão.

— *Você está transando com o Jack Travis?*

— Claro que não. — Senti a boca de Jack roçar delicadamente minha nuca e estremeci. — Você precisa ir embora — eu disse para ele, aflita, e trouxe o telefone de volta ao ouvido.

— ...ele está com você? — Liza perguntou.

— Não, é o cara do correio. Ele quer que eu assine algo.

— Aqui embaixo — Jack murmurou, puxando minha mão livre pelo corpo dele.

— *Vá!* — eu murmurei, empurrando o peito dele com força. Ele nem se mexeu, apenas tirou meus óculos e limpou as lentes borradas com a barra da camiseta.

— A coisa é séria? — Liza perguntou.

— *Não*. É um relacionamento superficial, sem sentido, puramente físico e que não vai dar em nada. — Eu me encolhi quando Jack se inclinou para morder minha orelha como vingança.

— Demais! Hannah, você acha que consegue me arrumar um dos amigos dele? Estou passando por um período de seca...

— Preciso ir, Liza. Tenho que arrumar o apartamento e pensar no que fazer... Oh, merda... Eu falo com você mais tarde. — Desliguei o telefone e peguei meus óculos com Jack.

Eu corri para o quarto e ele me seguiu.

— O que você está fazendo? — Jack perguntou.

Eu puxei os lençóis e o edredom da cama desfeita.

— Minha mãe vai aparecer a qualquer minuto, e parece que fizemos uma orgia aqui. — Parei tempo o suficiente para fuzilá-lo com os olhos. — Você tem que ir. Estou falando sério. Você não pode conhecer minha mãe. — Joguei as almofadas na cama. Voltando apressada para a sala de estar, soquei a bagunça dentro de uma grande cesta de vime e a guardei dentro do armário de casacos.

O interfone tocou. Era o porteiro, David.

— Srta. Varner... você tem visita. É...

— Eu sei — eu o interrompi, deixando os ombros caírem, derrotada. — Peça para ela subir. — Virando-me para Jack, eu vi que ele pegava Luke e o aninhava junto ao peito. — O que eu posso fazer para me livrar de você?

Ele sorriu.

— Droga nenhuma.

Cerca de dois minutos depois, ouvi uma batida decidida na porta.

Eu abri. Lá estava minha mãe, toda maquiada, de saltos altos e um vestido vermelho justo que mostrava o corpo de uma mulher com metade de sua idade. Ela entrou em meio a uma nuvem de perfume de loja de departamentos, me abraçou e deu beijinhos no ar, e então se afastou para me avaliar.

— Eu acabei cansando de esperar para ser convidada — ela disse. — Então decidi pegar o touro pelos chifres. Não vou deixar que você continue mantendo meu neto longe de mim.

— Agora você é uma avó? — perguntei.
Ela continuava me observando.
— Você ganhou peso, Hannah.
— Eu perdi uns quilos, na verdade.
— Que ótimo. Perca mais alguns quilos e você voltará a ter um tamanho saudável.
— Tamanho 42 é saudável, mãe.
Ela me deu um olhar carinhoso de repreensão.
— Se esse assunto é tão delicado para você, não vou mais falar disso. — Ela arregalou os olhos dramaticamente quando Jack se aproximou. — Bem, quem é este? Você não vai me apresentar seu amigo, Hannah?
— Jack Travis — eu murmurei. — Esta é minha mãe...
— Candy Varner — ela me interrompeu, aproximando-se para um abraço e apertando o bebê entre eles. — Nós não precisamos nos preocupar em apertar as mãos, Jack... Sempre fui maluca pelos amigos de Hannah. — Ela piscou para mim. — E eles sempre foram malucos por mim. — Ela tirou o bebê dos braços dele. — E este é meu neto precioso... Oh, não sei por que deixei Hannah manter você longe de mim por tanto tempo, meu torrãozinho de açúcar.
— Eu disse que você podia vir tomar conta dele quando quisesses — murmurei.
Ela ignorou o comentário e se aventurou pelo apartamento.
— Como este lugar é aconchegante. Acho tão fofo vocês tomarem conta do Luke enquanto Tara está de férias em um spa.
Eu fui atrás dela.
— Ela está em uma clínica para pessoas com distúrbios psicológicos e emocionais.
Minha mãe foi até a janela para conferir a vista.
— Não importa o nome que se dê, esses lugares andam tão na moda atualmente. As estrelas de Hollywood fazem isso o tempo todo... Elas precisam escapar um pouco da pressão, então inventam algum tipo de problema para que possam relaxar e ser mimados por algumas semanas.
— Não é um problema inventado — eu disse. — Tara...
— Sua irmã está estressada, só isso. Eu estava assistindo a um programa sobre cortisol, outro dia. É o hormônio do estresse, e disseram que quem bebe café tem muito mais cortisol do que a média das pessoas. E eu sempre disse que você e Tara bebem café demais. As duas.
— Não acho que os problemas de Tara ou os meus aconteceram devido ao excesso de consumo de café — eu disse, amuada.

— O que eu quero dizer é que a gente causa nosso próprio estresse. Você tem que se colocar acima disso, como eu faço. Só porque o lado do seu pai era fraco de espírito, não quer dizer que você tenha que se render a isso. — Minha mãe falava e andava pelo apartamento, analisando tudo com a atenção de um inspetor de seguros. Eu olhava para ela, ansiosa, querendo pegar o bebê de volta. — Hannah, você devia ter me dito que estava morando aqui. — Ela deu um olhar de gratidão para Jack. — Quero lhe agradecer pessoalmente por ajudar minha filha, Jack. Ela tem uma imaginação tão ativa, a propósito. Espero que você não acredite em tudo que ela diz. Quando era criança, ela inventava cada história... se você quiser conhecer a verdadeira Hannah, precisa conversar comigo. Por que você não nos leva para jantar, para nos conhecermos melhor? Que tal esta noite? Seria ótimo!

— Grande ideia — Jack disse, descontraído. — Vamos fazer isso algum dia. Esta noite, infelizmente, Hannah e eu temos compromisso.

Minha mãe me devolveu o bebê.

— Pegue-o, querida. Este vestido é novo e ele pode regurgitar. — Ela se sentou com elegância no sofá e cruzou as pernas longas e firmes. — Ora, Jack, eu sou a última a querer interferir nos planos dos outros. Mas se você está se envolvendo com minha filha, eu me sentiria mais à vontade se conhecesse melhor você e sua família. Eu gostaria de conhecer seu pai, para começar.

— Está atrasada, mãe — eu disse. — O pai dele já tem namorada.

— Ora, Hannah, eu não quis dizer... — Ela riu um pouco e lançou para Jack um olhar de pena e cumplicidade, do tipo "olhe só com o que eu tenho que lidar", e sua voz ficou insuportavelmente doce. — Minha filha sempre se ressentiu por eu atrair tanto a atenção dos homens. Acho que ela não levou nenhum namorado para casa que não tenha tentado me cantar.

— Eu só levei um namorado para casa — eu disse. — E foi o bastante.

Ela me deu um olhar gelado e riu, a boca larga e esticada.

— Não importa o que Hannah diga — ela falou para Jack —, não acredite nela. Pergunte para mim.

Sempre que minha mãe estava por perto, a realidade assumia as dimensões de um espelho de parque de diversões. Insanidade era apenas produto de excesso de cafeína, tamanho 42 era um estágio de obesidade que necessitava intervenção médica e qualquer homem que eu namorasse estava, obviamente, apenas se satisfazendo com uma substituta de segunda linha para Candy Varner. E tudo que eu tivesse dito ou feito podia ser reescrito de acordo com as conveniências dela.

Durante os 45 minutos seguintes, nós assistimos ao Candy Varner Show sem intervalos comerciais. Ela disse para Jack que teria se oferecido para tomar conta de Luke, mas andava tão ocupada e já tinha cumprido seu dever, trabalhando e sacrificando todos aqueles anos por suas filhas, sendo que nenhuma das duas demonstrava qualquer gratidão, e ambas sentiam mais inveja do que o normal. E imagine só, Hannah dando conselhos sobre a vida para os outros, quando Hannah mal sabia do que estava falando... era necessário ter muito mais experiência do que Hannah para saber com quem e do que se estava falando. O que quer que Hannah soubesse da vida, tinha vindo da sabedoria que sua mãe lhe transmitiu.

Ela continuou a se apresentar como o original desejável: ela, a marca de grife; eu como a cópia malfeita. Ela tentou flertar com Jack de um jeito descarado. Ele foi educado e respeitoso, de vez em quando olhando para meu rosto pétreo. Quando mamãe começou a citar nomes, fingindo conhecer algumas das famílias ricas que Jack conhecia, foi tão constrangedor que eu senti como se estivesse me desligando. Parei de protestar e corrigi-la, ocupando-me apenas de Luke, de verificar sua fralda, colocá-lo no *baby gim* e brincar com ele. Minhas orelhas estavam fervendo, e o restante do meu corpo estava gelado.

Então eu registrei que, automaticamente, ela tinha levado a conversa para um lado inconvenientemente pessoal, revelando que tinha começado há pouco um tratamento de depilação a laser em um salão exclusivo de Houston.

— Já me disseram — ela dizia para Jack com um sorriso juvenil —, que eu tenho a periquita mais bonita do Texas.

— Mãe! — eu disse, escandalizada.

Ela olhou para mim, os olhos malandros e risonhos.

— Ora, é verdade! Só estou dizendo o que as pessoas...

— Candy — Jack interrompeu, animado. — Isso foi divertido, mas está na hora de Hannah e eu nos arrumarmos para nosso compromisso. Foi ótimo conhecê-la. Vou acompanhá-la até a portaria para podermos nos despedir.

— Vou ficar e cuidar do Luke enquanto vocês se divertem — ela insistiu.

— Obrigado — Jack respondeu —, mas nós vamos levá-lo conosco.

— Eu não passei tempo nenhum com meu neto — ela protestou, fechando a cara para mim.

— Eu ligo para você, mãe — eu me obriguei a dizer.

Jack foi até a porta e a abriu. Mantendo-a aberta, ele saiu para o corredor.

— Eu espero aqui enquanto você pega sua bolsa, Candy.

Fiquei parada quando minha mãe veio me abraçar. O cheiro do perfume dela e a proximidade de seu calor me fizeram querer chorar como uma criança. Eu me perguntei por que eu continuava desejando que ela me amasse de um modo que não era capaz, porque, para ela, Tara e eu não éramos nada além de efeitos colaterais de um casamento que não deu certo.

Eu tinha aprendido que existiam substitutas para uma mãe que não conseguia ser mãe. É possível encontrar amor em outras pessoas. É possível encontrar amor em lugares que nem está procurando. Mas a ferida original nunca cicatriza. Eu a carregaria comigo para sempre, assim como Tara. Esse era o truque... aceitar e continuar com sua vida, sabendo que a ferida faz parte de você.

— Tchau, mãe — eu disse com dificuldade.

— Não dê tudo que ele quiser — ela disse em voz baixa.

— Para Luke? — perguntei, confusa.

— Não. Para Jack. Você o mantém por mais tempo assim. Também não seja inteligente demais. E tente usar um pouco de maquiagem. Ah! Tire esses óculos, eles fazem você parecer uma solteirona. Ele já lhe deu algum presente? Diga que você quer pedras grandes, não pequenas. É melhor como investimento.

Forcei um sorriso duro e me afastei dela.

— Até mais, mãe.

Ela pegou a bolsa e desfilou até o corredor.

O olhar de Jack passeou pelo batente da porta e parou em mim.

— Volto em um minuto.

Quando Jack voltou, eu já tinha tomado uma dose de tequila, na esperança de que a bebida queimasse o torpor que me tomava da cabeça aos pés. Não queimou. Eu me sentia como um *freezer* que precisava ser descongelado.

Luke estava agitado nos meus braços, fazendo barulhos, impaciente, contorcendo-se.

Jack se aproximou e tocou meu queixo, forçando-me a encará-lo.

— Está arrependido de não ter seguido meu conselho e ido embora? — perguntei, desanimada.

— Não. Eu queria ver o que você teve que aguentar enquanto crescia.

— Acho que deu para perceber por que Tara e eu precisamos de terapia.

— Raios, *eu* preciso de terapia! E só passei uma hora com ela.

— Minha mãe diz ou faz qualquer coisa para chamar atenção, não importa o quão constrangedor seja. — Fixei o olhar nele quando um pensamento horrendo me ocorreu. — Ela tentou cantar você no elevador?

— Não — ele disse, com delicadeza demais.
— Tentou sim — insisti.
— Não foi nada.
— Nossa, que vergonha — eu sussurrei. — Ela me deixa furiosa.

Jack tirou o bebê agitado de mim e Luke se acalmou no mesmo instante.

— Não furiosa da maneira normal — continuei. — É de uma maneira que me deixa cansada e gelada por completo, sem sentir mais nada. Nem mesmo meu próprio coração batendo. Eu quero ligar para Tara e desabafar com ela, porque acho que ela consegue me entender.

— E por que não liga?
— Porque foi ela que atiçou a mamãe vir até mim. Estou brava com ela também.

Jack me estudou por um instante.

— Vamos subir para o meu apartamento.
— Para quê?
— Vou descongelar você.

Neguei com a cabeça.

— Eu preciso de um tempo sozinha.
— Não precisa, não. Vamos.
— Dane sempre me deu um tempo para ficar sozinha quando eu precisei. — Eu estava com um humor péssimo, terrível, e qualquer coisa que ele fizesse só iria me irritar. — Jack, não preciso de abraço, consolo, sexo, nem conversa. Não quero me sentir melhor neste momento. Então não há sentido em...

— Traga a sacola de fraldas. — Ainda carregando Luke, ele foi até a porta, manteve-a aberta e esperou, pacientemente, que eu o acompanhasse.

Nós subimos até o apartamento dele e Jack me levou para o quarto. Ele acendeu um abajur e foi até o banheiro, de onde veio som de água e vapor.

— Não preciso de um banho — eu disse.
— Entre lá e espere por mim.
— Mas eu...
— Faça o que estou dizendo.

Dei um suspiro profundo.

— E o bebê?
— Vou colocá-lo para dormir. Vá.

Eu tirei os óculos e as roupas e me arrastei até o banheiro, que estava com a iluminação fraca e cheio de uma névoa quente com aroma de eucalipto. Jack tinha colocado uma toalha branca e felpuda sobre o banco de alvenaria. Sentei e inspirei fundo. Em cerca de dois minutos, comecei a relaxar. Eu estava envolta em vapor aromatizado, meus poros se abriam e meus músculos relaxavam, com os pulmões se enchendo de calor úmido. A tequila bateu, meu corpo inteiro pareceu suspirar e eu senti meu coração outra vez.

— Oh, assim é melhor — eu disse em voz alta e deitei de bruços sobre a toalha. Não havia nenhum som, exceto o jato suave do vapor. Eu senti a cor subindo à superfície da minha pele. Fiquei deitada lá, sendo tranquilizada pela névoa quente, perdendo toda noção de tempo, sem qualquer ideia de quantos minutos tinham se passado desde que Jack se sentou ao meu lado, seu quadril magro e liso colocado com o meu.

— Como está o Luke? — murmurei.

— Fechou para balanço.

— Será que...

— Xiu. — As mãos dele pousaram nas minhas costas, deslizando com facilidade sobre a pele molhada. Ele começou nos ombros, apertando, tirando a dor dos meus músculos tensos. A pressão se aprofundou. Senti os polegares dele descreverem círculos nos músculos e ligamentos, trabalharem com insistência, extraindo prazer até um gemido espontâneo escapar da minha garganta.

— Oh, isso é tão... Jack... eu não sabia que você era bom nisso...

— Xiu. — Ele massageou minhas costas inteiras, as mãos deslizando, fazendo movimentos longos, depois agindo em toques mais fundos e rápidos, extraindo a tensão, relaxando os músculos contraídos. Eu me entreguei por inteiro àquelas mãos fortes e conscientes, meu corpo abandonado e pesado. Ele continuou pelo meu traseiro, pelas minhas coxas e panturrilhas, depois me virou e apoiou meus pés em suas coxas. Eu emiti um som de prazer quando senti seus polegares apertando o arco dos pés.

— Desculpe por ter sido um pé no saco — consegui dizer.

— Você tinha motivo, querida.

— Minha mãe é horrível.

— É mesmo. — Jack sacudiu cada um dos dedos do pé. A voz dele estava suave, diluída pelo vapor. — A propósito, o conselho que ela deu para você é uma merda.

— Você ouviu aquilo? Ah, meu Deus.

— Você tem que me dar tudo que eu quiser — Jack me disse. — Você tem que me mimar até me estragar. Além disso, está tarde demais para bancar a burra. E você fica linda como um anjo sem maquiagem.

Eu sorri, meus olhos ainda fechados.

— E quanto aos meus óculos?

— Um tesão, com certeza.
— Tudo é um tesão para você — eu disse, libidinosa.
— Nem tudo. — A risada engrossou a voz dele.
— É sim. Você parece ter saído de um daqueles anúncios de remédio que alertam sobre ereções de quatro horas. Você precisa ir ver seu médico.
— Eu não acho meu médico assim tão atraente. — Ele subiu as mãos, afastou minhas coxas e eu fiquei sem ar quando senti aqueles dedos provocadores deslizando sobre mim. — Você já foi massageada deste modo, Hannah? — ele sussurrou. — Não? Fique parada... você vai adorar, eu prometo.

E meu corpo se arqueou em resposta àquelas mãos eloquentes, os azulejos das paredes ecoando os sons abafados do meu prazer.

Capítulo vinte

No dia seguinte à visita da minha mãe, eu me sentia inquieta, irritadiça, privada do isolamento necessário. Mas eu mostrava uma fachada normal. Minha infância tinha me dado a habilidade de continuar apática em meio a qualquer coisa, incluindo um holocausto nuclear. Mas algo naquela visita, o simples fato de vê-la, tinha me tirado do sério.

Jack ficou fora durante a primeira parte do dia, pois foi visitar um amigo que parou no hospital após um acidente de caça.

— Um javali — Jack me disse quando perguntei que tipo de animal o amigo dele estava caçando. — Muitos acidentes acontecem quando se caça javali.

— Por quê?

— É preciso caçar à noite, quando a maioria dos javalis está em movimento. Então você acaba com um monte de gente correndo pela floresta e atirando em coisas no escuro.

— Adorável...

Jack explicou, então, que o amigo tinha atirado no animal com uma calibre doze, e se aproximou em meio aos arbustos pensando que o javali estava morto, mas este o atacou antes que ele pudesse sacar o revólver.

— Rasgou-o perto da virilha — Jack disse, estremecendo.

— É incrível como esses javalis ficam bravos quando a gente atira neles — eu disse.

Jack me deu um tapinha no traseiro.

— Tenha um pouco de compaixão, mulher. Um machucado na virilha não tem graça nenhuma.

— Minha compaixão é pelos javalis. Espero que você não goste de caçar javalis. Eu detestaria que minha vida sexual fosse comprometida por seus hobbies perigosos.

— Eu não caço javalis — Jack disse. — Quando derrubo alguma coisa à noite, é só na minha cama.

Enquanto Jack esteve fora, eu trabalhei um pouco na minha coluna da revista.

Cara Srta. Independente,

Eu me casei cinco anos atrás com um homem que não amava de verdade, porque, na época, eu estava com 30 anos. Todas as minhas amigas estavam casadas e eu me cansei de ser a única solteira. O homem com quem me casei é um cara bom. Ele é gentil, afetuoso e me ama. Mas não existe magia nem paixão no nosso relacionamento. Eu me conformei com ele, e toda vez que olho para meu marido, tenho que encarar minha decisão, um dia após o outro. Sinto como se eu estivesse trancada dentro de um armário, e ele, do lado de fora, não tem a chave para destrancar a porta. Nós não temos filhos, então acho que se me divorciar dele não estarei magoando ninguém além de nós dois. Contudo, alguma coisa está me segurando. Talvez eu esteja com medo de ser velha demais para recomeçar. Ou talvez esteja com medo da culpa que irei sentir, porque eu sei que ele me ama de verdade e não merece isso.

Não sei o que fazer. Só sei que me conformei e agora me arrependo.

— Alma Aflita

Cara Alma Aflita,

Todas somos criaturas com necessidades e desejos complexos. A única coisa certa, em um relacionamento romântico, é que vocês dois irão mudar, e em uma bela manhã vai acordar, chegar diante do espelho e ver uma estranha. Você terá o que desejou, mas descobrirá que naquele momento deseja algo diferente. Você pensa que sabe quem é, e então irá se surpreender.

Em todas as escolhas que surgirem diante de você, Aflita, uma coisa é certa: amor não é algo que deve ser descartado de forma leviana. Havia algo nesse homem, além das coincidências de momento e oportunidade, que a atraiu. Seja honesta com ele sobre suas necessidades que não estão sendo satisfeitas, sobre os sonhos que quer realizar. Deixe que ele descubra quem você realmente é. Ajude-o a abrir a porta do armário, para que vocês dois possam, enfim, se encontrar depois de tantos anos.

Como você sabe que ele não pode satisfazer suas necessidades emocionais? Como pode saber que ele também não deseja magia e paixão, assim como você? Será que você pode dizer, com certeza absoluta, que sabe tudo a respeito dele?

Muitas recompensas podem ser geradas por todo esse esforço, mesmo que ele fracasse. E serão necessárias coragem e paciência. Incansáveis. Tente tudo que puder... lute para ficar com um homem que a ama. Só por agora, ponha de lado a questão do que você poderia ter com outra pessoa, e concentre-se no que você pode ter, no que tem neste momento. Espero que você encontre novas perguntas, e que seu marido possa ser a resposta.

— Srta. Independente.

Fiquei encarando a tela, imaginando se esse era o conselho certo. Eu percebi que estava preocupada com a Alma Aflita e seu marido. Eu parecia ter perdido minha condição habitual de observadora racional.

— Merda — eu disse em voz baixa, me perguntando como foi que eu tinha decidido que deveria dar conselhos para os outros sobre o que deveriam fazer com suas vidas.

Ouvi o som de fungadas e bocejos de bebê, Luke acordando em seu berço. Pondo o computador de lado, fui até o berço e olhei para ele. Luke sorriu para mim, animado por estar acordado, feliz em me ver. O cabelo dele estava espetado como as penas de um passarinho.

Eu o peguei e abracei, sentindo que os contornos de seu corpinho se encaixavam em mim com perfeição. Segurando-o, sentindo sua respiração de gatinho no meu rosto, fui surpreendida por uma onda de alegria.

🚼

Às cinco da tarde eu ainda não tinha notícias de Jack. Fiquei um pouco preocupada, porque ele sempre telefonava quando dizia que telefonaria, senão antes. Nós tínhamos combinado que eu subiria para o apartamento dele, para preparar um jantar de domingo à moda antiga. Eu tinha dado a ele uma lista de supermercado.

Telefonei para o número dele e Jack atendeu logo, parecendo estranhamente seco.

— Sim?

— Jack, você não me ligou.

— Desculpe. Estou no meio de uma coisa. — Ele estava estranho; impaciente, incomodado e irritado ao mesmo tempo. Ele nunca tinha usado aquele tom de voz comigo. Algo estava errado.

— Precisa de ajuda? — perguntei, a voz doce.

— Acho que não.

— Você... você quer cancelar o jantar desta noite ou...

— *Não*.

— Tudo bem. Quando eu posso subir?
— Só me dê alguns minutos.
— Está bem. — Eu hesitei. — Você pode ligar o forno a 180 graus?
— Claro.
Depois de desligar, fitei Luke, pensativa.
— O que pode estar acontecendo? Você acha que ele está com algum problema de família? Assuntos profissionais? Por que nós temos que esperar aqui embaixo?
Muito concentrado, Luke mastigava a mão.
— Vamos assistir ao programa dos fantoches de meia — eu disse e o levei para o sofá.
Mas depois de dois minutos de música clássica e fantoches dançarinos, eu estava impaciente demais para permanecer sentada. Eu estava preocupada com Jack. Se ele estava enfrentando um problema, eu queria estar ao seu lado.
— Não aguento mais — eu disse para Luke. — Vamos subir e ver o que está acontecendo.
Pendurando a bolsa de fraldas no ombro, eu saí do apartamento com o bebê e fomos para o elevador. Quando chegamos à porta de Jack, apertei a campainha.
A porta logo foi aberta. Jack me bloqueou por alguns segundos, seu corpo transmitindo a tensão de um homem que queria muito estar em qualquer outro lugar. Eu nunca o tinha visto assim tão nervoso. Por cima do ombro dele, percebi um movimento na sala.
— Jack — murmurei. — Está tudo bem?
Jack piscou, passou a língua pelos lábios e começou a dizer algo, mas se deteve.
— Tem alguém aí? — eu deduzi, tentando olhar além dele.
Jack concordou com a cabeça, enfático, com um brilho de desespero nos olhos. Eu o afastei e entrei, parando ao ver Ashley Everson.
Ela estava um lixo, mas um lixo deslumbrante, com o delineador borrado, as bochechas com lágrimas escorridas, os dedos longos crispados ao redor de um maço de lenços de papel. As madeixas claras e superlisas do cabelo dela precisavam de uma boa escovada. Fiquei impressionada com o contraste entre a expressão de garotinha ferida e as roupas elegantes dela, uma saia curta branca, uma blusa justa preta que delineava com perfeição seus seios empinados, uma bela jaqueta *cropped* e sandálias de tiras com saltos de sete centímetros. Fotografada daquele modo, com maquiagem borrada e tudo, ela teria ficado perfeita em um anúncio de perfume – uma jovem abandonada completamente sexy.

Eu não pensei nem por um segundo que Jack a tivesse convidado, nem que ainda a quisesse. Mas não consegui decidir se aquela era uma situação em que eu deveria deixar para ele cuidar ou se Jack precisava de apoio.

Fiz uma careta de pesar para ele.

— Desculpe. Quer que eu volte depois?

— Não. — Ele me puxou para dentro do apartamento e pegou o bebê de mim como se estivesse fazendo um refém.

— Quem é ela? — Ashley perguntou, com os olhos arregalados em um rosto tão perfeito que parecia esculpido em mármore.

— Oi — eu disse, adiantando-me. — Ashley, certo? Eu sou Hannah Varner. Nós duas estávamos na festa de aniversário do Churchill, mas não fomos apresentadas.

Ela ignorou minha mão estendida e observou minha roupa, camiseta e calça jeans.

— Foi com *ela* que você saiu da festa? — ela perguntou para Jack com perplexidade evidente.

— Foi — respondi. — Jack e eu estamos namorando.

Ashley virou de lado para mim, concentrando-se apenas em Jack.

— Eu preciso conversar com você — ela disse. — Preciso explicar certas coisas e... — A voz dela sumiu, as sílabas oprimidas pelo peso de seu espanto ao ver a recusa no rosto frio dele, os sulcos firmes que envolviam a boca de Jack. Pelo modo sutil como ela encolheu o corpo, imaginei que Ashley nunca tinha visto Jack com aquela expressão.

Sem conseguir comovê-lo, ela se virou e se dirigiu a mim, afinal.

— Se você não se importa, eu preciso de algum tempo com Jack. A sós. Nós temos um passado. Existem questões que ele e eu estamos tentando resolver.

Atrás dela, Jack meneou a cabeça e apontou para o sofá, um gesto mudo para eu ficar.

A situação estava beirando o ridículo. Eu mordi delicadamente o lado de dentro das minhas bochechas, contemplando-a. Pelo que dava para perceber, Ashley Everson passava a toda velocidade pela vida, sem nunca se preocupar com os acidentes e atropelamentos que causava. Agora as multas estavam chegando e ela estava tão abatida que não pude deixar de sentir um aperto relutante de compaixão por ela. Por outro lado, eu não iria deixá-la brincar com Jack. Ela já o tinha machucado muito uma vez, e eu não iria deixar que o fizesse de novo.

Além do mais... ele era meu.

— Ela não vai sair, Ashley — Jack disse. — Você é que vai.

Eu me dirigi a ela com cuidado:

— Essa situação tem a ver com seus problemas com Pete?

Ela arregalou tanto os olhos que eu consegui ver praticamente todo o branco ao redor das íris.

— Quem lhe contou? — Ela virou um olhar acusador para Jack, mas ele parecia concentrado demais em ajustar as fitas nas laterais das fraldas de Luke.

— Eu não sei de muita coisa — respondi. — Mas sei que você e seu marido estão passando por maus momentos. O relacionamento não ficou violento, ficou?

— Não. — Foi a resposta gelada. — Nós nos distanciamos.

— Sinto muito — eu disse, sincera. — Vocês tentaram terapia?

— Isso é para malucos — ela respondeu, desdenhosa.

— Também é para gente sadia. — Eu sorri. — Na verdade, quanto mais sadia a pessoa for, mais benefícios vai tirar da experiência, que pode ajudar a entender a causa dos problemas. Talvez você precise ajustar suas expectativas quanto ao que um casamento deveria ser. É possível, também, que parte do problema seja o modo como você e Pete se comunicam. Se você quer continuar casada, seria bom analisar essas coisas e...

— Eu não quero. — Ficou claro que Ashley me odiava, que eu tinha sido avaliada como uma rival inferior. — Não quero consertar nada. Não quero mais ser esposa do Pete. Eu quero... — Ashley se interrompeu e olhou para Jack com um desejo ardente.

Eu sabia o que Ashley estava vendo... um homem que parecia ser a resposta para todos os problemas dela. Lindo, bem-sucedido e desejável. Um recomeço. Ela pensava que, se pudesse voltar com Jack, isso apagaria toda a infelicidade que crescia desde que tinha se casado.

— Vocês têm filhos — eu disse. — Não acha que deve a eles a tentativa de salvar a família que criou?

— Você já foi casada? — Ashley quis saber.

— Não — eu admiti.

— Então não sabe porcaria nenhuma do que está falando.

— Tem razão — eu disse, calma. — Tudo que sei é que voltar com Jack não vai consertar você nem seus problemas. O que você teve com ele ficou no passado. Jack seguiu em frente com a vida. E vou tomar a liberdade de falar por ele e dizer que ele ainda se importa com você, como ser humano, mas nada além disso. Então, a melhor coisa que você pode fazer agora, por Jack e por si mesma, por todos, é voltar para casa, para o Pete, e perguntar para seu marido o que vocês dois podem fazer pelo casamento. — Fazendo uma pausa, eu olhei para Jack. — É isso mesmo?

Ele concordou e seu rosto relaxou.

Ashley emitiu um som furioso e encarou Jack.

— Uma vez você me disse que sempre iria me querer.

Jack se endireitou, mantendo o bebê bem aninhado em seu ombro.

— Eu mudei, Ashley.

— Mas eu não! — ela estrilou.

A resposta dele foi delicada:

— É uma pena ouvir isso.

Furiosa, ela agarrou a bolsa e se encaminhou para a porta. Eu fui atrás dela, franzindo a testa ao pensar se deveríamos deixá-la sair assim tão nervosa.

— Ashley... — eu comecei, estendendo a mão para o braço fino dela.

Ela me repeliu.

Eu percebi que ela estava com raiva, mas podia se controlar; o rosto tenso, a testa franzida como se tivesse sido costurada. Ela lançou o olhar para Jack, que tinha se colocado atrás de mim.

— Se você me mandar embora agora — ela disse —, nunca mais terá outra chance. Esteja certo do que você quer, Jack.

— Eu estou certo. — Ele foi abrir a porta para ela e Ashley ficou vermelha de raiva.

— Você acha que tem o que é necessário para segurá-lo? — ela me perguntou, desdenhosa. — Ele vai te passar a perna, querida. Ele vai te levar para uma viagem a 300 por hora e depois vai te jogar do carro. — Ela voltou o olhar para Jack. — Você não mudou nadinha. Está pensando que sair com alguém como ela vai fazer todo mundo pensar que você amadureceu, mas a verdade é que você continua o mesmo babaca fútil e egoísta que sempre foi. — Ela fez uma pausa para respirar, fuzilando-o com os olhos. — E eu sou muito mais bonita do que ela! — Ashley exclamou, engasgando, e saiu.

Depois que Jack fechou a porta, eu me virei para apoiar as costas nela. Ainda segurando Luke, Jack me encarou. Ele parecia confuso, como se estivesse tentando se localizar em uma região desconhecida.

— Obrigado — ele disse com a voz rouca.

— Não tem de quê. — Eu esbocei um sorriso.

Jack meneou a cabeça, perplexo.

— Ver vocês duas juntas foi como...

— Ver passado e presente?

Ele assentiu e suspirou, os cantos de sua boca caindo em uma expressão de preocupação.

— Quando você olha para alguém como Ashley, sabe exatamente que tipo de cara quer ficar com ela. E eu costumava ser esse cara, o que me deixa incomodado pra cacete — ele disse, passando a mão livre pelo cabelo.

— Um cara que quer um troféu? — eu sugeri. — Um cara que quer ficar com uma mulher bonita e divertida... Eu não seria severa demais com esse cara.

— Você é mais mulher do que ela jamais conseguiu ser. Além de muito mais bonita.

Eu ri.

— Você só está dizendo isso porque eu o livrei dela.

Ele se aproximou e passou a mão ao redor da minha nuca, deixando o bebê preso entre nós. Os dedos dele estavam tensos e um pouco frios quando se fecharam sobre a minha pele macia. A sensação, quase insuportável de tão prazerosa, me fez estremecer.

— Isso tudo não gerou um problema para nós? — ele perguntou, preocupado.

— Por que teria gerado?

— Porque qualquer outra mulher que eu conheço teria ficado maluca ao entrar aqui e encontrar Ashley no meu apartamento.

— Era óbvio que você não a queria aqui. — Meus lábios se curvaram em um sorriso vitorioso. — E só para constar, Jack... não importa o tipo de homem que você era, hoje você não tem nada de egoísta ou fútil. Eu confio em você. Sempre.

Jack baixou a cabeça e senti sua respiração quente na minha boca. Ele me beijou, demorada, doce e intensamente.

— Nunca me deixe, Hannah. Eu preciso de você.

De repente, eu me senti desconfortável naquele abraço.

— Você está amassando o Luke — eu disse, forçando uma risada e me afastando, embora o bebê estivesse tranquilo e satisfeito no meio de nós dois.

Capítulo vinte e um

Eu desfrutei das duas semanas que se seguiram com a consciência agridoce de que aquele era um período breve na minha vida. Jack e Luke tinham se tornado o eixo ao redor do qual meu mundo inteiro rodava. Eu sabia que acabaria por perdê-los, algum dia. Mas empurrei essa consciência para o mais longe possível e me permiti desfrutar daqueles dias de verão, escaldantes e quase mágicos.

Era um tipo de felicidade movimentada, atarefada, com minha agenda preenchida por trabalho, cuidados com Luke, tentativas de manter contato com as amigas e todos os momentos possíveis com Jack. Eu nunca desconfiei que pudesse ficar tão à vontade com alguém dessa forma, com tanta rapidez. Eu aprendi a reconhecer as expressões de Jack, suas palavras favoritas, o modo como ele apertava a boca quando estava profundamente concentrado, a maneira como os cantos de seus olhos ficavam enrugados um instante antes de ele começar a rir. Aprendi que ele controlava seu gênio com firmeza, que era delicado com pessoas que considerava mais frágeis do que ele e que não suportava mesquinharia e injustiça.

Jack tinha um amplo círculo de conhecidos, dentre os quais havia dois que ele considerava amigos de verdade, mas ele confiava mesmo era em seus irmãos, especialmente Joe. Sua maior exigência era que as pessoas mantivessem a palavra. Para Jack, uma promessa era questão de vida ou morte, sendo essa sua principal forma de avaliar as pessoas.

Comigo ele era abertamente afetuoso, gostava de me tocar. Jack era um homem sensual com grande apetite. Ele adorava brincar, provocar e me levar a experimentar coisas que me faziam ter dificuldade de encará-lo à luz da manhã. Mas houve um ou dois momentos em que o sexo foi muito diferente... enquanto nos movimentávamos e respirávamos juntos até parecer que Jack estava me levando ao limite de algo, um tipo de transcendência ardente me assustou com sua força, fazendo com que eu recuasse e interrompesse a magia, com receio do que poderia acontecer.

— Você precisa de um bebê *seu* — Stacy me disse, quando eu a chamei certa tarde. — É isso que seu relógio biológico está lhe dizendo.

Eu estava tentando descrever para ela como Luke, com seu jeitinho inocente e indefeso, tinha destruído minhas defesas. Pela primeira vez na vida eu estabelecia uma ligação emocional com uma criança, mais forte do que eu jamais podia esperar.

Contei então para Stacy que eu estava com um problema terrível. Eu queria ficar com Luke para sempre. Queria acompanhar cada estágio de seu desenvolvimento. Mas, em breve, sua verdadeira mãe viria pegá-lo e eu ficaria de fora.

Eu senti os golpes que Tara e Luke desferiram em mim.

— Vai doer muito quando você tiver que devolvê-lo — Stacy continuou. — Você precisa estar preparada.

— Eu sei. Mas eu só não entendo como se prepara para uma coisa dessas. Quero dizer, eu já disse para mim mesma que só ficaria com ele por três meses. Não é um grande investimento de tempo. Mas desenvolvi uma ligação desproporcional com ele.

— Hannah, Hannah... com bebês, não existe nada de proporcional.

Minha mão apertou o telefone com mais força.

— O que eu faço?

— Comece a fazer planos. Volte para Austin assim que Luke for embora. E pare de perder tempo com Jack Travis.

— Por que é perda de tempo se eu estou gostando?

— Porque isso não tem futuro. Está certo que ele é gostoso, e é provável que eu também ficasse com ele se tivesse a oportunidade e se fosse solteira, mas Hannah, abra os olhos. Você sabe que esse tipo de homem não quer compromisso.

— Eu também não quero. É isso que torna tudo perfeito.

— Hannah, volte para casa. Estou preocupada com você. Acho que está se enganando.

— Com o quê?

— Com um monte de coisas.

Mas, no íntimo, eu me perguntava se a verdade não era exatamente oposta – eu tinha parado de me enganar sobre um monte de coisas, e a vida era muito mais confortável e menos complicada quando eu estava afundada nas minhas ilusões.

Eu conversava com minha irmã uma vez por semana. Nós tivemos umas conversas demoradas e um tanto constrangedoras, repletas de referências inevitáveis à terapia, das quais não se conseguia escapar após consultar um terapeuta.

— Vou para Houston na semana que vem — Tara anunciou, afinal. — Sexta-feira. Vou embora da clínica. A Dra. Jaslow disse que eu comecei bem, mas que deveria continuar indo ao terapeuta se desejo continuar progredindo.

— Isso me deixa tão feliz — consegui dizer, sentindo o corpo todo gelar.
— Estou feliz que você tenha melhorado, Tara. — Parei antes de me obrigar a perguntar: — Você vai querer ficar com o Luke imediatamente, eu imagino? Porque se não quiser, eu posso continuar...

— É, eu quero ficar com ele.

Quer mesmo?, eu quase perguntei. *Porque você quase nunca pergunta dele, e não parece achá-lo nem um pouco interessante.* Mas talvez isso não fosse justo. Talvez o bebê fosse muito importante para ela... talvez Tara não conseguisse falar da fonte de um sentimento tão poderoso.

Eu caminhei até o berço de Luke, onde ele estava dormindo, e estendi a mão para tocar um dos potes de mel no móbile. Meus dedos tremiam.

— Quer que eu vá pegar você no aeroporto?
— Não, eu... isso está sendo providenciado.

Por Mark Gottler, eu pensei.

— Escute, eu não quero te irritar, mas... aquele contrato promissório de que falamos... está aqui no meu apartamento. Eu gostaria que você pelo menos desse uma olhada enquanto estiver aqui.

— Eu vou dar uma olhada. Mas não vou assinar. Não é necessário.

Mordi o lábio para não discutir com ela. *Um passo de cada vez*, eu disse para mim mesma.

Jack e eu discutimos sobre a volta de Tara, porque ele queria estar presente, enquanto eu queria estar sozinha. Eu não queria que ele participasse de algo tão doloroso e pessoal. Eu já tinha alguma ideia do quanto entregar Luke iria doer, e preferia que Jack não me visse em um momento de tanta fraqueza.

Além disso, naquela sexta-feira era aniversário do Joe, e eles tinham planejado uma viagem de pesca a Galveston, onde passariam a noite.

— Você tem que participar do aniversário do Joe — eu disse para ele.
— Nós podemos remarcar a viagem.
— Você *prometeu* a ele — eu disse, ciente do efeito que aquela palavra exercia em Jack. — Não consigo acreditar que você está *pensando* em descumprir o que prometeu ao seu irmão no aniversário dele.
— Ele vai entender. Isto é mais importante.
— Eu vou ficar bem — eu disse. — E preciso de algum tempo em particular com a minha irmã. Tara e eu não vamos conseguir conversar se você estiver presente.
— Droga, não era para ela voltar até semana que vem. Por que ela foi inventar de sair mais cedo?
— Não sei, mas não consigo acreditar por que Tara não programou o tratamento mental dela levando em consideração sua viagem de pesca.
— Eu não vou.
Exasperada, comecei a andar de um lado para outro.
— Eu quero que você vá, Jack. Vou ser mais forte nisso sem você. Preciso passar por isso sozinha. Eu vou entregar Luke para Tara, beber um grande copo de vinho, tomar um banho e ir cedo para cama. Se eu precisar mesmo de alguém, vou pegar o elevador e visitar a Haven. E você vai estar de volta no dia seguinte para fazermos a autópsia da situação.
— Prefiro chamar de análise do jogo. — Ele me observava atentamente e enxergava demais. — Hannah. Pare de andar de um lado para outro e venha aqui.
Eu fiquei imóvel por dez segundos antes de me aproximar dele. Seus braços me envolveram e Jack apertou meu corpo relutante contra o dele; apertou ombros, costas, cintura, quadris.
— Pare de fingir que está tudo bem — ele disse perto da minha orelha.
— É só o que eu sei fazer. Se você fingir que está tudo bem por tempo suficiente, tudo vai acabar ficando bem.
Jack me abraçou em silêncio durante alguns minutos. As mãos dele continuaram se movendo pelo meu corpo, me apertando, me trazendo mais para perto como se fosse um escultor moldando a argila. Eu respirava fundo, deixando-me ser acariciada e delicadamente agarrada, meus nervos ficando alertas quando ele pressionava meus quadris contra os dele, fazendo-me sentir como Jack estava excitado.
Ele tirou minhas roupas com movimentos estudados, e quando tentei dizer algo, ele pegou minha cabeça com as mãos e me deu um beijo ardente. Puxando-me para o chão, ele montou nos meus quadris, sua boca invadindo a minha. Eu lutei para erguer o corpo, tentando me aproximar, esforçando-me

para chegar ao prazer que o corpo firme dele me proporcionaria. Nós rolamos devagar, primeiro eu por cima, depois ele, que então agarrou meus quadris e deslizou para dentro de mim, cada vez mais fundo, até ficar envolto por calor e umidade. Eu gemi de satisfação ao sentir o peso dele me dando estabilidade, a sensação do membro dele pressionando a minha abertura.

Ele pegou uma almofada do sofá, colocou debaixo dos meus quadris e me possuiu com estocadas vigorosas, num ir e vir exigente que me fez gozar com gritos clamorosos. E mesmo assim ele continuou, atrasando seu clímax por bastante tempo, os dedos fortes enrolados no meu cabelo, sem deixar que eu desviasse minha boca. Parecia que Jack estava tentando provar algo, demonstrar alguma coisa que meu coração e minha mente não pareciam dispostos a aceitar.

Continuava escuro quando Jack saiu, na manhã de sexta-feira. Ele sentou na cama, ao meu lado, e puxou meu corpo adormecido para si, me abraçando. Eu acordei com um murmúrio. Ele segurava minha cabeça com uma mão, os dedos longos ao redor do meu crânio. Sua voz grossa soou com suavidade no meu ouvido.

— Faça o que você tem que fazer. Não vou atrapalhar. Mas quando eu voltar para casa, você não vai se isolar, está me ouvindo? Vou levar você para algum lugar... vamos tirar umas belas férias... e vamos conversar. Eu vou te abraçar até você chorar tudo que tem pra chorar, até se sentir melhor. E vou te ajudar a passar por isso. — Ele beijou meu rosto e alisou meu cabelo, depois me baixou até o colchão.

Fiquei em silêncio, continuando de olhos fechados. Senti a ponta dos dedos dele acariciando minha face, depois meu corpo, e então ele puxou as cobertas até meu pescoço e saiu.

Eu pensei que não havia um modo de convencer Jack de que ele queria mais do que eu podia dar, que para pessoas feridas como eu tinha sido, medo e impulso de sobrevivência sempre seriam mais poderosos do que um envolvimento romântico. Minha capacidade de amar era limitada, exceto com relação a Luke, e esse foi um milagre pelo qual eu não esperava.

Mas eu iria perder Luke.

Eu tinha aprendido essa lição tantas vezes até ali. Era uma grande verdade interna que não necessitava ser comprovada pela lógica: toda vez que eu me permitia amar, eu perdia e ficava menor.

Fiquei me perguntando quanto restaria de mim depois que Tara levasse Luke.

Enquanto eu vestia Luke com um uniforme de marinheiro e tênis brancos pequeninos, tentei imaginar como Tara o veria, quais eram as diferenças entre um recém-nascido e um bebê de três meses. Luke já conseguia segurar um objeto com a mão e bater em algo pendurado sobre ele. Luke sorria para mim e ao ver o próprio reflexo no espelho. Quando eu falava com ele, gorgolejava e emitia sons em resposta, como se estivéssemos desenvolvendo uma conversa absolutamente fascinante. Quando eu o segurava e deixava seus pezinhos encostar no chão, ele fazia força com as pernas, como se quisesse ficar de pé.

Luke estava no início de infinitas descobertas e um longo aprendizado. Logo viriam marcos importantes, como a primeira vez em que se sentaria, a primeira palavra, o primeiro passo. E eu perderia tudo isso. Ele não era meu... exceto no meu coração.

Senti o ardor das lágrimas que se formavam, como em um espirro que não acontece. Mas parecia que o mecanismo responsável por lágrimas tinha sido desligado em mim. Era horrível querer chorar e não conseguir. *Você vai poder visitá-lo*, eu disse, severa, para mim mesma. *Você vai encontrar um modo de fazer parte da vida dele. Vai ser a tia descolada, que sempre dá os melhores presentes.*

Mas não era a mesma coisa.

— Luke — eu disse, a voz áspera, fechando as tiras de velcro do tênis. — Mamãe vai vir hoje. Enfim, você vai poder ficar com a mamãe.

Ele sorriu para mim. Eu me abaixei e rocei com os lábios naquele rosto macio como a pétala de uma rosa, e senti os dedos em miniatura agarrarem meu cabelo. Com delicadeza, desembaracei as mãozinhas dele dos fios, peguei-o e fui com ele até o sofá. Fique com Luke no meu colo e comecei a ler seu livro infantil favorito, sobre um gorila que, certa noite, soltava todos os animais de suas jaulas.

No meio da história, o interfone tocou.

— Srta. Varner? Tem uma pessoa aqui embaixo.

— Por favor, mande-a subir.

Eu me sentia nervosa e derrotada. E em algum lugar dentro de mim, percebi uma raiva à espreita. Não um monte de raiva, só uma chama pequena, mas potente, capaz de queimar qualquer resquício de otimismo que eu tivesse com o meu futuro. Se Tara nunca tivesse me pedido esse favor, eu não conheceria esse nível de dor. E se eu algum dia tivesse que passar por isso de novo, alguém teria que me colocar em um vaso cheio de terra e começar a me regar três vezes por semana.

Três batidas delicadas na porta. Com Luke no colo, eu fui abrir.

E lá estava Tara, mais linda do que eu me lembrava, com algumas marcas de sofrimento que não prejudicavam em nada sua aparência. Ela estava esguia, com uma roupa linda – blusa de seda martelada e calças *skinny* pretas, calçando sandálias sem salto pretas com detalhes prateados. O cabelo, loiríssimo, se derramava em ondas suaves. Enormes brincos de aro pendiam de suas orelhas. O punho dela cintilava com o que só podia ser uma pulseira com diamantes de quinze quilates.

Tara entrou no apartamento com uma exclamação muda, sem tentar tirar Luke de mim, só colocando seus braços longos ao redor de nós dois. Eu tinha esquecido o tanto que ela era mais alta do que eu. Lembrei do momento, em nossa adolescência, quando eu percebi que ela tinha me ultrapassado na altura e reclamei que ela não deveria ter tido seu estirão de crescimento antes de mim. E Tara aproveitou para me provocar, dizendo que ela tinha ficado com os estirões de nós duas. Aquele abraço avivou milhares de lembranças. Ele me lembrou do quanto eu a amava.

Ela se afastou para me observar, e seu olhar desceu para o bebê.

— Hannah, ele está tão lindo — ela disse, maravilhada. — E tão grande.

— Não está? — Virei Luke de frente para ela. — Luke, olhe a mamãe linda que você tem... tome, segure-o.

Nós trocamos o bebê de mãos com cuidado e, quando Tara o pegou, eu continuei sentindo o formato do corpinho macio de Luke no meu ombro. Ela me fitou com um brilho úmido nos olhos, as maçãs do rosto com uma cor brilhante que superava a maquiagem.

— Obrigada, Hannah — ela sussurrou.

Fiquei vagamente surpresa por não estar chorando. Parecia existir um distanciamento pequeno, mas crucial, entre mim e o que estava acontecendo. Senti-me grata por isso.

— Vamos sentar.

— Morar no 1800 Main e ficar com um cara rico como Jack Travis... você se deu bem, Hannah — ela disse, vindo se sentar ao meu lado.

— Eu não comecei a sair com Jack por causa do dinheiro dele — protestei.

— Se você está dizendo, eu acredito. — Tara riu. — Embora você tenha conseguido este apartamento com ele, não foi?

— É um empréstimo — eu disse. — Mas agora que você voltou e eu não vou mais cuidar do Luke, vou morar em outro lugar. Só não sei onde, ainda.

— Por que você não pode continuar aqui?

Eu meneei a cabeça.

— Não seria certo. Mas vou ajeitar tudo. A questão mais importante é: onde *você* vai ficar agora? O que você e Luke vão fazer?

A expressão de Tara ficou reservada.

— Eu arrumei uma bela casa não muito longe daqui.

— Foi Mark que providenciou a casa para você?

— Mais ou menos.

A conversa continuou por mais algum tempo; eu tentando extrair detalhes da situação de Tara – seus planos, como ela arrumaria dinheiro. Mas ela não quis me responder. O jeito evasivo dela era de enlouquecer.

Sentindo a tensão entre nós, ou talvez cansado de braços desconhecidos, Luke começou a se agitar e contorcer.

— O que ele quer? — Tara perguntou. — Tome, pegue-o.

Eu estendi os braços para o bebê e o acomodei no meu ombro. Ele ficou quieto e suspirou.

— Tara — eu comecei, com cuidado. — Desculpe-me se você acha que eu me intrometi ao fazer Mark Gottler assinar aquele contrato promissório. Mas eu fiz isso para protegê-la, para conseguir alguma proteção para você e Luke. Um pouco de segurança.

Ela olhou para mim com uma serenidade espantosa.

— Eu tenho toda segurança de que preciso. Ele prometeu tomar conta de nós e eu acredito nele.

— Por quê? — Não pude deixar de perguntar. — Por que você está tão disposta a aceitar a palavra de um homem que engana a esposa?

— Você não entende, Hannah. Você não o conhece.

— Eu o conheci. E, para mim, ele é um filho da mãe frio e manipulador.

Isso a irritou.

— Você é sempre tão esperta, não é, Hannah? Você sabe de tudo, não é? Bem, que tal isto?... Mark Gottler não é o pai de Luke. Ele está acobertando o verdadeiro pai.

— Quem é, Tara? — perguntei, sentindo uma raiva cansada, cobrindo a cabeça do bebê com a mão.

— Noah.

Fiquei em silêncio, observando-a. Vi, nos olhos dela, que era verdade.

— Noah Cardiff? — perguntei, rouca.

Tara concordou com a cabeça.

— Ele me ama. Ele é amado por dezenas de milhares de pessoas, poderia escolher qualquer uma, mas sou eu quem ele quer. Ou você acha que é impossível que um homem como ele me ame?

— Não, eu... — Luke estava pegando no sono. Eu acariciei as costas dele. Lucas... ou Luke... o apóstolo favorito de Noah.

— E a mulher dele? — Eu tive que limpar a garganta com um pigarro antes de continuar: — Ela sabe de você? Do bebê?

— Ainda não. Noah vai contar quando for o momento certo.

— Quando vai ser isso? — sussurrei.

— Em algum momento no futuro, quando os filhos dele ficarem mais velhos. Ele tem responsabilidades demais agora. Noah é muito ocupado. Mas ele vai resolver tudo. Ele quer ficar comigo.

— Você acha que algum dia ele vai se arriscar a prejudicar sua imagem com um divórcio? Com que frequência ele vai ver Luke?

— Luke ainda é muito pequeno. Ele não vai precisar de um pai até ficar mais velho, e aí eu e Noah já estaremos casados. — Ela franziu a testa ao ver minha expressão. — Não olhe assim para mim. Ele me ama, Hannah. Noah prometeu cuidar de mim. Eu e o bebê estamos também.

— Você pode imaginar que está segura, mas não está. Você não tem nada para negociar. Ele pode largar de você quando quiser.

— E você acha que tem um acordo melhor com Jack Travis? — ela perguntou. — O que você tem para negociar com ele, Hannah? Como você sabe que não vai ser largada? Pelo menos eu tenho o filho de Noah.

— Eu não dependo do Jack — respondi em voz baixa.

— Não, você não depende de ninguém. Você não confia em ninguém nem acredita em nada. Bem, eu sou diferente. Eu não quero ficar sozinha... eu preciso de um homem, e não existe nada de errado nisso. E Noah é o melhor homem que eu já conheci. Ele é bom e inteligente e reza o tempo todo. E aposto que ele tem mais dinheiro que o Jack Travis. Ele conhece *todo mundo*, Hannah. Políticos, empresários e... todo mundo. É impressionante.

— Ele vai colocar alguma de suas promessas no papel? — perguntei.

— Nosso relacionamento não é assim. Um contrato faria tudo ficar feio e mesquinho. E Noah ficaria magoado se pensasse que eu não confio nele. Ele e Mark sabem que o contrato foi uma coisa que você forçou, não eu. — Vendo a minha expressão, ela tentou controlar um tremor de frustração na boca. Lágrimas pesavam em suas delicadas pálpebras inferiores. — Você não pode só ficar feliz por mim, Hannah?

— Não desse jeito — eu disse, meneando lentamente a cabeça.

Ela enxugou as lágrimas que brotavam de seus olhos com a ponta dos dedos.

— Você tenta controlar os outros do mesmo modo que a nossa mãe. Já pensou nisso? — Levantando, ela estendeu as mãos para Luke. — Me dê o bebê. Eu tenho que ir. O carro e o motorista estão esperando.

Entreguei Luke e peguei a bolsa de fraldas, enfiando o livro favorito dele dentro.

— Vou ajudar você a levar o carrinho até lá embaixo...

— Não preciso. Tenho um quarto de bebê cheio de coisas novinhas para ele.

— Não vá embora com raiva — eu disse, de repente sem ar, meu peito cheio de uma dor fria e seca.

— Não estou com raiva. É só que... — ela hesitou. — Você e a mamãe são nocivas para mim, Hannah. Eu sei que a culpa não é sua. Mas não consigo olhar para nenhuma de vocês sem me lembrar do inferno que foi nossa infância. Eu preciso preencher minha vida com coisas positivas. De agora em diante vai ser só eu, Noah e Luke.

Eu estava tão arrasada que mal conseguia falar.

— Espere. Por favor. — Eu me debrucei sobre o bebê-conforto e apertei, desajeitada, os lábios na cabeça do bebê adormecido. — Adeus, Luke — sussurrei.

Então eu recuei e assisti à minha irmã levar Luke embora. Ela entrou com ele no elevador, as portas se abriram e fecharam, e eles sumiram.

Movendo-me como uma velha, voltei para o apartamento. Eu parecia não conseguir pensar no que fazer. Mecanicamente, fui até a cozinha e comecei a fazer um chá que eu sabia que não beberia.

— Acabou — eu disse em voz alta. — Acabou.

Luke iria acordar e não me veria. Ele iria se perguntar por que eu o abandonei. O som da minha voz sumiria de sua memória.

Meu garoto. Meu bebê.

Acidentalmente, queimei os dedos na água quente, mas meu cérebro não registrou a dor. Parte da minha mente ficou preocupada com meu nível de dissociação. Eu queria Jack... ele devia saber como quebrar as camadas de gelo que me envolvia... mas ao mesmo tempo, a ideia de ficar com ele me apavorou.

Eu me troquei, vestindo o pijama, e pelo resto da tarde assisti à TV sem ver nem escutar nada. O telefone tocou e a secretária eletrônica atendeu. Antes mesmo de olhar para o identificador de chamadas, eu sabia que era Jack. De modo algum eu conseguiria falar com ele, ou com qualquer pessoa, naquele momento. Eu baixei o volume a zero.

Reconhecendo que eu precisava seguir com uma rotina normal, fiz sopa com caldo de galinha em pó e a tomei lentamente, seguida de um copo de vinho. O telefone tocou de novo, e de novo, e eu deixei a secretária atender todas as vezes, até ela gravar meia-dúzia de recados.

Bem quando eu pensava em ir para cama, houve uma batida na porta. Era Haven. Os olhos castanhos dela, tão parecidos com os do irmão, estavam plenos de preocupação. Ela não fez menção de entrar, só enfiou as mãos nos bolsos da calça jeans e me fitou com paciência infinita.

— Oi — ela disse, a voz suave. — O bebê já foi?

— Sim. Ele já foi. — Tentei parecer prática, mas a última palavra grudou na minha garganta.

— Jack está tentando falar com você.

A sombra de um sorriso pesaroso passou pelos meus lábios.

— Eu sei. Mas não estou com vontade de conversar. E eu não queria estragar a pescaria dele com meu mau humor.

— Você não iria estragar a pescaria, ele só quer saber se você está bem. Ele me ligou há alguns minutos e pediu que eu viesse ver como você está.

— Desculpe. Você não precisava fazer isso. — Tentei sorrir. — Não vou pular da janela nem nada assim. Só estou me sentindo muito cansada.

— É, eu sei. — Haven hesitou. — Quer que eu fique com você um pouco? A gente pode assistir um pouco de TV ou algo assim?

Eu meneei a cabeça.

— Eu preciso dormir. Eu... obrigada, mas não.

— Tudo bem. — O olhar dela era caloroso e preocupado. Eu me encolhi como uma criatura noturna evitando a luz do sol. — Hannah. Eu nunca tive um bebê e não sei muito bem pelo que você está passando.... mas eu entendo de perda. E de tristeza. E sou boa ouvinte. Vamos conversar amanhã, tudo bem?

— Na verdade, não há nada para ser dito. — Eu não tinha intenção de falar de novo sobre Luke. Esse era um capítulo encerrado da minha vida.

Ela estendeu a mão e tocou de leve no meu ombro.

— Jack vai chegar amanhã por volta das 5 horas da manhã — ela disse. — Talvez mais cedo, até.

— É provável que eu não esteja aqui — eu me ouvi dizer à distância. — Vou voltar para Austin.

Ela me encarou, preocupada.

— Vai visitar alguém?

— Não sei. Talvez eu vá para sempre. Eu fico pensando... eu queria que as coisas voltassem a ser como eram antes. — Eu me sentia em segurança em Austin, com Dane. Não sentia muitas coisas, não precisava de muito, nem me entregava muito. Não havia promessas.

— Você acha que isso é possível? — Haven perguntou com suavidade.

— Não sei — eu disse. — Eu posso tentar. Tudo parece errado aqui, Haven.

— Espere antes de decidir qualquer coisa — Haven pediu. — Você precisa de tempo. Espere um pouco e saberá o que fazer.

Capítulo vinte e dois

Pela manhã, eu acordei e fui para a sala de estar. Um guincho de protesto veio debaixo do meu pé. Eu me abaixei para recolher o coelhinho de pelúcia de Luke. Segurando o brinquedo bem apertado, sentei no sofá e chorei. Mas não foi o choro cheio de lágrimas de que eu precisava, só uns pingos de angústia. Eu tomei um banho demorado, ficando sob a água quente durante um longo tempo.

Percebi que não importava o quão longe de mim Tara estivesse, nem onde ela e Luke estivessem ou o que fizessem, eu sempre os amaria. Ninguém podia tirar isso de mim.

Tara e eu éramos companheiras de sobrevivência e reagíamos à nossa infância desgraçada de modos opostos. Ela temia ficar só com a mesma intensidade que eu receava não ficar só. Era totalmente possível que o tempo provasse que nós duas estávamos erradas e que o segredo da felicidade sempre nos escapasse. Tudo que eu sabia, com certeza, era que as barreiras de isolamento tinham sempre me mantido segura.

Eu me vesti, prendi o cabelo em um rabo de cavalo e comecei a dobrar minhas roupas em pilhas bem-arrumadas sobre a cama.

O telefone permaneceu em silêncio. Imaginei que Jack tivesse desistido de me ligar, o que me deixou surpresa e apreensiva. Por mais que eu não quisesse conversar sobre Luke ou como eu me sentia, eu queria saber como Jack estava. Quando começou o noticiário local, a previsão do tempo mostrou uma tempestade se formando sobre o Golfo do México. Isso faria com que a viagem de volta dos irmãos Travis fosse acidentada, a menos que eles se mantivessem à frente da tempestade. Meia hora após a primeira notícia, a depressão tropical tinha se transformado em uma tempestade com ventos de 72 km/h.

Começando a ficar preocupada, eu peguei o telefone e liguei para Jack, mas a ligação caiu direto na caixa postal.

— Oi — eu disse, quando o bipe indicou o momento de gravar a mensagem. — Me desculpe por não atender ontem à noite. Eu estava cansada e... então, eu vi a previsão do tempo e só queria ter certeza de que você está bem. Por favor, ligue para mim.

Contudo, ele não retornou a ligação. Será que Jack estava bravo por eu não ter ligado para ele na noite anterior, ou estava apenas ocupado, tentando levar o barco em segurança para o porto?

Quando ouvi o telefone tocar, no começo da tarde, corri para atender, sem nem mesmo olhar para o identificador de chamada.

— Jack?

— Hannah, é a Haven. Eu queria saber... será que o Jack deixou uma cópia do plano de navegação com você?

— Não. Eu nem sei o que é isso. Posso tentar procurar. Como é essa coisa?

— Não é nada de mais, só algumas folhas de papel. É uma descrição do barco que diz para onde ele está indo, a localização dos pontos pelos quais a embarcação vai passar e o horário previsto de volta.

— Não é mais fácil ligar para o Jack e perguntar?

— Ele e o Joe não estão atendendo os celulares.

— Eu já percebi isso. Tentei ligar mais cedo para o Jack, por causa da previsão do tempo, mas ele não atendeu. Pensei que estivesse ocupado. — Eu hesitei. — Será que nós devemos ficar preocupadas?

— Não muito, é só que... eu gostaria de saber exatamente qual é a programação deles.

— Eu vou até o apartamento dele para procurar esse plano de navegação.

— Não, tudo bem. Eu já fiz isso. Hardy vai ligar para a capitania dos portos. Eles devem ter deixado essa informação com o encarregado.

— Tudo bem. Se você ficar sabendo de alguma coisa, pode me ligar?

— Claro.

Haven desligou e eu fiquei olhando de cara fechada para o aparelho na minha mão. Levantei o braço e massageei minha nuca, que estava formigando. Telefonei de novo para o celular de Jack e a ligação caiu mais uma vez na caixa postal.

— Só queria saber se você atenderia... — eu disse, minha voz tensa. — Por favor, me ligue e diga onde você está.

Depois de assistir ao canal do tempo durante mais alguns minutos, peguei a bolsa e saí do apartamento. A sensação foi estranha, sair sem toda a parafernália que eu tinha me acostumado a carregar por causa do Luke. Subi até o apartamento de Hardy e Haven, e ela abriu para mim.

— Estou ficando preocupada de verdade — eu disse. — Alguém já conseguiu falar com Jack ou Joe?

Ela negou com a cabeça.

— Hardy está falando com a capitania dos portos, e eles estão procurando o plano de navegação. Eu conversei com Gage, que disse que eles já deveriam ter voltado a esta altura. Mas os funcionários do centro portuário disseram que a vaga do barco dele ainda está vazia.

— Será que eles decidiram esticar a pescaria?

— Não com esse tempo. Além do mais, eu sei que Jack pretendia voltar hoje, logo cedo. Ele não queria deixar você sozinha por muito tempo, depois do que teve que enfrentar ontem.

— Eu espero que ele esteja bem, para que eu possa matá-lo quando ele voltar — eu disse e Haven conseguiu rir.

— Você vai ter que entrar na fila.

Hardy desligou e pegou o controle remoto da TV, aumentando o volume quando outro boletim do tempo começou.

— Oi, Hannah — ele disse, sem olhar para mim, prestando atenção na TV. Ao contrário de seu habitual charme descontraído, Hardy parecia preocupado. As linhas do seu rosto estavam marcadas e tensas. Ele ficou meio sentado no encosto do sofá, o corpo tenso como se pronto para entrar em ação.

— O que a capitania dos portos disse? — Haven perguntou.

A voz dele soou firme e tranquila.

— Estão tentando falar com eles por rádio VHF. Não há nada no 9... o canal de emergência... e não receberam nenhum pedido de socorro.

— Isso é bom? — perguntei.

Hardy olhou para mim com um sorriso, mas dois vincos surgiram entre as sobrancelhas dele.

— Nenhuma notícia é uma boa notícia.

Eu não entendia nada de barcos. Eu nem mesmo sabia que perguntas fazer, mas tentava desesperadamente pensar em uma explicação para Jack e Joe estarem sumidos.

— Será possível que o barco perdeu toda energia ou algo assim? E, ao mesmo tempo, poderiam estar com os celulares fora de serviço?

Hardy concordou.

— Todo tipo de merda pode acontecer em um barco, por coincidência ou não.

— Jack e Joe têm muita experiência nisso — Haven disse. — Eles conhecem todos os procedimentos de segurança, e nenhum deles gosta de correr riscos desnecessários. Tenho certeza de que eles estão bem. — Ela parecia estar tentando se convencer tanto quanto procurava *me* convencer.

— E se eles não conseguiram fugir da tempestade? — perguntei, com dificuldade.

— A tempestade não é tão violenta — ela respondeu. — Se fossem pegos nela, não seria difícil enfrentá-la e sair. — Haven procurou o celular. — Vou ligar para Gage, para saber se tem alguém com nosso pai.

Durante a meia hora seguinte, Haven e Hardy ficaram nos celulares, tentando conseguir alguma informação. Liberty foi a River Oaks para esperar o desenrolar dos fatos e fazer companhia a Churchill, ao mesmo tempo que Gage se dirigia ao escritório da Guarda Costeira em Galena Park. Alguns barcos de patrulha foram enviados de Freeport para procurar o iate desaparecido.

Isso foi tudo que ficamos sabendo durante algum tempo.

Outra meia hora se passou enquanto assistíamos ao canal do tempo, e Haven fez sanduíches que nenhum de nós comeu. A situação toda parecia irreal, com a tensão crescendo exponencialmente enquanto o tempo passava.

— Nessas horas eu queria ser fumante — Haven disse com uma risada forçada, andando nervosamente pelo apartamento. — Essa é uma daquelas ocasiões em que fumar um atrás do outro parece a solução.

— Ah, não, você não queria ser fumante, não — Hardy murmurou, pegando-a pelo pulso. — Você já tem muitos hábitos ruins, amor. — Ele a puxou para entre suas pernas e se encostou no sofá, aninhando-a junto ao peito.

— Incluindo você — ela disse, com a voz abafada. — Você é meu pior hábito.

— Isso mesmo. — Ele penteou o cabelo escuro dela com os dedos e a beijou no topo da cabeça. — Um hábito impossível de largar.

O telefone tocou, fazendo tanto Haven quanto eu pular. Ainda segurando a mulher com um braço, Hardy atendeu a ligação.

— Hardy — ele disse no aparelho. — Gage, como estão as coisas? Já encontraram o barco? — E então ele ficou imóvel e silencioso de um modo que eriçou todos os pelos do meu corpo. Hardy ficou escutando por vários momentos. Meu coração martelava, me deixando zonza e nauseada. — Entendi — ele disse em voz baixa. — Eles precisam de mais helicópteros? Porque se precisam, eu posso conseguir tantos quantos... eu sei. Mas é como tentar encontrar duas moedinhas que deixaram cair no quintal de casa. Eu sei. Tudo bem, nós vamos esperar. — Ele desligou o telefone.

— O que foi? — Haven perguntou, agarrando os ombros do marido com suas mãozinhas.

Hardy desviou o olhar por um momento, a mandíbula tão apertada que eu consegui ver um músculo vibrando na bochecha dele.

— Encontraram uma área de destroços — ele, enfim, conseguiu dizer. — E o que restou do barco, afundou.

Minha mente ficou vazia. Encarei Hardy, imaginando se o que eu tinha acabado de ouvir era mesmo o que ele tinha dito.

— Então eles vão fazer uma operação de busca e salvamento? — Haven perguntou, o rosto desprovido de cor.

Ele assentiu.

— A Guarda Costeira está enviando dois Tupperwolfs, aqueles helicópteros cor de laranja enormes.

— Área de destroços — repeti, aturdida, engolindo um enjoo que subia. — Como se tivesse... acontecido uma explosão?

— Uma das plataformas relatou fumaça à distância.

Todos nós tivemos dificuldade para assimilar a notícia.

Levei a mão até a boca e fiquei respirando contra os dedos. Imaginei onde Jack estaria naquele momento; se estava ferido ou se afogando.

Não pense nisso.

Mas por um segundo pareceu que eu também estava me afogando; eu conseguia sentir a água fria e escura cobrindo minha cabeça, puxando-me para um lugar em que eu não conseguia enxergar, respirar nem ouvir.

— Hardy — eu o chamei, surpresa por parecer tão racional quando havia o caos dentro de mim. — O que poderia fazer um barco daqueles explodir?

Ele pareceu calmo demais ao responder.

— Vazamentos de gás, motor superaquecido, acúmulo de vapor perto do tanque de combustível, a explosão de uma bateria... Quando eu trabalhava na plataforma, uma vez vi um barco de pesca, com mais de trinta metros, explodir quando passou por cima de um gasoduto submerso. — Ele baixou os olhos para o rosto de Haven. Ela estava vermelha, a boca retorcida como se tentasse segurar o choro. — Não encontraram nenhum corpo — ele murmurou, puxando-a para mais perto. — Não vamos esperar o pior. Os dois podem estar na água aguardando resgate.

— A água está agitada — Haven disse contra o peito do marido.

— Está bem movimentada — ele admitiu. — De acordo com Gage, o capitão que está coordenando a operação de busca está usando um software específico que pode descobrir para onde eles devem ter se deslocado.

— Quais são as chances de eles estarem bem? — perguntei, nervosa.
— Se eles sobreviveram à explosão, é provável que estejam usando coletes salva-vidas?

A pergunta foi recebida com um silêncio que fez meus ossos congelarem.
— É provável que não — Hardy respondeu, afinal. — Mas é possível.

Eu aquiesci e desabei em uma poltrona atrás de mim, a cabeça zumbindo.

Você precisa de tempo, Haven me disse quando revelei meus planos de voltar para Austin. *Espere um pouco e saberá o que fazer.*

Mas agora não havia mais tempo. Talvez nunca houvesse.

Se eu pudesse ter apenas cinco minutos com Jack... eu teria dado anos da minha vida por uma chance de dizer para ele o quanto significava para mim. O quanto eu o queria. O quanto o amava.

Pensei no sorriso deslumbrante dele, em seus olhos noturnos, na seriedade de seu rosto enquanto dormia. A ideia de nunca mais vê-lo, nunca mais sentir a doçura de sua boca na minha, provocou uma dor excruciante que mal consegui suportar.

Quantas horas eu tinha passado em silêncio com Jack, nós dois descansando juntos, todas as palavras restritas pelos limites que meu coração impunha. Tantas chances de ser honesta com ele e eu não aproveitei nenhuma.

Eu o amava e talvez ele nunca soubesse disso.

Eu entendi, finalmente, que a coisa que eu mais devia temer não era a perda, mas nunca amar. O preço da segurança era o arrependimento que eu sentia nesse momento. Com o qual eu teria que conviver pelo resto da vida.

— Não aguento ficar aqui, esperando — Haven explodiu. — O que nós podemos fazer? Podemos ir até o escritório da Guarda Costeira?

— Se você quiser, eu a levo. Mas não há nada que possamos fazer lá, a não ser atrapalhar. Gage vai nos avisar assim que algo acontecer. — Ele fez uma pausa. — Quer ir esperar com seu pai e Liberty?

Haven concordou, decidida.

— Se eu tenho que ficar louca esperando, que seja junto com eles.

Estávamos a caminho de River Oaks no sedã prateado de Hardy quando o celular dele tocou. Hardy estendeu a mão para o console central, onde tinha prendido o aparelho, mas Haven o pegou.

— Eu atendo, querido, você está dirigindo. — Ela levou o telefone até a orelha. — Olá, Gage. E então, descobriu alguma coisa? — Ela escutou durante alguns segundos e seus olhos ficaram enormes. — Oh, meu Deus. Não acredito. Qual? Eles não sabem? *Merda.* Alguém não pode... tudo bem, nós vamos para lá. — Ela se virou para Hardy. — Hospital Garner — ela disse, esbaforida. — Eles foram encontrados, resgatados e estão sendo levados de helicóptero para o hospital. Um deles parece em boas condições, mas o outro... — Ela perdeu a voz por alguns instantes. Lágrimas afloraram em seus olhos. — O outro está em más condições — ela conseguiu dizer.

— Qual deles? — eu me ouvi perguntar, enquanto Hardy costurava o trânsito com o carro e seu jeito agressivo de dirigir provocava buzinas indignadas à nossa volta.

— Gage não soube dizer. Isso era tudo que ele sabia. Ele vai ligar para Liberty, para que ela leve o papai para o hospital.

O hospital, localizado no Texas Medical Center, tinha seu nome em homenagem a John Nance Garner, o vice-presidente texano, que trabalhou durante os dois mandatos de Franklin Roosevelt. O hospital, com seiscentos leitos, era base de um serviço médico aéreo de primeira linha. Seu heliporto era o segundo mais movimentado de um hospital daquele tamanho. Além disso, o Garner era um dos três centros de traumatologia nível 1 de Houston, tinha acesso aos melhores médicos e equipamentos cirúrgicos.

— Vamos estacionar na passarela? — Hardy perguntou ao passarmos em meio aos prédios do imenso centro médico. Estávamos em frente à torre Memorial Hermann, de trinta andares, toda revestida de vidro, uma em meio à variedade de edifícios e hospitais do complexo.

— Não, tem manobrista na entrada principal — Haven respondeu, desafivelando o cinto de segurança.

— Espere um pouco, querida, o carro ainda não parou. — Ele olhou para mim por sobre o ombro e viu que eu também já estava sem cinto. — Vocês duas não se incomodam de me esperar frear até saltarem do carro? — ele perguntou, contrariado.

Assim que o manobrista veio receber o carro, nós saímos em direção a entrada do hospital, com Haven e eu correndo para acompanhar as longas passadas de Hardy. Nós demos os nomes no balcão de informações e fomos direcionados para o centro de traumatologia no segundo andar. Tudo que souberam nos dizer era que o helicóptero tinha pousado em segurança no heliporto e os dois pacientes estavam com a equipe de ressuscitação cardiopulmonar. Fomos levados a uma sala de espera com as paredes beges, um aquário e uma mesa cheia de revistas velhas.

A sala estava assustadoramente sossegada, exceto pelo zunido do canal de notícias em uma TV pequena de tela plana. Fiquei olhando para a TV sem enxergar ou ouvir de verdade; aquelas palavras não significavam nada para mim. Nada fora daquele lugar tinha qualquer importância.

Haven parecia incapaz de ficar parada. Ela andou pela sala de espera como um tigre enjaulado, até Hardy convencê-la a sentar ao lado dele. Ele massageou os ombros dela, murmurando algo, até ela relaxar e inspirar fundo algumas vezes, disfarçando para enxugar os olhos com a manga.

Gage chegou quase ao mesmo tempo em que Liberty e Churchill, os três parecendo tão preocupados e abatidos quanto nós. Sentindo-me uma intrusa em um assunto de família, eu fui até Churchill depois que Haven o abraçou.

— Sr. Travis — eu disse, hesitante. — Espero que não se importe de eu estar aqui.

Travis parecia mais velho e frágil do que nas ocasiões anteriores em que eu o tinha visto. Ele estava diante da possibilidade de perder um ou dois filhos. Não havia nada que eu pudesse dizer. Ele me surpreendeu ao passar o braço pelas minhas costas.

— É claro que você tem que estar aqui, Hannah — ele disse com a voz áspera. — Jack vai querer ver você. — Ele cheirava a couro e creme de barbear, aromas acompanhados de um toque de charuto... um cheiro paterno reconfortante. Ele deu tapinhas nas minhas costas e me soltou.

Hardy e Gage conversaram em voz baixa durante algum tempo, refletindo sobre o que poderia ter acontecido no barco, o que podia ter dado errado, todos os cenários possíveis para o que aconteceu com Joe e Jack, e todas as razões para manter a esperança. Uma coisa que eles não discutiram era o que mais pesava em nossas cabeças: a possibilidade de que um dos irmãos, ou os dois, estivessem feridos fatalmente.

Haven e eu fomos até o corredor para esticar as pernas e pegar café em uma máquina.

— Sabe, Hannah — ela começou, hesitante, enquanto voltávamos para a sala de espera —, mesmo que os dois sobrevivam, o futuro pode ser difícil. Talvez tenham sequelas... amputação, dano cerebral, ou... Deus, nem sei. Ninguém irá culpar você se decidir que não consegue lidar com isso.

— Eu já pensei nisso — eu disse sem hesitar. — Eu quero Jack, não importa como ele esteja. O que quer que tenha acontecido, vou cuidar dele. Vou ficar com Jack de qualquer modo. Nada tem importância, desde que ele sobreviva.

Eu não tinha intenção de deixá-la preocupada, mas Haven me surpreendeu ao soltar alguns soluços abafados.

— Haven — eu disse, arrependida. — Me desculpe, eu...

— Não. — Recuperando o controle, ela pegou minha mão e apertou-a com firmeza. — Só estou feliz por Jack ter encontrado uma mulher que vai ficar ao lado dele. Ele esteve com muitas mulheres que só o queriam por motivos superficiais, mas... — ela se interrompeu para pegar um lenço de papel no bolso e assoar o nariz — ...nenhuma delas amava meu irmão só por ser o Jack. Ele sabia disso e queria algo mais.

— Se eu apenas... — comecei, mas pela porta aberta, Haven viu movimento na sala de espera. Uma porta do outro lado foi aberta e um médico entrou.

— Oh, Deus — Haven murmurou, quase derrubando o café quando correu para a sala.

Senti um peso no estômago. Fiquei paralisada, enterrando os dedos de uma mão no batente da porta enquanto observava a família Travis se reunir em volta do médico. Olhei para o rosto dele, e deles, tentando adivinhar alguma coisa. Se um dos irmãos tivesse morrido, imaginei que o médico fosse dizer imediatamente. Mas ele falava em voz baixa e ninguém da família revelava qualquer emoção, a não ser preocupação.

— Hannah.

O som foi tão baixo que eu mal o ouvi através da pulsação nos meus ouvidos.

Virei o rosto na direção do corredor.

Um homem caminhava na minha direção, a figura esguia vestindo roupas folgadas de hospital. O braço tinha um curativo prateado de queimadura. Eu conhecia o formato daqueles ombros, o modo como ele se movia.

Jack.

Meus olhos perderam o foco e eu comecei a sentir meu pulso acelerar para um ritmo doloroso. Comecei a tremer como efeito da quantidade de emoções que eu tentava assimilar.

— É você mesmo? — eu disse, com a voz sufocada.

— Sou. Sou eu. Deus, Hannah...

Eu estava desmoronando, cada respiração me abalava. Eu agarrei meus próprios cotovelos, chorando cada vez mais forte conforme Jack se aproximava. Eu não conseguia me mover. Fiquei aterrorizada ao pensar que eu estava alucinando, conjurando a imagem que eu mais queria, que se eu estendesse a mão não encontraria nada a não ser espaço vazio.

Mas Jack estava lá, real e sólido, e me abraçou com braços fortes e firmes. O contato com ele foi eletrizante. Moldei-me a ele, com a impressão de que não conseguia ficar próxima o bastante.

— Hannah... — ele murmurou enquanto eu soluçava no peito dele. — Querida, está tudo bem. Não chore. Não...

Mas o alívio de tocá-lo, de estar perto dele, me desfez. Vê-lo vivo provocou em mim um surto de euforia. Jack estava vivo e bem, e eu nunca mais deixaria de dar valor a nada. Enfiei as mãos por baixo da barra da camiseta dele e encontrei a pele quente de suas costas. Meus dedos também encontraram a borda de outro curativo. Ele manteve os braços firmes ao meu redor, como se entendesse que eu precisava daquela pressão, a sensação de tê-lo ao meu redor enquanto nossos corpos transmitiam mensagens silenciosas.

Não me solte. Estou bem aqui.

Tremores continuaram sacudindo meu corpo todo. Meus dentes batiam, dificultando que eu falasse.

— P-pensei que v-você não ia voltar.

A boca de Jack, sempre tão macia, fez um contato áspero no meu rosto, e sua barba por fazer me arranhou.

— Eu sempre vou voltar para você — a voz dele estava rouca.

Escondi meu rosto no pescoço dele, inspirando-o. O aroma familiar tinha sido superado pela pungência antisséptica dos curativos e pelo cheiro de maresia.

— Onde você se machucou? — Fungando, subi mais com a mão pelas costas dele, investigando a extensão do curativo.

Ele enrolou os dedos nas mechas macias do meu cabelo.

— Foram só algumas queimaduras e uns arranhões. Nada com que se preocupar. — Senti as faces dele se esticarem com um sorriso. — Todas as suas partes favoritas continuam onde sempre estiveram.

Nós ficamos em silêncio por um momento. Percebi que ele também estava tremendo.

— Eu te amo, Jack — eu disse, o que provocou uma nova torrente de lágrimas, porque eu fiquei tão feliz em poder dizer isso para ele. — Eu pensei que era tarde demais... pensei que você não ficaria sabendo, porque eu fui covarde, mas eu...

— Eu já sabia. — Jack parecia abalado. Ele recuou para me observar com olhos marejados.

— Você sabia? — Eu funguei.

Ele assentiu.

— Eu cheguei à conclusão de que não podia amar você do modo como eu amava, se você também não sentisse algo por mim. — Ele me beijou com força, o contato de nossas bocas vigoroso demais para que fosse prazeroso.

Pus meus dedos no rosto barbado de Jack e empurrei-o para observá-lo. Ele estava abatido, arranhado e queimado de sol. Eu não consegui nem imaginar o quanto ele devia estar desidratado. Apontei um dedo trêmulo para a sala de espera.

— Sua família está ali. Por que você está no corredor? — Meu olhar perplexo desceu pelo corpo dele até seus pés descalços. — Eles... deixaram você andar por aí assim?

Jack meneou a cabeça.

— Eles me deixaram em um quarto no outro corredor, para esperar mais alguns exames. Eu perguntei se tinham dito para você que eu estava bem, mas ninguém soube dizer. Então eu vim procurá-la.

— Você simplesmente *saiu*, quando devia estar fazendo mais exames?

— Eu precisava encontrar você. — A voz dele estava baixa, mas inflexível.

Minhas mãos o tocaram em vários lugares.

— Você precisa voltar... pode estar com hemorragia interna...

Jack nem se mexeu.

— Estou bem. Eles já fizeram uma tomografia e estava tudo bem. Agora querem fazer uma ressonância só para ter certeza.

— E o Joe, como está?

Uma sombra passou pelo rosto de Jack. De repente, ele pareceu jovem e ansioso.

— Não quiseram me dizer. Ele não estava nada bem, Hannah. Mal conseguia respirar. Ele estava no timão quando o motor explodiu... Ele pode estar mal de verdade.

— Este é um dos melhores hospitais do mundo, com os melhores médicos e equipamentos — eu disse, colocando uma mão no rosto dele. — Vão saber cuidar dele. Vão fazer tudo que for preciso. Mas... ele se queimou muito?

Jack meneou a cabeça.

— O único motivo de eu me queimar foi que precisei empurrar destroços em chamas para encontrá-lo.

— Oh, Jack... — Eu queria ouvir tudo pelo que ele tinha passado, cada detalhe. Eu queria confortá-lo de todos os modos possíveis. Mas haveria tempo para isso depois. — O médico está falando com sua família na sala de espera. — Vamos descobrir o que ele falou. — Eu dei um olhar ameaçador para ele. — E você vai voltar para fazer aquela ressonância. Eles devem estar à sua procura.

— Eles podem esperar. — Jack passou o braço pelo meu ombro. — Você precisava ver a enfermeira ruiva que estava me levando na cadeira de rodas. A mulher mais mandona que eu já conheci.

Nós entramos na sala de espera.

— Oi — eu disse com a voz trêmula. — Vejam quem eu encontrei.

Ninguém fez piada quando Jack abraçou a irmã e Liberty. Então ele se voltou para o pai e o abraçou, seus olhos claramente cheios de emoção quando viu uma lágrima escorrer pela face enrugada de Churchill.

— Você está bem? — Churchill perguntou, com a voz rouca.

— Estou, pai.

— Ótimo. — E Churchill tocou o rosto do filho com um tapinha carinhoso.

A boca de Jack estremeceu e ele pigarreou com força. Ele parecia aliviado quando se virou para Hardy, com quem trocou um meio abraço amigável. O último foi Gage, que pegou Jack pelos ombros e o observou com atenção.

— Você está horrível — ele comentou.

— Vá se ferrar — Jack disse e os dois se abraçaram com força, as duas cabeças morenas próximas. Jack deu umas batidas vigorosas nas costas de Gage, mas este, sabendo da condição do irmão, foi mais delicado.

Jack cambaleou um pouco e logo o fizeram sentar em uma cadeira.

— Ele está desidratado — eu disse, indo até o bebedouro no canto e enchendo um copo de plástico.

— Por que você não está com o soro? — Churchill perguntou, observando o filho de perto.

Jack mostrou a mão, onde uma agulha intravenosa continuava espetada, presa com esparadrapo.

— Eles usaram uma agulha de 2 mm, e eu senti como se estivesse com um prego enfiado na veia. Então eu pedi algo menor.

— Bichinha — Gage disse com afeto, passando a mão pelo cabelo de Jack, que estava duro por causa do sal.

— Como está o Joe? — Jack perguntou, pegando o copo de água comigo e bebendo tudo de uma vez.

Todos trocaram olhares – o que não foi um bom sinal – e Gage teve cuidado para responder.

— O médico disse que Joe teve uma concussão e um caso moderado de colapso do pulmão, devido à explosão. Pode demorar algum tempo para o pulmão se recuperar, talvez um ano, até. Mas poderia ter sido muito pior. Joe está sofrendo desconforto respiratório e hipóxia. Então, está sendo tratado com alto fluxo de oxigênio. Ele vai passar um bom tempo na UTI. E só está ouvindo de um dos lados. Em algum momento um especialista irá nos dizer se a perda de audição é permanente.

— Não tem problema — Jack disse. — Joe nunca escuta ninguém, mesmo.

Gage sorriu um pouco, mas ficou sério ao encarar o irmão mais novo.

— Joe vai para cirurgia, agora. Ele teve uma hemorragia interna.

— Onde?

— Abdome, principalmente.

Jack engoliu em seco.

— É muito sério?

— Nós não sabemos.

— Merda. — Cansado, Jack esfregou o rosto com as duas mãos. — Eu receava isso.

— Antes que peguem você de novo — Liberty disse —, sabe nos dizer o que aconteceu, Jack?

Jack gesticulou para que eu me aproximasse e me puxou para o lado dele enquanto falava. O tempo estava bom pela manhã, ele disse. A pesca foi decente e eles começaram a voltar cedo para o centro portuário. Mas no caminho eles avistaram um enorme tapete de alga marrom, com cerca de 4.000 m² de área. Aquilo tinha criado um ecossistema próprio com as algas, crustáceos e peixes pequenos, vivendo em meio a pedaços de troncos e bolsas de sereia – uma cápsula que envolve o embrião de alguns peixes, como tubarões – carregadas pelas correntes.

Imaginando que a região em torno do tapete deveria render boa pesca, os irmãos desligaram o motor e deslizaram até as algas. Em poucos minutos Jack fisgou um dourado, a vara quase dobrou e a carretilha começou a soltar muita linha quando o peixe acrobático saiu em disparada. Ele saltou da água, revelando ter cerca de um metro e meio, um monstro, e Jack foi dando a volta no barco para não deixar a linha prender. Ele gritou para Joe ligar o barco e ir na direção do peixe, do contrário este ganharia muita linha. E bem quando ele começou a enrolar a carretilha, Joe ligou o motor e aconteceu a explosão.

Jack ficou em silêncio nessa hora, piscando enquanto se esforçava para lembrar do que tinha acontecido a seguir.

— Parece acúmulo de vapores — Hardy murmurou.

Jack aquiesceu lentamente.

— Talvez o exaustor da sentina tenha parado de funcionar? Vai saber o que aconteceu com toda aquela porcaria eletrônica... De qualquer modo, eu não lembro de nada do momento da explosão. De repente, eu estava na água, rodeado por destroços, e o barco tinha virado uma bola de fogo. Então, comecei a procurar o Joe. — Ele pareceu ficar agitado, com as palavras saindo em jatos irregulares. — Ele estava agarrado a um cooler flutuante, daqueles infláveis... lembra do cooler laranja que você me deu, Gage? Então eu o examinei, porque receava que pudesse ter perdido uma perna ou algo assim, e ele estava inteiro, graças a Deus. Mas tinha levado uma pancada e tanto na cabeça e se debatia. Eu cheguei perto dele e pedi para ele relaxar, então o empurrei para uma distância segura do barco.

— E depois veio o mau tempo — Churchill sugeriu.

Jack concordou.

— O vento começou a ficar forte, o mar, virado, e nós fomos levados para longe do barco. Eu me esforcei para ficar perto, mas foi muito cansativo. Então me segurei no Joe, no cooler inflável, e jurei que não largaria, não importava quanto tempo demorasse para que nos encontrassem.

— Joe estava consciente? — perguntei.

— Sim, mas não conversamos muito. As ondas estavam muito fortes e ele tinha dificuldade para respirar. — Jack abriu um sorriso triste. — A primeira coisa que ele disse para mim foi, "Acho que perdemos aquele Dourado". – Todos riram. — Mais tarde ele perguntou se devíamos nos preocupar com tubarões, e eu disse que não, porque ainda era época de camarão, e os tubarões acompanhavam os barcos para ficar com as sobras. — Ele hesitou por um longo tempo e engoliu em seco. — Depois de algum tempo, eu percebi que Joe estava piorando. Ele me disse que achava que não iria aguentar. E eu disse... — Jack ficou sem voz e baixou a cabeça, sem conseguir terminar.

— Você pode nos contar mais tarde — eu sussurrei e pus a mão nas costas dele, enquanto Haven lhe dava um maço de lenços de papel. Foi demais, fazê-lo reviver aquilo tão cedo.

— Obrigado — Jack disse depois de um minuto, assoando o nariz e soltando um suspiro.

— *Aí está você.* — Uma voz estridente, acusadora, veio da porta, e todos nos viramos para ver uma enfermeira ruiva, robusta, empurrando uma cadeira de rodas vazia para dentro da sala de espera. — Sr. Travis, por que fugiu daquele jeito? Estive procurando o senhor.

— Eu tirei uma folga — Jack disse, acanhado.

A enfermeira fez uma carranca.

— Essa é a última folga que você vai tirar durante algum tempo. Vamos colocar um novo acesso e você vai fazer a ressonância magnética. Acho até que vou inventar mais alguns exames, por você ter me dado esse susto. Desaparecer desse jeito...

— Concordo totalmente — eu disse, fazendo Jack levantar. — Leve-o. E fique de olho nele.

Jack me deu um olhar severo por cima do ombro enquanto sentava na cadeira de rodas.

A enfermeira olhou, incrédula, para as calças de hospital e a camiseta que ele estava usando.

— Onde conseguiu isso? — ela quis saber.

— Não vou contar — ele murmurou.

— Sr. Travis, precisa continuar com a camisola do hospital até terminarmos todos os exames.

— Aposto que você gostaria disso — Jack retrucou —, de me ver andando pelo hospital com a bunda de fora.

— Com todas as bundas que eu já vi, Sr. Travis, duvido que eu ficaria muito impressionada.

— Não sei, não — ele disse, acomodando-se na cadeira. — A minha é muito boa.

A enfermeira virou a cadeira e o empurrou pela porta, enquanto os dois continuaram a trocar insultos.

·············· Capítulo vinte e três ··············

Depois que Jack fez todos os exames, o hospital ainda o manteve em observação durante seis horas. A enfermeira tinha prometido que, depois disso, ele poderia ir para casa. Deixaram que ele tomasse banho e esperasse em uma suíte particular, um dos quartos VIP do hospital, decorada com papel de parede marrom, um espelho com moldura barroca dourada e uma TV que ficava dentro de um armário em estilo vitoriano.

— Isto parece um bordel — comentei.

Irritado, Jack sacudiu o tubo do soro para soltá-lo da grade da cama. Uma das enfermeiras tinha retirado o soro para que ele tomasse banho e depois colocou de novo, apesar dos protestos dele.

— Eu quero essa agulha fora da minha mão. E quero saber o que diabos está acontecendo com o Joe. Além disso, estou com uma bruta dor de cabeça e meu braço está incomodando.

— Por que você não toma um desses analgésicos que estão querendo lhe dar? — perguntei com delicadeza.

— Não quero apagar, no caso de haver alguma notícia sobre o Joe. — Ele foi mudando os canais da TV. — Não me deixe pegar no sono.

— Tudo bem — murmurei, parada ao lado dele. Estendi a mão para acariciar seu cabelo limpo e úmido, deixando as unhas roçarem de leve o couro cabeludo.

Jack suspirou e piscou.

— Isso é bom.

Eu continuei passando os dedos pelo cabelo dele, fazendo cafuné como se ele fosse um gatinho gigante. Em menos de dois minutos, Jack apagou por completo.

Ele não se mexeu por quatro horas, nem mesmo enquanto eu passava, de tempos em tempos, mais hidratante em seus lábios, ou quando a enfermeira entrou para trocar o soro e verificar o monitor. Fiquei sentada, observando-o o tempo todo, com um pouco de medo que eu estivesse sonhando. Eu me perguntava como podia ter me apaixonado daquele modo por um homem que conhecia há tão pouco tempo. Meu coração parecia estar em velocidade máxima.

Quando Jack enfim acordou, eu lhe disse que Joe tinha saído da cirurgia e sua condição era estável. Tendo em vista a idade e a saúde de Joe, o médico disse que ele tinha boas chances de se recuperar sem sequelas.

Aliviado, Jack manteve-se em um silêncio pouco característico durante o processo de alta, quando assinou uma pilha de formulários e recebeu uma pasta com instruções e receitas para cuidar de suas queimaduras. Agora ele vestia calça jeans e camisa, que Gage tinha pegado para ele. Enfim, Hardy nos levou até o 1800 Main. Depois de nos deixar lá, Hardy voltou ao hospital, para esperar com Haven, que queria passar algum tempo com Joe na UTI.

O silêncio de Jack continuou enquanto subíamos até seu apartamento. Apesar do descanso no hospital, eu sabia que ele continuava exausto. Era meia-noite e meia e o prédio estava em silêncio. O bipe do elevador interrompeu a calmaria.

Nós entramos no apartamento e eu fechei a porta. Jack pareceu perplexo ao olhar para o ambiente, como se nunca tivesse estado ali. Sentindo necessidade de confortá-lo, aproximei-me pelas costas dele e envolvi sua cintura com meus braços.

— O que eu posso fazer? — perguntei com delicadeza. Senti o ritmo da respiração dele, mais acelerada do que eu esperava. O corpo dele estava tenso, com nós em todos os músculos.

Ele se virou e me fitou nos olhos. Até então eu nunca tinha visto Jack, sempre tão seguro, parecer tão perdido e incerto. Querendo reconfortá-lo, fiquei na ponta dos pés e levei minha boca à dele. O beijo começou desequilibrado, mas Jack segurou minha nuca com uma mão e colocou a outra no meu quadril, puxando-me contra ele. A boca dele estava quente, ávida, com gosto de sal e desejo.

Interrompendo o beijo, Jack me pegou pela mão e levou para o quarto escuro. Ofegante, ele puxou minhas roupas em um frenesi que eu nunca tinha visto.

— Jack — eu disse, preocupada —, nós podemos esperar até...

— Agora. — A voz dele estava sofrida. — Eu preciso de você agora. — Ele arrancou a própria camisa, estremecendo quando a roupa prendeu no curativo.

— Tudo bem. — Eu estava com medo que ele se ferisse. — Vá com calma, Jack, por favor...

— Não dá — ele murmurou, segurando o fecho do meu jeans, atrapalhando-se com o botão.

— Me deixe ajudar — eu sussurrei, mas ele afastou minhas mãos e me levou para a cama. O autocontrole dele tinha sumido, levado pela exaustão e pelas emoções. Meu jeans e minha calcinha foram arrancados e jogados no chão. Afastando minhas coxas com os joelhos, Jack se acomodou entre elas. Eu levantei o quadril, disposta, abrindo-me para ele, nós dois com o mesmo objetivo.

Ele entrou fundo, uma estocada forte, com um som primitivo vibrando em sua garganta. Ele segurou minha cabeça com mãos trêmulas e tomou minha boca com beijos dolorosos. O ritmo começou com uma força quase brutal, e eu respondi a cada investida visceral com aceitação carinhosa. Segurando a cabeça dele nas minhas mãos, eu puxei sua orelha para perto dos meus lábios e sussurrei o quanto o amava, acima de qualquer coisa. Ele ficou tenso e exclamou meu nome, então seu corpo estremeceu com a violência de seu clímax.

Um pouco antes de amanhecer, eu acordei com a consciência de que mãos quentes passeavam por mim, dedos brincavam e deslizavam no meu corpo. Jack me abraçava por trás, seus joelhos encostados atrás dos meus, com nossos corpos deitados de lado. Em contraste com sua ferocidade anterior, o toque agora era extraordinariamente leve, provocando sensações. Eu senti a dureza do peito dele nas minhas costas, os pelos macios massageando minhas escápulas e me arrepiando toda. Com a boca, ele tocou minha nuca, os dentes se fechando com delicadeza na pele fina e quente, provocando arrepios que deslizavam pela minha coluna.

— Calma — Jack sussurrou, acalmando-me com as mãos, beijando minha nuca, massageando-a com a língua. Mas foi impossível ficar parada enquanto ele acariciava meus seios e minha barriga, e entre minhas coxas, com seus dedos longos deslizando para dentro do meu corpo. Gemi e procurei o pulso dele, agarrando-o e sentindo o conjunto harmonioso de músculos e ossos. Seus lábios se fecharam no meu pescoço.

Ele retirou a mão e, com o braço forte, segurou minha coxa de cima, levantando-a. Posicionando-se, ele entrou fundo com facilidade, sussurrando: *Eu te amo. Relaxe, Hannah, deixe-me possuí-la...* Ele estava tão determinado, o ritmo onírico e lento, e quanto mais eu me debatia, mais ele demorava. Então começamos juntos a aumentar o ritmo a cada estocada, a cada pulsação e respiração.

Saindo de mim lentamente, Jack me virou de costas e me abriu debaixo de si. Sons incoerentes surgiram na minha garganta quando ele entrou de novo. Sua boca tomou a minha com uma delicadeza erótica, ao passo que a cadência urgente dos nossos corpos nunca cessou; as ondulações suaves extraindo cada vez mais prazer.

Nossos olhares se encontraram e eu mergulhei na escuridão dos olhos dele, sentindo-o à minha volta toda, dentro de mim. Ele se apressou, aprofundando as investidas, acompanhando a pulsação interna do meu corpo, buscando meu prazer com estocadas fortes até me levar a um clímax mais forte e intenso do que qualquer coisa que eu havia sentido. Gritei ao chegar lá, envolvendo-o com meus membros, enquanto Jack suspirava meu nome e me amparava na contracorrente, nas sensações ricas e contínuas que se seguiram.

Por um longo tempo, Jack segurou meu corpo trêmulo, acariciando-me até eu me acalmar.

— Você imaginou que pudesse ser assim? — sussurrei.

— Sim. — Ele alisou meu cabelo e me beijou na testa. — Mas só com você.

Nós dormimos até o azul da manhã pressionar as venezianas, que filtraram a luz que entrava no quarto. Eu tive uma consciência vaga de Jack levantando da cama, dos sons de chuveiro, do café sendo feito na cozinha, da voz baixa dele telefonando para o hospital para saber da situação do Joe.

— Como ele está? — eu perguntei, grogue, quando Jack voltou para o quarto. Ele estava usando um robe de flanela xadrez e trazia uma caneca de café. Ele ainda parecia um pouco abatido, mas estava mais sexy do que qualquer homem tinha o direito de estar depois do que ele tinha passado.

— Estável. — A voz de Jack continuava abalada pela provação. — Mas vai ficar bem. É forte como ninguém.

— Bem, ele é um Travis — eu disse. Levantando da cama, fui até a cômoda e peguei uma camiseta, cuja barra chegou ao meio das minhas coxas quando a vesti.

Quando me virei, Jack estava bem atrás de mim e prendeu uma mecha do meu cabelo atrás da orelha, enquanto me olhava com atenção. Ninguém jamais tinha me olhado com uma preocupação tão carinhosa.

— Conte-me sobre o Luke — ele pediu, suave.

Quando encarei aqueles olhos de veludo escuro, eu soube que podia compartilhar qualquer coisa com ele. Jack me escutaria e compreenderia.

— Me deixe pegar um café, primeiro — eu disse e fui para a cozinha.

Jack tinha deixado uma xícara com pires ao lado da cafeteira. Eu encontrei uma folha de caderno, dobrada ao meio, dentro da xícara vazia. Perplexa, abri o bilhete, que dizia:

> *Querida Srta. Independente,*
>
> *Decidi que, de todas as mulheres que eu conheço, você é a única que eu vou amar mais do que pesca, caça, futebol americano e ferramentas elétricas.*
>
> *Talvez você não saiba, mas na primeira vez que a pedi em casamento, na noite em que montei o berço, eu falava sério, embora soubesse que você não estava pronta.*
>
> *Deus, espero que esteja pronta agora.*
>
> *Case comigo, Hannah. Porque não importa aonde você vá, ou o que faça, eu a amarei todos os dias, pelo resto da minha vida.*
>
> — *Jack*

Não senti medo ao ler essas palavras. Só fiquei pasma por tanta felicidade estar ao meu alcance.

Reparando que havia mais uma coisa na xícara, estendi a mão e peguei um anel de diamante, uma pedra redonda e cintilante. Fiquei sem fôlego quando a virei para a luz. Experimentei o anel e ele deslizou perfeitamente no meu dedo. Pegando uma caneta que jazia ao lado, virei a folha de papel e escrevi minha resposta com uma caligrafia floreada.

Servi meu café, acrescentei leite e adoçante, e voltei para o quarto com o bilhete.

Jack estava sentado na beira da cama, a cabeça um pouco inclinada enquanto ele me observava. Seu olhar escaldante me examinou da cabeça aos pés, detendo-se no diamante que brilhava na minha mão. Vi o peito dele subir e descer com uma inspiração rápida.

Tomando um gole do meu café, aproximei-me dele e entreguei o bilhete.

> Querido Jack,
>
> Eu te amo mais do que as palavras poderiam expressar.
>
> E acho que sei o segredo para um casamento longo e feliz: basta escolher uma pessoa sem a qual você não consegue viver.
>
> Para mim, essa pessoa é você.
>
> Então, se você insiste em ser tradicional...
>
> Sim.
>
> — Hannah

Jack soltou um suspiro reprimido. Eu estava parada diante dele, que levou as mãos aos meus quadris.

— Graças a Deus — ele murmurou, puxando-me para entre suas coxas. — Eu estava com medo de que você quisesse começar um debate.

Tomando cuidado para não derramar meu café, inclinei-me para a frente e encostei meus lábios nos dele, deixando que nossas línguas se tocassem.

— Quando foi que eu consegui dizer não para você, Jack Travis?

Os cílios dele baixaram quando Jack olhou para meu lábio inferior úmido, e ele falou, com o sotaque forte:

— Bem, com certeza não quero que comece a dizer não agora. — Tomando a xícara de mim, ele terminou o café com alguns goles e colocou a xícara de lado, ignorando os protestos que proferi em meio a risadas.

Ele me beijou até meus braços estarem enrolados em seu pescoço e meus joelhos ameaçarem ceder.

— Hannah — ele disse, terminando o beijo com um carinho delicado com o nariz. — Você não vai voltar atrás, vai?

— É claro que não. — Eu estava tomada de um sentimento de clareza, de certeza tranquila, ao mesmo tempo que estava tão zonza quanto um caleidoscópio de borboletas. — Por que eu voltaria atrás?

— Você me disse que acreditava que casamento era para os outros.

— E você é o único homem que poderia me fazer acreditar que é para mim também. Mas, no fim, real mesmo é o amor. Continuo afirmando que casamento é só uma folha de papel.

Jack sorriu.

— Vamos descobrir — ele disse e me puxou para a cama com ele.

Ocorreu-me, muito mais tarde, que as pessoas que dizem que casamento é só um pedaço de papel são, normalmente, aquelas que nunca se casaram. Porque esse clichê deixa de levar em conta algo importante... o poder das palavras... e eu, mais do que qualquer outra pessoa, deveria entender isso.

De algum modo, a promessa que fizemos naquela folha de papel me deu mais liberdade do que eu jamais tive. Ela nos permitia brigar, rir, arriscar e confiar sem medo. Era a confirmação de uma ligação que já existia. E era uma união que se estendia muito além dos limites de um espaço de convivência. Nós teríamos permanecido juntos mesmo sem uma certidão de casamento... mas eu acredito na permanência que ela representa.

Essa é uma folha de papel com a qual se pode construir uma vida.

A princípio minha mãe pareceu não acreditar que eu tinha conseguido agarrar um Travis, e ela caiu sobre nós como uma praga do Egito, na esperança de lucrar com meus novos conhecidos. Mas Jack soube lidar com ela, usando uma mistura de intimidação e charme para mantê-la na linha. Eu não a via nem tinha notícias dela com frequência, e quando ela fazia contato, era estranhamente reservada e respeitosa.

— Eu imagino o que está acontecendo com ela — eu disse para Jack, perplexa. — Ela não fez comentários sobre meu peso ou meu corte de cabelo, e não tive que ouvir histórias nojentas sobre a vida sexual dela ou seus hábitos de depilação.

— Eu prometi dar um carro novo para ela, se conseguisse não irritar você durante seis meses — ele me contou. — Eu disse que se visse você triste ou fazendo cara feia depois de falar com ela ao telefone, o acordo estava cancelado.

— Jack Travis! — Eu fiquei indignada, mas achei graça. — Você vai começar a dar presentes caros para ela, a cada seis meses, como recompensa por interpretar um ser humano decente?

— Duvido que ela aguente tanto tempo — ele disse.

Quanto à família de Jack, eu os achava pitorescos, afetuosos, brigões e fascinantes. Eles formavam uma família real e me acolheram com carinho – e eu os amei por isso. Não demorou para eu me apegar a Churchill, que era uma alma bondosa e generosa para todos aqueles que não considerava estúpidos. Nós debatíamos vários assuntos e provocávamos um ao outro com e-mails políticos, e também nos fazíamos rir mutuamente. Ele insistia que eu sentasse ao seu lado nos jantares de família.

Depois de duas semanas no Hospital Garner, Joe teve alta e foi se recuperar na mansão em River Oaks, o que encantou Churchill na mesma medida em que irritou o filho.

Joe disse que queria privacidade. Ele não gostava que, sempre que alguém aparecia para visitá-lo, primeiro ia falar com seu pai. Mas Churchill, que não se incomodava nem um pouco com tantas mulheres jovens e atraentes circulando pela casa, retrucou que, se Joe não gostava disso, era melhor ficar bom logo. Como consequência, Joe foi um paciente modelo, decidido a se recuperar o quanto antes para se afastar da interferência do pai.

Casei com Jack dois meses depois do pedido, o que chocou todos os meus amigos e a maioria dos dele, que pensavam nele como um eterno solteirão. Ouvi alguns boatos de que a experiência de quase morte pela qual ele passou o tinha ajudado a rever suas prioridades.

— Minhas prioridades sempre foram muito claras — Jack respondia para todo mundo. — Eram as de Hannah que precisavam ser revistas.

Na noite antes do casamento, minha irmã Tara foi ao jantar que fizemos para os convidados que eram de fora da cidade. Ela estava linda em um terninho rosa, o cabelo volumoso, com brincos de diamantes nas orelhas. Ela apareceu sem acompanhante. Eu quis perguntar como ela estava, se era bem tratada, se estava feliz em seu arranjo com Noah, mas todos os meus pensamentos a respeito do relacionamento de Tara com Noah Cardiff sumiram assim que eu percebi que ela tinha levado Luke.

Ele era um querubim lindo de olhos azuis que tentava agarrar coisas, sorria e babava. Lindo demais para ser descrito em palavras. Eu abri os braços, ansiosa, e Tara o entregou para mim. O volume gostoso de Luke no meu peito, seu cheirinho e calor, os olhinhos redondos e curiosos que tentavam assimilar tudo; tudo isso me lembrou de que eu nunca estaria completa sem ele.

Durante os dois meses em que estivemos separados, tentei me consolar pensando que, com o tempo, a dor da ausência de Luke iria sumir, que eu esqueceria e seguiria em frente. Mas enquanto eu o aninhava e acariciava seu cabelinho preto e macio – e ele sorria como se lembrasse de mim – eu soube que nada tinha mudado. O amor não segue em frente.

Fiquei com Luke no colo durante todo o jantar, levantando uma vez para andar com ele, outra para levá-lo para trocar a fralda, apesar do protesto da minha irmã de que ela podia fazer isso.

— Deixe que eu troco — eu pedi, rindo quando Luke agarrou o colar de pérolas que eu estava usando e tentou colocar algumas na boca. — Não é nenhum trabalho, e eu quero passar cada segundo possível com ele.

— Tome cuidado — Tara me alertou, entregando-me a bolsa de fraldas. — Agora ele sabe rolar. Pode cair da cama.

— Sabe mesmo? — eu perguntei, olhando para Luke, encantada. — Você sabe rolar? Vai ter que fazer isso para eu ver, meu bebê querido.

Ele gorgolejou, concordando, mastigando minhas pérolas.

Depois que Luke estava com a fralda nova, levei-o na direção da escada, por onde desci para voltar ao jantar. Parei quando vi Jack e Tara subindo até o patamar mais alto, os dois concentrados na conversa. Jack olhou para mim e me deu um sorriso, mas seus olhos estavam atentos e alertas. Fiquei com a impressão de que ele queria me contar algo. E Tara parecia cautelosa.

Do que eles poderiam estar conversando?

— Ei — eu disse, forçando um sorriso. — Estava com medo de que eu tivesse perdido o jeito?

— De jeito nenhum — Jack respondeu, tranquilo. — Você já trocou tantas fraldas que não vai se esquecer como se faz tão cedo. — Ele se aproximou de mim e me deu um beijo no rosto. — Querida, por que não deixa o Luke comigo por alguns minutos? Eu e ele precisamos pôr o assunto em dia.

Mas eu relutei em me separar do bebê.

— Pode ser um pouco mais tarde?

Com o rosto pairando acima do meu, Jack me fitou diretamente nos olhos.

— Converse com sua irmã — ele murmurou. — E diga sim para ela.

— Diga sim sobre o quê?

Mas ele não respondeu. Jack tirou o bebê de mim, apoiou-o no ombro e deu uma batidinha no traseiro com fralda. Luke se aninhou em Jack, satisfeito naquele abraço seguro.

— Isto não vai demorar — Tara me disse, parecendo insegura, quase envergonhada. — Pelo menos eu acho que não vai. Tem algum lugar tranquilo onde possamos conversar?

Eu a levei até uma sala de estar no andar de cima e nós nos acomodamos em poltronas de couro macio.

— É sobre nossa mãe? — eu perguntei, preocupada.

— Deus, não. — Tara levantou os olhos para o teto. — Mamãe está bem. Ela não sabe de mim e Noah, é claro. Tudo que ela sabe é que eu tenho um namorado rico. Está contando para todo mundo que estou namorando um jogador dos Astros em segredo.

— Como estão as coisas com Noah? — perguntei, insegura, sem saber se deveria mencionar o nome dele.

— Maravilhosas — ela respondeu sem hesitação. — Nunca fui tão feliz. Ele está sendo bom de verdade para mim, Hannah.

— Fico contente em saber.

— Eu tenho uma casa — Tara continuou —, joias, um carro... e ele me ama, repete isso o tempo todo. Espero que ele possa manter suas promessas... Eu acredito que ele pretende mantê-las. Mas, mesmo que não possa, este tem sido o melhor momento da minha vida. Eu não o trocaria por nada. É só que... Eu andei pensando nas coisas...

— Você vai deixá-lo? — perguntei, esperançosa.

Um sorriso irônico curvou os lábios pintados de batom.

— Não, Hannah. Eu vou passar mais tempo com ele. Noah começou a viajar bastante... ele vai atravessar o país para apresentar programas em grandes estádios, e também vai visitar o Canadá e a Inglaterra. A mulher dele vai ficar aqui com os filhos. Eu vou fazer parte da comitiva. E estarei com ele todas as noites.

Fiquei sem fala por um momento.

— Você quer mesmo fazer isso? — perguntei, afinal.

Tara concordou.

— Eu quero ver o mundo, aprender coisas novas. Nunca tive a oportunidade de fazer nada assim antes. E quero estar com Noah para ajudá-lo de todas as formas que eu puder.

— Tara, você acha mesmo...

— Não estou pedindo sua permissão — ela declarou. — E não quero sua opinião, Hannah. Estou tomando minhas próprias decisões, porque eu tenho esse direito. Depois de ser criada por nossa mãe, você sabe como é importante conseguir tomar as próprias decisões.

Isso me fez sossegar como nada mais poderia fazer. Sim, era um direito dela tomar as próprias decisões, cometer os próprios erros.

— Você está me dizendo adeus? — perguntei, com a voz rouca.

Ela sorriu e negou com a cabeça.

— Ainda não. Vamos precisar de alguns meses para providenciar tudo. O motivo de eu estar te contando isso agora é que... — O sorriso dela sumiu. — Deus... Não é fácil dizer o que eu realmente sinto, em vez do que eu acho que deveria sentir. Mas a verdade é que eu tenho cuidado do Luke, passado muito tempo com ele, e continua sendo como no começo. Não sinto que ele seja meu. Nunca vai ser. Eu não quero filhos, Hannah. Não quero ser mãe... não desejo reviver nossa infância.

— Mas não tem que ser assim — eu me apressei em dizer, pegando as mãos longas e magras dela nas minhas. — Luke não tem nada a ver com aquela vida.

— É assim que você pensa — ela disse com delicadeza. — Mas não é o que eu penso.

— O que Noah diz?

Tara baixou os olhos para nossas mãos entrelaçadas.

— Ele não quer Luke. Ele já tem filhos. E ter um bebê por perto dificulta que fiquemos juntos.

— Quando Luke ficar mais velho, você vai mudar de ideia.

— Não, Hannah. Eu sei o que estou fazendo. — Ela me deu um olhar demorado, que era, ao mesmo tempo, amargo e doce. — Só porque uma mulher pode ter filhos, isso não faz dela uma mãe. Eu e você sabemos disso, não é verdade?

Meus olhos e nariz arderam. Eu engoli em seco para aliviar o aperto na garganta.

— É verdade — sussurrei.

— Então o que eu queria saber, Hannah, é se você gostaria de ficar com Luke para sempre. Jack acredita que você gostaria. Seria o melhor para o bebê, se você estiver disposta.

O mundo pareceu congelar. Fui pega em um momento de suspensão, de assombro e medo, pensando que talvez não tivesse escutado direito. Ela não podia ter me oferecido, de verdade, algo tão valioso.

— Se eu estiver disposta... — repeti, me esforçando para controlar minha voz. — Como vou saber que, algum dia, você não vai querer Luke de volta?

— Eu não faria isso com você ou com o bebê. Eu sei o quanto Luke significa para você. Vejo isso no seu rosto sempre que olha para ele. Vamos fazer uma adoção legal. Cuidar da papelada toda. Eu assino tudo que tiver para assinar. E Noah também, desde que a parte dele seja mantida em sigilo. Luke é seu se você quiser, Hannah.

Eu concordei, cobrindo a boca com a mão para segurar um soluço.

— Eu quero — consegui dizer entre duas inspirações profundas. — Eu quero. Claro.

— Não chore, vai estragar sua maquiagem — Tara disse, usando o dedo para enxugar uma lágrima que escapara do meu olho.

Eu estendi os braços para ela e a abracei com força, sem me importar com maquiagem, penteado ou roupa.

— Obrigada — eu disse e perdi a fala.

— Quando você quer pegá-lo? Depois que vocês voltarem da lua de mel?

— Eu quero ele agora — eu disse e irrompi em lágrimas, incapaz de continuar a segurá-las.

Tara soltou uma risada de espanto.

— Na véspera do seu casamento?

Eu assenti, enfática.

— Não consigo pensar em um momento pior — Tara disse. — Mas está bem para mim, desde que Jack concorde. — Ela enfiou a mão na bolsa e encontrou uma fralda de pano, que me entregou.

Enquanto eu enxugava os olhos, percebi alguém vindo em nossa direção. Levantei o rosto e vi Jack se aproximando com Luke. Seu olhar leu cada detalhe do meu rosto como se este fosse uma paisagem familiar e amada. Ele viu tudo. Um sorriso começou nos cantos de sua boca e ele sussurrou algo na orelhinha do bebê.

— Ela quer ficar com ele agora — Tara disse para Jack. — Mas eu disse que nós podemos esperar até depois da lua de mel.

Jack veio até mim e baixou Luke nos meus braços ansiosos. Seus dedos longos pegaram meu queixo por baixo e levantaram meu rosto, o polegar limpando com delicadeza uma lágrima escorrida na minha bochecha. Ele sorriu para mim.

— Acredito que Hannah não quer perder tempo — ele murmurou. — Você quer, querida?

— Não — eu concordei com um sussurro, o mundo ao meu redor como que cintilando através de um vidro quente, o som da voz dele e da minha pulsação irregular se misturando como música.

·················· Epílogo ··················

Jack me buscou no aeroporto depois da minha conferência no Colorado, onde eu participei de *workshops*, apresentei ideias para editores de revistas e vendi um artigo com o título provisório de "Seis estratégias para encontrar e manter a felicidade". Foi uma boa conferência, mas está mais do que na hora de voltar para casa.

Depois de quase um ano de casamento, esses quatro dias foram a separação mais longa pela qual Jack e eu passamos. Eu telefonava com frequência para ele, contando das pessoas que conheci, das coisas que aprendi e sobre as minhas ideias para colunas e artigos futuros. Por sua vez, Jack me falou de seu jantar com Hardy e Haven, que Carrington tinha colocado aparelho e que tudo estava bem no check-up de Joe. Em todas as noites que estive fora, Jack me fez um relato detalhado do dia de Luke, pois eu queria saber tudo que tinha acontecido.

Fiquei um instante sem respirar quando vi meu marido à minha espera na esteira de bagagem. Ele é bonito e pecaminosamente sexy, o tipo de homem que atrai todos os olhares femininos sem se esforçar, mas só presta atenção em mim. Quando me vê andando em sua direção, ele chega até mim com três passos, amassando minha boca com a dele. O corpo de Jack é firme e reconfortante. E embora eu não tenha me arrependido de ir à conferência, percebi que não me sentia tão bem assim desde que saí de perto dele.

— Como está o Luke? — esta é a primeira coisa que pergunto, e Jack me conta a história de quando estava dando papinha de maçã para o bebê, que pegou um punhado e passou no próprio cabelo.

Nós pegamos minha bagagem e Jack me levou para nosso apartamento no 1800 Main. Parece que nós não conseguíamos parar de falar, embora tenhamos conversado todos os dias em que estivemos separados. Mantenho a mão no braço de Jack o tempo todo, e reparo que o bíceps dele parece enorme. Quando pergunto se ele está se exercitando mais do que o normal, ele responde que foi o único modo que encontrou para lidar com a frustração sexual e diz que vou ter que trabalhar muito para compensar os dias perdidos, e eu respondo que vai ser ótimo.

Fico na ponta dos pés, beijando-o, durante toda a subida do elevador, e ele corresponde com uma intensidade que quase me deixa sem ar.

— Hannah — ele murmura, segurando meu rosto afogueado em suas mãos. — Quatro dias sem você, mas pareceram quatro meses. Tudo que eu consegui pensar foi: como eu aguentei tanto tempo antes de conhecer você?

— Você saiu com um monte de dublês — eu respondo.

Um sorriso ilumina o rosto dele antes que Jack me beije de novo.

— Eu não sabia o que estava perdendo.

Enquanto Jack carrega minhas malas, corro até nosso apartamento, meu coração acelerando devido à expectativa. Toco a campainha e a babá abre a porta no instante em que Jack me alcança.

— Bem-vinda, Sra. Travis! — ela exclama.

— Obrigada. É bom estar de volta. Onde está o Luke?

— No quarto dele. Estávamos brincando com os trens. Luke foi um bom garoto na sua ausência.

Deixando minha bolsa cair ao lado da porta, jogando meu paletó no sofá, eu vou até a porta do quarto dele. As paredes estão pintadas em tons pastéis de azul e verde; uma delas é um mural de carros e caminhões com rostos alegres. O tapete tem uma estampa de estradas e trilhos de trem.

Meu filho está sentado sozinho, segurando um trem de madeira nas mãos, tentando girar as rodas com os dedos.

— Luke — eu digo em voz baixa, sem querer assustá-lo. — Mamãe chegou. Estou aqui. Oh, como eu senti saudades, meu menino querido.

Luke olha para mim com seus enormes olhos azuis e deixa o caminhão cair, mantendo as mãozinhas suspensas no ar. Um sorriso largo ilumina seu rosto, revelando um dentinho. Ele levanta os braços para mim.

— Mama — ele diz.

Eu me emociono com a palavra. E vou até ele.

LEIA TAMBÉM

A Protegida
Lisa Kleypas
Tradução A C Reis

Uma escolha pode conduzi-la à felicidade... ou partir irremediavelmente seu coração.
Liberty Jones é uma garota determinada, mas em sua vida pobre e difícil não há espaço para que consiga vislumbrar seus sonhos sendo realizados. Seu único consolo é a amizade e o amor que nutre por Hardy Cates, um jovem que possui ambições grandiosas demais para ficarem enterradas na pequena cidade de Welcome.
Apesar da atração irresistível que pulsa entre os dois, tudo o que Hardy não precisa é de alguém para atrapalhar seus planos de sucesso, e ele a abandona no momento mais difícil de sua vida: quando a mãe de Liberty morre tragicamente em um acidente, deixando um bebê para ela criar.
Mas a vida traz grandes surpresas e Liberty se vê sob a tutela de um magnata bilionário, que irá oferecer muito mais que proteção à irmã e a ela, mas também revelará uma forte ligação com o passado obscuro da família de Liberty. O que ela não espera é ter de lidar com Gage Travis, o filho mais velho do magnata; o rapaz não aprova a presença dela em sua casa e fará de tudo para afastá-la de sua família... Gage apenas esquece de também mantê-la longe de seu coração.

A Redenção
Lisa Kleypas
Tradução A C Reis

Herdeira caçula de um verdadeiro império, Haven é uma mulher obstinada que vive de acordo com os próprios princípios e não tem medo de bater de frente com o pai, Churchill Travis, um dos homens mais ricos e respeitados do Texas. Mas ao cortar relações com ele para se casar com um jovem que sua família desaprova, Haven vê sua vida se transformar num verdadeiro inferno... e não tem para quem pedir ajuda.

Dois anos depois, Haven volta para casa, com a alma abatida e o coração fechado, determinada a reconstruir sua vida sozinha. Mas Hardy Cates e seus irresistíveis olhos azuis cruzam seu caminho, e ele é a última pessoa que ela precisa encontrar.

Hardy é o mais novo magnata da indústria petroleira de Houston, um homem de sangue quente que aprendeu desde muito cedo a não confiar em ninguém e que nunca mediu esforços para chegar aonde quer: ao topo! Em sua jornada alimentada pela ambição desmedida, ele conquista poder e inimigos, incluindo os membros da poderosa família Travis. O que ele não esperava era sentir suas defesas serem abaladas pela herdeira da família...

Duas pessoas que aprenderam da pior maneira que o amor pode ser o inimigo mais cruel. Será que vão conseguir deixar todos os traumas para trás diante de uma nova chance?

Este livro foi composto com tipografia Electra LT e impresso
em papel Off-white 70 g/m² na Assahi